메마른 빛

이슬한 방울

메마른 빛 아슬한 방울
vol.6
글 케얄
그림 니시
완결
나비노블

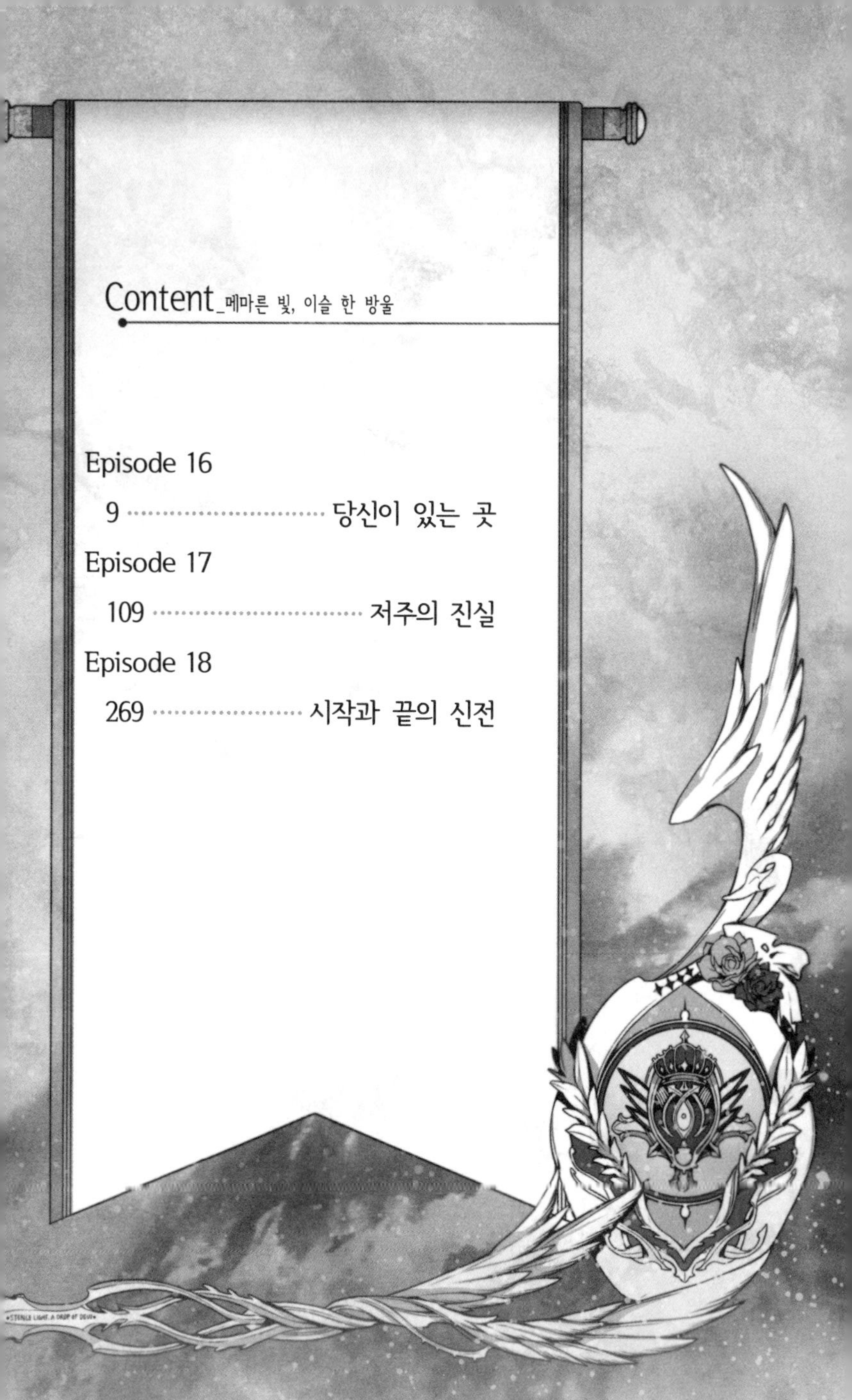

Content_메마른 빛, 이슬 한 방울

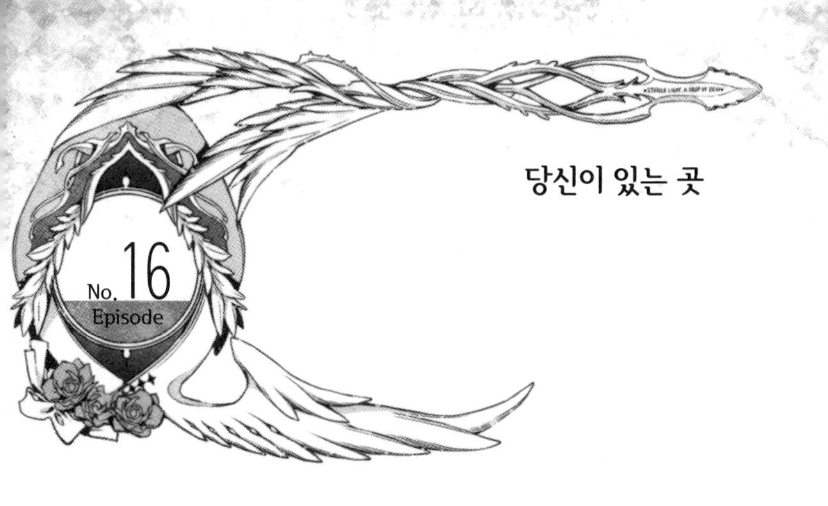

당신이 있는 곳

얼어붙어 있던 그의 세계는 순식간에 녹아내렸다.

그녀를 품에 안는 순간 느껴지는 공기 자체가, 눈으로 보는 주변 풍경 자체가 달라졌다. 무채색의 세계가 마치 마법처럼 순식간에 색을 되찾는다.

간신히 품에 안은 그녀는 차가웠음에도 따뜻했다. 그 모순 가득한 감각에 하르페니언은 이를 악물었다. 이 손으로 만질 수 있는 수아다. 신기루나 허깨비가 아니라 맥박이 뛰고 따뜻한 체온을 나눌 수 있는, 현실의 수아.

그녀가 다시 자신의 품 안으로 돌아왔다는 것이 믿어지지 않았다.

이 역시 어떤 꿈이나 환상이 아닐까.

"……알."

그 한마디에, 하르페니언은 그만 울컥했다.

심장이 마치 그를 두드리듯 뛰었다. 그 안에서 겨우 입을 열어 말할 수 있었던 것은 몸이 찬데 괜찮으냐는 소리뿐이었다. 그 무뚝뚝한 말에도 수아는 옅은 미소와 함께 그의 품 안으로 더욱 파고들었다.

지난 몇 달간 간절히 원하고 또 원했던 이였다.

감히 상상조차 제대로 하지 못했던 그녀의 감촉이 너무나도 행복해서, 억지로 봉인해둔 그리움이 터져 나와 그에게 쏟아지듯 밀려들었다.

결국 그는 그 뒤 아무런 말도 할 수 없었다. 눈보라 속에서 한 사람을 안고 말을 달리는 건 아무리 그가 승마에 익숙하다고 해도 최소한의 주의는 필요한 법이다. 하지만 어설프게 입을 열었다간 그 최소한의 주의조차 그녀에게 향할 것이다. 지금도 모든 감각이 그녀를 향해 있음에야.

그녀를 최대한 편안하게 안으려고 노력하며, 낙마하지 않게끔 조심하면서 가장 가까운 영지로 칸을 재촉하는 것이 지금의 하르페니언에게는 최선이었다.

ෙ෧ා෧ෙ

수아의 몸은 상당히 차가웠다. 얇은 여름옷만을 입고 이 눈보라 속에 있었으니 당연하다면 당연했다. 아까 그 몬스터가 아니었다 해도, 한두 시간만 발견이 늦었더라면 잘못될 수 있었으리라. 그 끔찍한 가정을 떠올리는 것만으로도 오싹 소름이 돋았다.

그는 영주관에 들어서자마자 목욕물을 준비하라고 이른 다음, 벽난로에 장작이 가득 타오르고 있는 방 안으로 그녀를 데리고 들어왔다.

커다란 응접실에 침실과 욕실이 딸린, 원래는 이 영주관에서 하르페니언이 임시로 사용하고 있는 방이었다.

저주받은 황태자가 누군가를 안고 돌아왔다는 사실에 사람들은 당황하여 술렁였다.

전이었다면 단체로 풀썩풀썩 기절하여 실려 나갈 정도의 상황이었지만 지금은 달랐다.

아직 기존의 이미지를 쇄신하기에는 미미하다지만 영웅적인 활약에 대한 소문이 제법 돌고 있었고, 하르페니언 또한 며칠간 이곳에서 지내면서 여러 무시무시한 소문들과는 일치하는 모습을 전혀 보이지 않았기에 예전만큼 공포로만 그를 바라보지 않았기 때문이다. 심지어 어떤 이들은 정말 황태자에게 저주가 내린 게 맞느냐고 수군거리기까지 했다.

물론 하르페니언은 그런 술렁거림에 시선조차 주지 않았다. 그는 조심스레 벽난로 옆에 있는 안락의자에 그녀를 앉혔다. 그러고는 비로소, 그녀의 얼굴을 자세히 볼 수 있었다. 수아는 마치 울 것 같은 얼굴로 그를 바라보고 있었다.

"수아."

마침내 보게 된 얼굴이다. 다행히 그다지 상해 있는 것 같진 않았다.

그제야 하르페니언은 안도의 숨을 내쉴 수 있었다. 마치, 몇 개월간 참고 있던 숨을 비로소 내쉬는 느낌이었다.

"알."

그녀는 빙긋 웃었다가, 이내 눈동자에 물기가 어리기 시작했다.

"미안해요, 나……."

절대로 떠나지 않는다고 약조한 바로 그날, 바로 환상에 휘말렸다. 그것이 수아의 본의가 아니라 해도 그의 곁을 떠나버렸다는 사실은 변하지 않는다.

하지만 하르페니언은 오히려 희미하게 미소를 지었다.

"그대가, 왜 내게 사과하지 말라고 했는지 알겠군."

그는 부드러운 목소리로 말했다.

"그대가 미안해할 일이 아냐."

또르르, 검은 눈동자에 어렸던 눈물이 마침내 가득 차올라 뺨을 타고 흘러내린다. 하르페니언은 장갑을 벗고 손가락으로 그녀의 눈물을 훔치고는, 천천히 뺨을 쓸어내렸다.

"울지 마, 수아."

지금 이 순간 하르페니언은 모든 것을 잊었다. 아무리 괴로웠다 해도 그건 이미 지난 일일 뿐, 지금 바로 앞에 수아가 있는데 무엇을 더 바랄까. 이미 색이 바래 한 치의 가치도 없는 과거 따위보다 지금 그의 눈앞에서 그녀가 이리 우는 것이 훨씬 더 가슴 아팠다.

"하, 하지만……."

그러나 수아는 울음을 멈출 수가 없었다. 하르페니언에게 미안해서, 가슴이 아려 견딜 수가 없어서.

그는 한눈에 봐도 알 수 있을 정도로 얼굴이 많이 상해 있었다. 여위었다고 해야 할까, 피폐해졌다고 해야 할까. 그동안 얼마나 마음고생이 심했는지 바로 보이는 얼굴이었다. 지금의 그가 몬스터를 퇴치하고 돌아온 모습이어서만은 아니리라.

그런 그가, 오히려 자신을 달랜다.

수아는 비록 가짜라고는 하지만 가족들과 함께 행복한 시간을 보냈다.

계속 무언가 불충분하다는 생각에 마음 한구석이 허했다고는 하지만 묻어둘 수 있을 정도였다. 가끔 누군가가 사무치게 그리웠긴 하지만 그것뿐이었다.

그 환상은 수아에게 친절한 세계를 제공해줬다. 즐겁게 평화로운 일상을 누리면서 가족들과 함께 지냈다. 더구나 아무리 그와 비슷하다지만, 다른 남자와 사귈 생각을 하며 두근거리기까지 했다.

그는 계속해서, 이곳에서 그녀를 기다렸는데.

"전…… 저만 편하게…… 흐흑."

결국 울음은 입 밖으로 새어 나갔다. 그녀가 흐느끼기 시작하자, 하르페니언은 천천히 그녀의 어깨에 팔을 둘러 그녀의 몸을 조심스레 자신 쪽으로 끌어당겼다.

"그동안 어디에 있었는지는 모르겠지만."

그는 다시 한 번 미소를 지었다.

"그대의 말대로, 편히 있었다면 정말 다행이군. 그대가 힘들지만 않았다면…… 그 어떤 일이 있었다 하더라도 상관없어."

진심이 담긴 말이었다. 그래서 더욱 울음이 터졌다. 수아는 그의 품 안을 파고들며 팔로 그의 등을 둘렀다.

그러자 이제까지 아무렇지도 않았던, 아니 아무렇지도 않게 느껴졌던 하르페니언의 몸이 움찔거렸다. 그리고 천천히, 조금씩 힘을 주어 그녀를 안은 팔에 힘을 주었다.

그의 몸이 떨리기 시작했다.

"……수아."

이제까지 참고 있던 무언가가 끊긴 듯, 그는 덜덜 떨며 수아를 품에 안았다. 있는 힘껏, 두 번 다시 놓치지 않겠다는 듯, 사라지는 것은 용서치 않는다는 듯.

"수아."

어찌나 세차게 그녀를 끌어안았는지, 수아는 숨을 쉬는 것도 쉽지 않았다. 하지만 그녀 또한 그를 껴안은 팔에 더더욱 힘을 주었다.

"수아."

그 목소리가 너무나도 애절해서, 온몸으로 느껴지는 그의 떨림이 슬플 정도여서.

"수아."

그는 몇 번이고 그녀의 이름을 불렀다. 그렇게 말을 하지 않으면 안 되는 것처럼. 그녀가 금방이라도 없어질 것처럼.

그의 모든 것을 담아, 부르는 것처럼.

"수, 아……."

"네, 알. 저…… 여기, 있어요."

간신히, 흐느낌을 목 안으로 넘기며 수아는 답했다.

그는 대답을 받은 후에야 잠시 입을 다물었지만, 그래도 수아는 들었다.

그는 온몸으로 그녀를 부르고 있었다.

몇 번이고, 몇십 번이고.

만약 문을 두드리는 소리가 들리지 않았다면 그대로 놔주지 않았을지도 모른다. 노크 소리가 난 후에도 한참이나 그는 그녀를 붙잡고 있었으니까.

천천히, 그가 그녀에게서 떨어졌다. 그리고 한 번 그녀의 뺨을 쓰다듬은 후에야 문밖의 이가 방 안으로 들어오는 것을 허락했다. 마른 수건을 가져온 하녀였다.

수아는 고개를 돌려 눈물을 닦아내다, 목욕 준비가 다 되었다고 고하는 목소리에 눈을 돌려 하녀를 바라보았다. 하녀는 겨우 10대 중후반 정도로 보이는 어린 소녀였는데, 알 수 없는 위화감이 있었다.

이제껏 하르페니언을 대하던 고용인들은 리노체스 백작가나 회궁의 사람들이 아닌 이상 대부분 공포에 질려 떨고 있거나 아니면 감정을 철저하게 절제하여 그 공포를 갈무리하는 정도였다. 그리고 지금 하녀의 나이대라면 십중팔구 전자 쪽에 속할 터였다. 하지만 지금 하녀는 그 어느 경우에도 포함되지 않아 보였다.

물론 긴장한 티가 역력하게 나긴 했어도 그건 「높은 분」을 모시게 되어 바짝 기합이 들어간 모습에 가까웠다.

"알았다. 곧 갈 테니 나가 있도록."

수아는 멍하니 하녀가 나가는 모습을 바라보다가 곧 하르페니언이 그녀의 어깨 위로 마른 수건을 둘러주자 퍼뜩 그를 향해 시선을 돌렸다.

"몸이 차. 먼저 씻는 게 좋겠는데."

"아, 그렇죠."

그러고 보니 아무리 벽난로의 불길이 강하다 해도 계속 젖은 옷을 입은 채였다. 체온도 문제겠지만 축축하게 젖은 옷의 감촉도 별로 좋은 것은 아니었다.

"음……. 그런데."

"네?"

그가 잠시 머뭇거리며 말을 이었다.

"혹시 모르는 일이니…… 좀 불편하더라도 목욕 시중은 받지 않았으면 하는데."

그 말을 왜 이렇게 조심스럽게 하는 걸까.

수아는 빙긋 웃었다.

"괜찮아요. 어차피 혼자 씻는 게 더 편한걸요."

빈말이 아니었다. 마사지를 받거나 손이 가는 옷으로 갈아입을 때면 모를까, 씻을 때는 아직 시중을 받는 것에 익숙하지 않았다.

수아는 곧바로 의자에서 몸을 일으켰다.

"알도 씻어야죠. 같이 가나요?"

별생각 없이 한 말이었다. 정확히는 방을 같이 나가서 각자 씻으러 가느냐는 물음이었지만, 당연히 하르페니언의 귀에는 그렇게 들리지 않았다.

그가 당황하여 그녀를 바라보자, 수아도 뭔가 그의 표정이 이상한 걸 느끼고는 잠깐 고개를 갸웃했다. 하지만 곧 자신이 한 말을 되짚어본 그녀가 기겁하여 고개를 저었다.

"아뇨, 그게 아니라! 그냥 방에서 같이 나가나…… 해서."

순식간에 얼굴이 확 붉어졌다.

하르페니언은 허둥지둥하는 그녀를 보다가 곧 풋, 작게 소리를 내서 웃었다. 그녀의 기억에서 그가 소리를 내서 웃는 것은 굉장히 드문 일이었던지라, 수아는 당황하여 그를 바라보았다.

"어, 알……?"

"아니, 그……."

더구나 그걸로 끝나지 않고 쿡쿡거리며 어깨까지 들썩인다. 그 모습은 조금은 천진하게까지 보여, 이곳에 오기 전에 본 아기였던 그의 모습이 떠오를 정도였다. 하지만 아무리 생각해도 그녀가 한 말의 어디가 하르페니언을 이렇게 웃게 했는지는 알 수가 없었다.

그렇게 웃던 하르페니언은 이내 고개를 들어 그녀를 바라보았다. 그 얼굴은 꽤 즐거운 듯이 미소 짓고 있었다.

"그대는 여전하군."

"네?"

"아무렇지도 않게 위험한 말을 던지는 거. 그래, 원래 그대는 그랬지."

그는 한 걸음, 그녀에게 다가왔다. 원래 바로 곁에 있던 그였기에 금방이라도 닿을 듯한 거리가 되어 수아는 그를 올려다봐야 했다.

"가끔은 의심이 갔었어."

"의심……요?"

"그대가, 정말로 실재했었는지."

하르페니언은 조심스레 그녀에게 손을 뻗었다. 그러곤 수아의 뺨을 천천히 쓰다듬기 시작했다.

"환상이 아니었을까, 그저 내 머릿속에서만 있는 존재가 아니었을까. 계속 그런 생각이 들었어. 그대가 만들어준 주머니도, 내가 그냥 다른 곳에서 가져와 놓고 망상의 증거로 삼는 게 아닐까 하고."

스스로가 미쳤다 생각이 드는 때가 많았기에, 어쩌면 더욱 타당한 의심이었다.

"그래서 조금, 안심했어."

그는 정말로 후련한 듯이 웃었다.

"기억 속의 그대와 같아서."

"알."

하르페니언은 고개를 숙였다. 그의 얼굴이 자연스럽게 그녀에게 다가가, 입술에 가볍게 입을 맞추고 떨어졌다. 아주 살짝, 스치듯 닿았다 떨어지는 키스였다. 여러 색을 담고 있는 금빛 눈동자가 똑바로 그녀를 바라보고 있었다.

잠시 그쳤던 눈물이 다시 수아의 눈가에 어렸다.

"수아."

"미안해요."

수아 또한 그녀에게 계속 사과를 하던 하르페니언의 심정을 이해했다. 이런 말을 하고 싶진 않았다. 그가 듣고 싶은 말이 미안하다는 소리일 리가 없다는 것 역시 머리로는 잘 알고 있다. 하지만 지금, 이 말 외에는 할 수 있는 말이 없었다.

그의 말 한마디 한마디가 너무나도 아팠다.

"……수아."

"아, 미안……하다고 말하면 안 되겠죠."

사과를 해서 미안하다, 그런 말을 반사적으로 하려던 수아는 얼른 말을 끊고 일부러 입꼬리 끝을 올리며 웃었다. 다행히 이번에는 고였던 눈물이 흘러내리지 않았다.

"그렇지만, 전……."

하지만 주저주저, 무언가를 말하려고 했던 수아에게 하르페니언은 고개를 저었다.

"아니. 그만해, 수아."

"하지만."

"난 그대에게 사죄 받고 싶은 게 아냐. 음, 일단……."

그는 젖어 있는 그녀의 옷을 가리켰다.

"일단, 이야기는 뒤로 미루고 먼저 옷을 갈아입는 게 좋겠군. 이러다 정말 감기에라도 걸리면 곤란하니."

"그…… 음, 네. 그럴게요."

수아는 순간적으로 그건 나중에 해도 된다고 말하려다 이내 고개를 끄덕였다. 어차피 지금 입을 열어봤자 미안하다는 소리를 돌려 말하는 것밖에 안 될 것 같았다. 더구나 이러고 있다가 정말 아프기라도 한다면 만나자마자 앓아눕는 모습을 보여주게 된다. 최악 중의 최악이다.

문밖에는 아까의 그 하녀가 기다리고 있었지만, 하르페니언은 직접 목욕 준비가 되어 있는 욕탕 앞까지 데려다주었다. 수아는 욕탕으로 들어가며 살짝 고개를 돌려 스치듯 뒤를 돌아보았다.

그가, 그녀를 바라보고 있었다.

탁. 동시의 욕탕의 문이 닫혔다.

'아.'

수아는 비로소 깊게 숨을 내쉬었다. 계속해서 느껴지던, 마음 한구석이 빈 것만 같은 허전한 느낌이 사라져 있었다.

하르페니언이 있다.

그녀를 보고, 그녀의 이름을 부르고, 그녀를 어루만진다.

수아는 잠시 욕탕의 문에 기대어 움직이지 않았다. 절로 미소가 지어졌다.

정말로, 돌아왔구나, 나.

ංබ෧ ලෙශං

후함, 수아가 작게 하품을 했다.

"피곤한가."

"네? 어……. 좀 그런 것 같아요."

수아는 반사적으로 고개를 저으려다가 이내 순순히 고개를 끄덕였다.

확실히 씻고 마른 옷으로 갈아입으니 몸이 확 풀어졌다. 더구나 식사 후고, 지금은 푹신한 소파에 앉아 따끈한 차까지 마시고 있으니 더 그랬다. 몸이 그러니 정신까지 나른한 느낌이었다.

"알은요?"

"난 괜찮아."

"또 무리하는 건 아니죠?"

"전혀."

목욕이 끝나고 밖으로 나오자, 하르페니언도 그사이 씻었는지 말끔해진 모습으로 신관과 함께 그녀를 기다리고 있었다. 다행히 신관은 수아의 몸에 이상이 없다는 진단을 내렸다.

그 뒤 하르페니언과 함께 저녁을 먹은 후 다시 방으로 돌아오자 창밖은 완전히 컴컴해져 있었다. 하지만 여전히 눈보라는 그치지 않고 덜컹덜컹 창문을 흔들어댔다.

"아무튼 그대는 쉬어야 해. 이야기는 그 후에……."

"아, 하나만요. 알, 혹시…… 그, 저랑 옛날에 만난 적이 있나요?"

"음?"

"그러니까 알이 아주 어렸을 때? 음…… 열 살에서 열두어 살쯤?"

수아의 옆자리에 앉아 있던 그는 의아한 듯 살짝 옆으로 고개를 꺾었다. 전혀 짚이는 것이 없는 그 모습에, 수아는 급히 고개를 저었다.

"어, 아무것도 아니에요."

확실히 이상한 질문이었다. 그가 그 나이였을 때 실제의 수아는 대여섯 살에 불과했을 거고, 심지어 사는 세계가 완전히 달랐던 때였을 테니까.

머리가 복잡해졌다. 어디까지가 진실일까.

어렸던 그도, 황후도 그저 환상에 불과했던 걸까? 환상이었다면 그건 정말로 일어났던 상황을 본 걸까, 아니면 그 자체도 모두 거짓이었을까.

아무리 하르페니언이 어릴 때의 일이라고 해도 열 살 정도였다. 저주가 통하지 않는 이를 만났다면, 그 존재를 잊었을 리 없었다.

"수아?"

"그…… 설명하기엔 좀 복잡해서. 제가 어렸을 때의 알을 본 것 같기도 하거든요."

"나를?"

"네. 또……."

황후마마랑요. 그렇게 말하려다가 수아는 잠깐 말을 끊었다. 괜히 황후 이야기를 꺼낼 이유가 없었다.

진짜인지 아닌지도 모르는 그 모습을 말해서 어쩌려고? 괜히 하르페니언의 상처만 건드릴 뿐이었다. 그가 「자신이 죽인」 어머니에 대해 얼마만큼이나 큰 죄책감을 가지고 있는지, 몇 마디 듣지 않았지만 수아는 충분히 알았다. 그걸 떠올리는 것만으로도 가슴이 욱신거렸다.

그래서 수아는 다른 이름을 말했다.

"또, 실바코프 씨도요."

그 말에 하르페니언이 미간을 살짝 찌푸렸다.

"그 엘프?"

"네. 실바코프 씨를 만난 건 확실해요. 그리고 여기로 돌아가면, 알과 함께 황궁으로 오라고 하던데요. 알에게도 말해놨다고."

"확실히…… 그래, 분명 그런 말을 하긴 했지. 황궁에서 기다릴 테니 그대를 찾으면 오라고."

탁. 하르페니언의 손이 찻주전자가 올라가 있던 테이블을 한 번 건드렸다.

이제까지 하르페니언은 그 말에 대해 깊이 생각해본 적이 없었다. 수아를 찾는 것이 최우선이었기 때문이었다. 그래서 그냥 믿었다. 수아가 반드시 돌아온다고 한 그 말을, 그리고 어디에서 돌아올 거라고 한 장소까지도. 어째서 실바코프가 그 사실을 알고 있는지, 아니 애초에 그 말이 진실인가를 의심하지 않았다.

아니, 의심을 해서는 안 됐다. 의문을 가지는 순간 그저 그녀가 돌아올 수 없다는 사실을 확인할 것 같았다. 그래서 아무것도 따지지 않은 채 실바코프가 말한 대로 움직였다. 그렇지 않으면 미쳐버릴 것 같았으니까.

하지만 지금은 수아가 돌아왔다. 비로소 머리가 돌아가고, 한구석에 뭉쳐놨던 의혹들을 간신히 풀어볼 수 있었다.

그는, 누구지?

심지어 수아는 정말로 그가 말한 장소에서 돌아왔다.

이런 게 우연일 리가 없었다.

그러자 다음 의문이 고개를 든다.

과연 그는 어디까지 알고 있는 것일까?

그가 고민하는 기색을 알아차렸는지, 수아가 입을 열었다.

"제가 있던 곳은 환상마법 속이었다나 봐요."

"환상마법?"

"네. 마법사니까 알고 있었던 거 아니었을까요? 실제로 환상 속에 와서 돌아가는 방법을 알려준 것도 실바코프 씨고."

확실히 그냥 그렇게만 생각하면 이해하지 못할 것도 아니다. 숲에서 그 희뿌연 것을 본 순간 어느 종류의 마법이라는 걸 알아차렸다면.

"그것도 맞는 소리일 거야. 마법사니 마법에 대해 잘 알겠지. 하지만…… 정말 그것만일까?"

몇 개월 전에 들었어야 할 의심이 지금에서야 찾아왔다.

물론 그때 경로를 정한 것은 하르페니언이었다. 그러나 수아에게 지도를 보라 권한 것은 실바코프였다. 거기서 그녀가 자신이 온 마을을 택한 것은 어쩌면 당연한 일이었으리라. 숲에 세 번째로 들어간 것도, 수아가 이상한 것을 보았으니 확인해 봐야 한다며 한 번 더 들어가 봐야 한다고 실바코프가 주장했기 때문이다.

따지고 보면 처음부터 수상하기 짝이 없는 인물이었다.

그가 실바코프를 계속 거슬려했던 것은 수아에게 접근한다는 감정적인 문제도 있었지만 정체를 알 수 없는 미지의 존재에 대한 것이기도 했다.

하지만 그는 자신의 이름을 걸고 수아를 지킨다는 맹약을 했다. 절대 그녀에게는 해를 끼치지 못한다는 전제가 깔려 있으니 다소 미심쩍음을 느낄 때에도 굳이 따지지 않았다. 특히나 그 스스로가 누군가를 지킨다는 행위 자체에 지극히 미숙하다는 사실을 정말 뼈저리게 깨달은 후였기에, 도움이 절실한 상황이기에 더 그랬다. 그렇지만…….

"아니, 사실은 이것부터 의심이 가는군. 그자는 정말 엘프가 맞는 걸까?"

"네?"

수아가 눈을 동그랗게 떴다.

"실전된 마법을 자유자재로 쓰고 내 저주도 통하지 않아. 그러니 인간이 아닌 다른 존재라는 건 확실하지만, 그 존재가 어디에도 「엘프」라는 증거가 없어. 그저 놈이 자신을 엘프라고 칭했기에 그렇게 생각하고 있었던 것뿐이지."

실바코프가 엘프가 아니라면 그가 했던 맹약은 아무짝에도 쓸모가 없다. 더불어 그가 말한, 동행하고자 한 이유도 모두 거짓일 터.

하르페니언의 손에 힘이 들어갔다.

다소 수상한 걸 덮은 이유가 수아의 보호 때문인데, 그 맹약 자체가 처음부터 무효일지도 모른다는 소리다. 만약 그렇다면 인간도 아닌 정체불명의 자에게 아무런 안전장치도 없이 그녀를 맡긴 셈이었다.

스스로의 무능함에 머리가 아찔했다.

"그런 수상한 자에게, 맹약의 보장도 없이 그대를……."

"알."

수아가 찻잔을 내려놓았다. 그리고 두 손으로 힘이 들어간 그의 주먹을 조심스럽게 감쌌다.

"자책하지 마요. 사실 그땐 동행하는 것 외에는 방법이 없었잖아요. 어쨌거나 실바코프 씨는 절 계속 보호해줬는걸요. 목걸이에 마법도 넣어줬고, 환상마법 안에서 돌아오는 방법도 알려줬잖아요. 그리고 어차피 돌아다니다 보면 레틴 마을에도 갔을 거예요."

하르페니언을 바라보는 수아의 검은 눈동자에는 그에 대한 신뢰가 가득 들어 있었다.

이상한 일이었다.

어째서 그녀는 이런 무능력한 남자에게 조금도 질리지 않을 수 있는 것일까. 언제나 위험에 빠지게 할 뿐만 아니라 미래조차 없을, 그런 그를.

"그건……."

실바코프가 그녀를 보호해준 건 결국 결과론적인, 운이 좋았을 뿐인 이야기였다. 오로지 실바코프의 의중에 달렸던 그런 결과.

하지만 하르페니언은 더 말을 잇지 못하고 입을 다물었다. 그 말을 했다가 아, 그런 거예요? 그럼 알이 정말 잘못한 거네요, 이런 말이 나올까 봐 두려웠다. 저 시선에 조금이라도 그에 대한 원망이 섞일까 봐.

이마저도 비겁하기 짝이 없는 도피다.

"그래서…… 마음 같아서는 그대를 황궁으로 데려가고 싶지 않아."

결국 하르페니언은 슬쩍 말을 돌렸다.

"그렇지만 가야 하죠."

생각보다 단호한 수아의 말에 하르페니언은 살짝 놀랐다. 수아는 똑바로 그를 바라보고 있었다.

"굉장히 수상한 데다 무슨 속셈인지 모른다는 말에도 동의하지만요. 그래도, 지금은 그게 단서잖아요?"

수아는 협탁 쪽으로 시선을 돌렸다. 거기에는 그녀가 가져온 단도가 놓여 있었다.

"저거요."

"단도?"

"제가 그 안에서 가져온 거예요. 아, 환상 속이 아니라……

그 뒤로 좀 이상한 공간들을 거쳤거든요. 그 안에서 얻었어요."

그 말에 하르페니언이 의자에서 일어나 협탁 쪽으로 다가가 단도를 집어 들었다. 검집에서 단도를 뽑아 이곳저곳을 살피는 그에게 수아가 물었다.

"특이한 점이 있을까요?"

"상당히 좋은 검이긴 하군. 검집 세공 자체가 화려해서 겉으로만 보면 그냥 예장용 검 같지만, 날은 상당히 날카롭게 벼려져 있어. 닳은 흔적이 없는 걸 보면 거의 사용한 적이 없는 새 것 같은데, 막 손질한 것처럼 관리는 잘되어 있군. 꽤 명검이야. 하지만 그 외에는 딱히."

하르페니언은 다시 검집에 단도를 넣었다.

"어디서 난 거지?"

"으음……. 이상한 공간……에서 가져온 건데요."

수아는 차마 「신」으로 느껴지는 누군가를 만났다고는, 아니 더 정확히 말하면 하르페니언에게 저주를 내렸다는 존재와 소통을 했다고는 입 밖으로 낼 수가 없었다. 그녀 스스로도 그 상대가 정말 그런 존재인지, 아니 정말 이야기를 하기나 한 건지 믿을 수가 없기 때문이었다. 그나마 유일한 증거가 있는 건 그때 얻은 단도뿐.

저걸 얻을 때까지만 해도 분명 저주를 푸는 것과 관련이 있다는 확신이 있었다.

하지만 하르페니언이 과거에 그녀를 만난 적 없다고 하는 소리를 들으니, 그 확신 또한 흐려져 가는 것 같았다.

“사실 저도 뭐가 뭔지 잘 모르겠어서요. 어디까지가 환상인지, 저 검이 정말로 그렇게 중요한 건지……. 확실한 건 제가 환상 속에서 실제의 실바코프 씨를 만났었고, 저 단도는 원래 제가 지니고 있지 않던 물건이라는 것뿐이에요. 그렇다면 실바코프 씨가 그 단도의 정체를 알고 있지 않을까요? 어쩌면 이게 저주를 푸는…… 실마리일지도 몰라요.”

아니, 어쩌면이 아니라 확실할 거다. 설사 수아가 느꼈던 그 존재가 모두 환상이고 꿈이라 하더라도 단도는 실물이니까, 아무런 의미 없이 그녀가 가지게 될 리가 없었다. 하르페니언도 비슷하게 생각했는지 말없이 단도를 잠깐 바라보다가 그녀에게 다시 시선을 돌렸다.

“확실히, 그자에게 물어볼 건 많아. 하지만…….”

그는 잠시 말을 끊었다가 조심스레 다시 입을 열었다.

“꼭 그대와 같이 가야 할까.”

그가 무슨 생각인지는 알 수 있었다. 불안한 거다. 실바코프를 만나는 순간 무슨 일이 일어날지 알 수가 없으니까. 몇 달이나 찾아 헤매 간신히 만난 직후이니 수상한 자에게 그녀를 데려가고 싶을 리가 없었다.

그녀도 마찬가지였다.

그저 그냥 하르페니언과 여기에 있고 싶다는 생각은 분명 있었다. 둘이 함께, 계속해서 아무에게도 방해를 받지 않고. 그렇지만 그건 문제를 덮는 것밖에 되지 않는다.

수아는 바로 대답을 하지 않은 채 잠시 그를 바라보았다. 새삼스레, 하르페니언의 얼굴에서 붉은색 문신이 유난히 도드라져 보이는 것 같았다.

저주. 남의 목숨뿐만이 아닌, 그 자신도 갉아먹는.

확 초조함이 밀려들었다. 그녀가 기억하는 마지막은 여름이다. 하지만 지금은 이미 눈보라가 치고 있다. 하르페니언의 생일은 한여름. 전에 이야기를 나눌 때만 하더라도 1년이 넘는 시간이 남아 있었건만, 순식간에 그 기간이 짧아져 버렸다.

얼마나 시간이 남은 걸까.

환상 속에서 그녀는 반년이 좀 안 되는 시간을 보냈다. 7월에서 1월. 계절의 변화를 보아서는 아마 여기도 비슷하게 지났으리라.

왜 똑같이 흐른 걸까. 그녀가 있었던 곳이 정말 환상이었더라면 몇 달이 지났어도 이곳에서는 며칠 정도로, 조금은 다르게 시간이 흘러줄 수도 있었을 텐데.

하지만 한편으론 그나마 다행이라는 생각도 들었다. 반대가 아닌 게 어딘가. 만약 그랬더라면 그녀가 돌아왔을 때 하르페니언은 이미 없었을 터였다.

"같이 오라고 했었잖아요? 어차피 저도 실바코프 씨에게 물어볼 게 잔뜩 있고요."

수아는 최대한, 초조한 심정을 눌러 담으며 아무렇지도 않은 척 말했다.

"일단 가급적 빨리 황궁으로 가는 게 좋을 거 같아요."

하르페니언은 바로 대답하지 않았다. 그도 머리로는 알고 있을 것이다. 아니, 오히려 그녀보다 그가 더 잘 알고 있겠지.

"아까도 한 말이지만, 결국 실바코프 씨는 저를 도와줬잖아요. 목숨도 지켜주고 환상에서도 꺼내주고. 그게 어떤 목적이 있어서라도 해도, 최소한 그 목적이 절 죽이거나 다른 곳으로 보내는 건 아니지 않을까요?"

물론 이제까지 그러지 않았다는 것이 앞으로도 그러지 않을 거라는 증거가 될 리는 없다. 하지만 약간 수상하다고 하여 단서를 쥐고 있다고 온몸으로 외치는 이를 외면할 수는 없었다.

결국, 선택의 여지는 없다. 그 사실에 하르페니언은 그다지 탐탁한 표정은 아니었다. 그 얼굴을 보며 수아는 빙긋 웃었다.

"그래도 의논해주네요."

"음?"

"옛날 같으면 알, 이런 거 저에게 다 숨기고 혼자 결정했을 거잖아요."

화제와는 상관없이 이런 이야기 자체가 기뻤다.

그는 원래부터 그녀에게 부담을 주기 싫다, 쓸데없는 걱정을 시키기 싫다는 이유로 그녀에게 말하지 않는 부분이 많았으니까. 처음에는 그녀를 돌봐줘야 할 어린애로만 생각하거나 아니면, 이 세계에 대해 제대로 모르기 때문에 굳이 말하지 않는 것인가 싶기도 했지만 차차 그게 아닌 걸 알았다.

그냥 그는 남과 고민을 나누는 게 익숙하지 않은 거다.

실제로 남동생이자 황자 전하인 카르니언도 형님이 자신에게 아무런 이야기도 해주지 않는다며 머리를 뜯고 있는 판이 아니던가.

"숨기다니……."

"맞잖아요. 생각해보면 처음부터 그런 거 알아요? 리노체스 백작가에 맡긴 후엔 저 모르게 몰래 찾아오고, 나중에 만나서도 황태자라는 것도 말 안 해주고."

그는 움찔하며 그녀를 바라보았다. 하지만 수아는 장난스럽게 웃으며 하르페니언 쪽으로 몸을 기울였다. 자연스럽게 그의 몸에 기댄 모양새가 됐다.

"그래서, 말해주는 게 기뻐요."

"……그대는 정말 특이해."

그녀가 화를 내려고 말을 꺼낸 것이 아님을 알아챈 하르페니언은 그렇게 말하며 팔로 수아의 어깨를 감아 자신 쪽으로 좀 더 끌어당겼다.

"보통 이런 이야기는 골치 아프니 싫어하지 않나."

"그러니까, 알이 말하는 「보통」이라는 게 어떤 기준인질 모르겠어요. 제 기준에서는 보통, 사랑하는 사람이 이것저것 속 이야기를 해주면 기쁜데……."

수아는 그 상태 그대로 고개를 들어 그의 금안과 눈을 맞췄다. 잠시 그 눈동자가 커진다 싶더니, 누가 먼저라고 할 것도 없이 둘은 서로에게 매달리듯 포옹했다.

순식간에 입술이 맞닿았다. 그의 커다란 팔이 수아의 허리를 감싸 안았고, 다음 순간에는 격정적인 입맞춤이 이어졌다.

"으응, 읏……. 알……."

달뜬 숨 사이사이로, 수아는 계속해서 그의 이름을 불렀다. 숨을 내쉬는 것도 쉽지 않았지만 이름을 부르는 걸 멈출 수가 없었다. 수아는 필사적일 정도로 그에게 매달렸다.

비록 「누구」인지는 알 수 없었지만, 수아는 그래도 계속해서 그를 그리워했다. 그의 품 안을 원했다.

그녀를 단단하게 안아주는 이 팔을, 이름을 속삭여주는 목소리를, 맞닿은 몸과 몸 사이에서 오는 이 충족감을.

조금 몸이 기울어지는가 싶더니, 그녀의 몸에 하르페니언의 무게가 실렸다. 곧 수아는 소파 위에 누운 모양새가 되어 그녀 위에 있는 그의 얼굴을 올려다보게 되었다.

하르페니언은 그녀의 목덜미에 입을 맞추며 몸을 쓸어내렸다.

그리고 그 사이에 있는 천이 방해가 된다는 듯 옷의 끈을 풀어 내리기 시작했다.

"수아."

그녀를 갈구하는 낮은 목소리가 좋았다.

"알……."

수아는 그의 어깨 위에 손을 가져다 댔다. 그의 손이 천천히 수아의 맨 피부를 쓸어내리자 그녀의 몸이 움찔 떨렸다. 동시에 그녀의 손에도 힘이 들어가 그의 옷자락을 있는 힘껏 꼭 움켜잡았다.

그리고 다음 순간.

하르페니언은 잠시 멈칫거리는 듯싶더니 이내 수아에게서 몸을 일으켰다. 그 바람에 그녀도 잡고 있던 옷자락을 놓아버릴 수밖에 없었다.

"알?

"조금……."

그는 고르지 못한 호흡을 채 진정시키지도 못한 채, 수아에게서 슬쩍 시선을 돌렸다.

"조금 더, 쉬어야 해. 그대는."

수아는 멍하니 이게 무슨 소리인가 이해하려고 노력하다가, 일단 풀어 헤쳐진 자신의 옷매무새를 추스르며 반 정도 일어나 앉았다.

"어, 그게……."

"무리, 하면 안 되니까. 일단 황궁으로 가기로 한 이상 서두르는 게 맞고……. 그렇다면 내일 바로 출발해야 하니."

여전히 시선을 맞추지 못하는 그의 옆얼굴은 귀까지 완전히 붉어져 있었다.

그제야 무슨 소리인지 깨달은 수아는 붉어진 모습으로 괜찮다고 반박하려고 입을 열었다가, 차마 소리를 내지 못하고 뻐끔거리기만 했다.

확실히 그의 말이 맞긴 하기 때문이었다. 출발은 최대한 빨리 해야 하는 것이고, 또 이러다가 그녀가 앓아눕기라도 하면 하르페니언은 그야말로 땅을 파며 자책할 테니까.

하지만, 음…… 조금만이라면.

자신도 모르게 든 그 생각에 그녀의 얼굴 또한 훅 붉어졌다. 다행히 하르페니언은 아직도 이쪽을 보고 있지 않았다. 그녀는 얼른 붉어진 얼굴과 살짝 떨리고 있는 몸을 가라앉히려고 노력하며 완전히 몸을 일으켰다.

"그, 그러게요."

잠시 어색한 분위기가 흘렀다.

"이, 이만 잘게요. 내일 봐요."

수아가 지금 있는 방과 통해 있는 침실 쪽으로 조르르 달려갔다.

그리고 하르페니언이 있는 작은 거실과 통하는 문을 닫고 난 뒤에야 참고 있던 숨을 깊게 내뱉었다.

어, 일단…… 이렇게까지 새빨개진 건 들키지 않았겠지.

수아는 머리를 마구 흔들며 생각을 털어버리려고 애썼다. 그러고는 얼른 잠옷으로 갈아입었다.

그가 이렇게 배려해주는 게 좋았다. 그녀를 소중히 생각해준다는 소리니까.

그런데 조금 섭섭하다는 마음이 생기다니, 이 무슨.

수아는 몇 번이나 심호흡을 하고 커다란 침대 위로 몸을 눕혔다. 잠이 쉽게 오지 않을 거라는 생각과는 달리, 지친 몸은 마치 빨려 들어가듯 그녀를 잠의 세계로 인도했다.

수아가 침실로 들어간 뒤, 하르페니언은 깊게 숨을 내쉬었다. 온몸이 그녀를 원하고 있었다.

얼마나 갈구했던 이였나. 그녀가 없는 사이, 그녀를 원한다는 사실을 직시하는 순간 제정신을 유지할 수 없을 것 같아 일부러 잊으려고까지 노력했다.

생각조차 하지 않으려고, 꿈조차 꾸지 않으려고.

하지만 그녀와 다시 만나고 맨살에 손이 닿는 순간 하르페니언은 그 모든 것을 믿을 수가 없었다.

어떻게 이 온기가 없는 그 나날들을 견딜 수 있었을까. 어떻게 잊으려고 감히 시도조차 할 수 있었을까.

어떻게, 지금껏 살아올 수 있었을까.

그는 한참이나 그 상태 그대로 서 있었다. 수아와의 재회에 기뻐하는 마음 이면에 조급해하는 자신이 있다. 하루 전까지만 해도 그녀를 단 한 번이라도, 잠시라도 만난다면 그걸로 족하다고 생각하지 않았던가. 완전히 이 목숨이 끊어지기 전에 목소리를 듣고 그 감촉을 느낀다면 상관없다고.

그러나 지금은 어떤가.

그는 쿡쿡 웃었다. 어차피 이 모순된 감정 따위는 이해하기를 포기한 지 오래였다. 조금 더, 조금만 더 하는 마음은 끝날 줄 모르는 허기였고 갈증이었다.

부드럽고 따뜻한 피부, 한 팔 안에 들어오는 몸, 그를 애정 가득한 눈으로 쳐다보는 검은색 눈동자.

아니, 그건 그저 하나의 요소에 지나지 않았다. 수아라면 살결이 거칠고 차갑다 하더라도, 설사 그보다 크고 눈 색이 다르다 하더라도 여전히 그가 아끼고 보듬을 대상일 터였다.

빠져든 것은 단지 수아이기 때문에.

하르페니언은 침실의 문을 노려보듯 바라보았다. 생각하기도 전에 몸이 먼저 움직이려 하는 것을 간신히 의지로 붙들었다.

이제 그는 더 이상 잊으려고 노력할 필요가 없었다. 그러자 눌러놓았던 기억은 순식간에 깨어나, 마치 방금 전에 겪기라도 한 것처럼 선명해진다. 그녀가 사라지기 전날 밤의 일은 숨결 하나까지도 모두 생생하게 되살릴 수 있었다.

그는 크게 심호흡을 했다. 잠깐만 정신을 놓는다면 당장에라도 수아가 들어간 침실의 문을 열고 들어갈 것 같았다.

그는 잠시 그 자리에 서 있다가 스크롤을 꺼내 마법을 발동시켰다. 그녀가 들어간 침실의 출입을 통제하는 마법이었다. 그리고 곧바로 등을 돌려 방을 나섰다.

수도로 떠나기 위해선 처리할 일이 제법 있었다. 지금의 하르페니언은 혼자 몸이 아니었기에 예전처럼 훅 떠나는 것은 불가능했다.

그는 방을 나오자마자 휘하의 기사 둘을 그 자리로 불렀다. 아무래도 스크롤 하나로는 불안했다.

“렉시 경, 이즈덴 경. 귀관들은 내일 나와 함께 수도로 귀환한다. 그전까지 이 자리를 지키도록.”

그는 힐끗 방문 앞으로 시선을 던졌다. 이 안에 있는 사람을 호위하라는 뜻이었다. 아까 전 수아가 욕탕으로 들어갔을 때 그 앞을 지킨 것도 이 둘이었기에 새삼스러운 명은 아니었다.

초록색 머리칼의 남자와 연하늘빛 머리칼의 남자는 하르페니언의 말에 이유도 묻지 않은 채 곧바로 고개를 숙여 명을 받았다.

사실 병사도, 견습도 아닌 정식 황실 기사에게 이런 호위를 맡기는 건 꽤 웃기는 일이다. 정식 황실 기사는 전 제국을 통틀어 총 300여 명밖에 되지 않는 정예 중의 정예로, 어느 정도 과장이 들어간 표현을 빌자면 한 사람이 능히 100명의 병사를 상대할 수 있는 무력을 지닌 검사이며 지나가던 농부들을 붙잡고 지휘해도 오합지졸 군대 정도는 격파가 가능한 실력을 지닌 지휘관이다.

말 그대로 검을 잡은 모든 이들의 정점에 달한 이들.

그런 이들을 겨우 문 앞에 세워놓는다는 건, 들쥐를 잡기 위해 마법사를 내보내는 것보다도 더 과한 일이었다.

저번, 수아가 칼을 맞고 본궁에 며칠 머무를 때 그 문 앞을 지킨 건 아직 정식 황실 기사가 되지 않은 견습 황실 기사였지만 그것만 해도 꽤나 파격적이었을 정도다.

하지만 두 기사는 불만의 기색조차 내보이지 않았다. 바보가 아닌 이상 그들의 주인이 스스럼없이 닿고 안아 올리는 여자가 어떤 존재인지 모를 리가 없기 때문이었다.

하르페니언의 여러 소문이 나라를 휩쓴 만큼, 당연히 저주가 통하지 않는 여인에 대해서도 알려져 있었다.

사람들은 저주받은 황태자를 어떻게 보느냐에 따라 그녀의 「정체」를 긍정적으로도 부정적으로도 보았다.

단지 몬스터를 퇴치하는 그의 옆에서 한 번도 그녀가 모습을 드러낸 적이 없었기에, 지금에 와서 그 소문은 정말로 그 여인이 실재하는 것인지 아니면 그저 소문에 불과한 허상인 것인지 쪽으로 돌려지고 있었다.

그런데 지금, 그 여인이 나타난 것이다.

두 기사는 자의로 하르페니언의 곁에 남겠다고 결심한 이들이었기에, 저주가 통하지 않는 여인의 존재를 결코 부정적으로 여기고 있지 않았다.

따라서 그들은 긴장으로 몸을 굳히며 「성녀」의 호위를 오히려 영광으로 받아들였다.

그 뒤 하르페니언은 곧바로 집무실로 가 영주를 호출했다. 영주는 기사 둘을 데리고 이곳을 떠나겠다는 황태자의 갑작스러운 말에 난색을 표했다. 그도 그럴 것이 지금 이 영지에 있는 기사는 넷이 고작이었다.

지금 하르페니언 휘하의 병력은 이 영지와 다른 두 곳의 마을, 총 세 곳으로 나뉘어 있기 때문이었다. 더구나 지금 이 영지의 기사의 수가 다른 영지에 있는 기사보다 적은 것은 그 부재를 충분히 커버 가능한 하르페니언이 있기 때문이었는데, 그런 그가 떠나면 남는 기사가 둘이 된다.

물론 곧바로 전령을 보내 다른 마을에서 기사 일곱을 더 불러들이라고는 했지만, 전령이 가고 오는 시간이 있으니 하르페니언이 떠난다는 내일 오전까지 올 수 있으리라는 보장이 없었다.

하지만 하르페니언은 그들의 도착을 기다릴 생각이 없었다. 어차피 수도로 가기로 결정한 이상 지체하지 않는 것이 좋을뿐더러, 솔직히 수아가 이곳에 나타났으니 오늘을 기점으로 몬스터가 사라지지 않을까 싶기도 했다.

물론 근거 없는 그의 생각일 뿐이니 굳이 입 밖으로 내지는 않았다.

당연히 영주는 납득하지 못한 얼굴이었지만, 어차피 하르페니언이 한 것은 의논이 아닌 통보였으므로 처음부터 영주의 의사는 상관이 없었다.

그다지 길지 않는 회의가 끝나고 하르페니언은 다시 복도로 나왔다. 아마 몬스터가 사라지지 않아도 큰 문제는 없을 것이다. 황실 기사가 둘이나 남으니 전력에 약간의 공백이 있다 해도 충분히 대처할 수 있을 테니까.

굳이 따지면 이런 외지에는 과분한 인재다.

하긴 처음부터 이상하긴 했다. 하르페니언에게 처음 주어진 병력은 황실 기사 열다섯 명과 병사 50명이었는데, 열다섯이 모두 정식 기사였다.

전장도 아닌데 정식 기사를 열다섯이나 내주었다는 건 그 누구의 예측도 뛰어넘는 일로, 하르페니언조차 뭔가 착오가 있는 것이 아닌가 싶었을 정도였다.

몬스터에 대한 조사를 하라는 것이 그를 쫓아낼 명분에 불과하다는 걸 가장 잘 아는 것은 그 자신이었기에, 기대조차 하지 않았건만.

하지만 황제의 의중이 무엇이든 당장 몬스터들이 몰리는 곳을 찾으러 다녀야 하는 그의 휘하에 기사가 많다는 건 그저 고마운 일이었다.

어차피 그에게 필요한 것은 많은 인원이 아닌 움직이기 편한 소수정예다.

많은 인원이 있어봤자 묵을 장소와 먹을 식량이 그만큼 필요하다는 현실적인 문제는 물론, 그들을 운용해야 한다는 실질적인 문제도 있었기 때문이다.

아무리 황실 병사들의 체계가 잘 잡혀 있는 편이라지만 갑자기 저주받은 황태자가 나와 지휘를 한다는 걸 쉽게 받아들일 수 있을 리 없었다.

하지만 기사들 대부분이 귀족 출신인 데다 오로지 황실만을 위해 살기로 맹세한 이들이며, 극한의 극한까지 단련하고 수련한 실력자들이기도 하다.

당연히 저주받은 황태자에 대한 혐오와 공포를 이성적으로 억누를 정도의 자제력이 있었다. 지휘 경험이 거의 없다시피 한 하르페니언의 명령 또한 제대로 해석하고 받아들일 수 있는 능력까지 있었다.

이런 고급 인력들은 현지의 영주 휘하에서 조달할 수 있는 병사들과는 차원이 다른 힘이었다.

실제로 기사들은 하르페니언에게 상당한 도움이 되었다. 몬스터를 퇴치하는 장소는 특성상 숲속이나 협곡 등 좁은 곳이 많았기에 실력이 어설픈 이들이 수만 많아봤자 시체만 늘어갔을 뿐이리라. 요즘처럼 몬스터들이 머리를 쓰기 시작한 때라면 더더욱.

어쨌건 그에게 배정된 병력은 착오가 아니라는 듯 귀환하라는 명은 따로 내려오지 않았다. 기사들은 병사들을 갈무리하며 착실히 그의 명을 제대로 받아 활동했고, 하르페니언은 지휘자로서의 감각을 익혔다.

그렇게 4개월이 지나자 그중 다섯 명이 하르페니언의 곁에 남았다. 처음부터 4개월의 기간을 정해 내려왔기에, 원래대로라면 수도에 복귀할 수 있었던 것을 자의로 그의 곁에 남은 것이다.

그리고 다시 열다섯이 새로이 왔다. 하르페니언의 성과가 좋아 추가로 다섯을 더 보낸다고 했다. 그렇게 곁에 있는 기사는 총 스무 명이 되었다.

그건 하르페니언에게는 꽤 낯선 경험이었다. 어차피 호기심이나 공포, 혐오 등의 눈길을 받는 것은 일상적이고 흔한 일이다. 하지만 비록 일부라 해도 어느 순간부터인가 그 시선이 경외와 존경이라는, 알고는 있되 그와는 평생 상관없을 거라 여긴 것들로 바뀌어갔다.

그 기분은 상당히 묘한 것이었다.

수아의 방으로 다시 발걸음을 돌리자 문 앞에 서 있던 두 기사가 그를 보고 고개 숙여 인사했다.

초록색 머리칼의 기사는 렉시 자작가의 차남으로 남은 다섯 명의 기사 중 한 명이었고, 연하늘빛 머리칼의 기사는 이즈델 남작가의 삼남으로 이번에 새로 온 기사지만 이미 하르페니언의 곁에 남겠다 결심한 이였다. 그들은 어릴 때부터 친우 사이라 했다.

하르페니언은 방으로 들어가기 전 잠깐 그들에게 시선을 던졌다.

휘하의 기사.

그 말은 결코 간단한 의미가 아니었다. 아니, 단순히 황제의 명에 의한 것이라면 상관없다.

하지만 특정 황족의 밑에 남기를 요청했다는 건 그 황족의 기사가 되고자 한다는 의사표시다. 그리고 하르페니언은 그런 기사들을 내치지 않았다.

수아를 찾는 데 한 명이라도 더 인원이 필요했기 때문이다. 이제껏 루펜조차 계속 곁에 두는 것을 거부한 그였지만, 이번에는 내쳐야 한다는 생각 자체를 하지 못했다.

하지만 한숨을 돌리자 그 의미가 비로소 다가왔다.

무슨 생각인 걸까. 아니, 솔직히 머리로 생각하면 이해할 수는 있다.

하르페니언의 곁에 남겠다 택한 기사들은 모두 소귀족이나 몰락귀족 출신이다. 피를 깎는 노력으로 황실 기사까지는 올랐지만, 그 이상을 바라기는 힘든 이들.

본래대로라면 어떤 황족의 휘하에 있겠다 청하는 것도 허락되지 않는 이들. 어떻게 보면 나름의 기회였으리라. 만약 저주가 풀리지 않는다면 어차피 그는 죽는다. 그러면 다시 돌아가면 되는 것이다.

하지만 그는 신께 저주받은 자. 그건 결코 머리로만 계산해서 되는 일이 아니었다.

만약 그가 저주의 내용대로 스물일곱이 되는 날 죽는다면 신의 뜻에 반하여 저주를 받았던 이의 전(前) 수하라는 꼬리표가 평생 붙게 된다.

그리고 그건 그나마 남아 있던 출세의 작은 싹까지 완전히 잘라버리는 일이었다.

아니, 출셋길만 막히면 다행이다. 오히려 뒷배가 탄탄하지 못한 이들이니만큼 황실 기사직을 반납해야 하는 단초를 제공할지도 모른다.

즉 기사들의 선택은 하르페니언에게 충심을 바치겠다는 의사표명으로 볼 수도 있었다. 특히 그의 생일이 채 1년도 남지 않은 때에 한 선택이라면 더더욱.

그가 괜히 루펜을 멀리하고 있는 것이 아니었다.

그나마 루펜은 공식적으로는 하르페니언 휘하에 있는 이가 아니지만…….

그냥 모든 걸 건 도박이 아닐까. 아주 적은 확률이라지만, 그의 저주가 무사히 풀렸을 때 황태자의 휘하가 될 수 있다는 쪽에 건.

기사들이 그와 함께한 것은 겨우 몇 달이다. 자신들이 쌓아온 모든 걸 버릴 각오로 그를 선택했다 해석하기엔 무리가 있는 시간이었다.

하르페니언은 공손히 고개를 숙이고 있는 기사들에게서 시선을 떼고 방 안으로 들어섰다. 탁, 문이 닫히는 것과 동시에 가벼운 한숨이 나왔다.

솔직히 어느 쪽이든 상관없었다.

만약 도박이라 해도, 그래서 설사 그 안에 충심 따윈 찾아볼 수 없다 하더라도 기사들이 그를 택했다는 사실은 변하지 않는다.

기뻤다.

그 감정이 몇 달이 지난 지금에야 그를 휘감았다.

그를 선택한 사람. 그의 휘하. 그 단어는 정말로 달콤했다.

되돌려줄 수 있을까. 그를 주인으로 택한 그 보답을. 아니, 저 기사들만의 이야기가 아니다. 리노체스 백작가도, 카르니언도, 수아도. 신에게 저주받았다는 말에도 개의치 않고 계속해서 곁에 있어준 이들.

하르페니언은 입가를 살짝 비틀었다. 이제는 다 포기했다 생각했던 감정이 계속해서 그를 뒤흔든다. 휘하를 둬서는 안 됐다. 이런 쓸데없는 욕심이 생기는 걸 보면.

살고 싶다.

살아서, 수아와 함께 미래를 만들어나가고 싶다.

루펜의 충정에, 리노체스 부인의 헌신에, 카르니언의 우애에, 기사들의 선택에 보답을 하고 싶다. 더 이상 스물일곱 번째의 생일까지의 기한을 헤아릴 필요 없이, 「마지막」에 대한 걱정 없이 그냥 그렇게 살고 싶었다.

언제가 끝일지 모르는 그 불확실성이 얼마나 축복인지를 느끼며…… 더 이상 살고자 하는 것을 목적으로 삼지 않아도, 삶 자체를 그대로 누리면서…… 그렇게.

순간 숨이 막혀오는 것 같아 하르페니언은 문에 몸을 기댔다. 서 있는 땅이 크게 울렁거리는 것 같았다. 핑, 현기증이 돌았다.

과한 욕심이다.

그는 눈을 뜨며 숨을 길게 내쉬었다. 사람의 마음이란 간사하기 짝이 없다.

갈증에 애가 타 딱 한 방울만이라도 좋다며 물을 갈구하던 이의 입에 물방울이 들어가면 이제까지의 마음을 잊고 그 이상을 바라게 된다. 더 탐할 만한 위치가 아니라 하더라도 필사적으로 손을 뻗는 것이다.

혼자로 끝나는 문제가 아니다. 그 발버둥은 그의 주변까지 끌어들일 것이다.

이미 충분하지 않은가. 수아가 그의 옆에 있어주는 것만으로도 과분하다. 앞으로 어떻게 될 것인가는 중요하지 않았다. 지금 그의 곁에는 수아가…….

아니, 충분하지 않다.

하르페니언은 수아가 들어간 침실 쪽으로 걸음을 내디뎠다. 그리고 손만 뻗으면 그 문을 열 수 있을 정도의 거리에서 발걸음을 멈췄다. 어차피 그가 직접 스크롤로 걸어놓은 마법 때문에 들어가진 못할 터였지만, 하르페니언은 손을 천천히 들어 올리다 결국 문손잡이를 잡지 못하고 밑으로 떨구고 말았다.

지금만으론 부족하다. 「지금」만이 아닌 「미래」도 원한다. 앞으로도 그녀의 곁에 있는 이가 그 자신이길 원한다.

그래, 사실은 계속 그걸 갈망하고 있었다. 살고 싶어 한다는 걸, 그리고 그것을 위해서라면 뭐든지 하리라는 걸 인정하지 않으려고 했을 뿐이다.

그렇게라도 제한을 두지 않으면 그 자신이 어디로 튈지 스스로도 알 수 없었기에.

"……수아."

작게, 그녀의 이름을 불렀다.

더 이상 생각해서는 안 된다. 그냥, 지금은 여기까지다. 우선은 최대한 빨리 황궁으로 돌아가자. 지금은 그것만을 최우선으로 해야 했다. 황궁에서 실바코프를 찾아, 그의 말을 듣자. 그가 무슨 소리를 하는지 들어보고…….

들어보고?

만약…… 그의 말이 여전히 같은 결론만을 낸다면?

그가 죽는 것이 신의 뜻이고 순리라면?

난.

하르페니언은 저도 모르게 손을 올려 침실의 문고리를 잡았다. 동시에 파직, 하는 소리와 함께 그의 몸이 휘청이며 반사적으로 한 걸음 뒤로 물러섰다.

"후우……."

눈앞이 아찔했다. 몸이 잘게 떨린다. 조금만 손을 떼는 게 늦었으면 그대로 정신을 잃었을 것이다. 원래 그런 용도의 마법이다.

멋대로 출입하는 이를 기절시키는. 그가 가진 마법 저항력이 조금만 약했다면 아주 잠시 손을 댄 것만으로도 곧바로 차가운 바닥에 누워 있었겠지.

이 무슨 바보 같은 짓을. 그가 의식이 없는 사이 수아에게 무슨 일이라도 일어나면 어쩌려고.

그래, 이게 문제다. 욕망은 언제나 우선순위를 빼앗는다. 간신히 잡고 있던 마지막 선까지 아무렇지도 않게 놓게 만든다.

하르페니언은 잠시 눈을 감았다가 떴다.

황궁으로 가야 했다.

아직, 그가 스스로를 억누를 수 있을 때, 한시라도 빨리. 그 뒤는 나중에 생각하기로, 그는 간신히 스스로와 타협을 볼 수 있었다.

수아는 멍하니 눈을 비비다가 곧 주변이 낯설다고 생각했지만, 금세 자신이 어디에 있는지 깨달을 수 있었다. 그녀는 살짝 미소 지으며 침대에서 몸을 일으켰다.

창밖은 서서히 동이 터오고 있었다. 아침이라기보다는 새벽에 가까운 시각. 그다지 길게 잔 것이 아님에도 피곤하다는 생각은 들지 않았다. 오히려 몸이 가벼운 것 같은 느낌이었다. 이런 기분이 정말 얼마 만일까. 이상하게 상쾌해 절로 미소가 지어질 정도였다.

사실 어떻게 보면 지금 이 시각은 아침잠이 많은 수아에게 가장 고역인 시간이다.

아늑한 침대에서 나와야 한다니 얼마나 끔찍한가. 하지만 오늘은 그 작은 저항조차 없었다.

저쪽…… 그러니까 환상 속에서는 언제나 아침이면 기분이 가라앉아 있었다.

무언가 가슴 한편이 허전했고, 눈을 뜰 때마다 자신이 어디에 있는지 확인해야 했다.

그리운 꿈을 꾼 것 같긴 했지만 제대로 기억난 적이 없었다. 분명 일어난 순간에는 기억하고 있던 무언가가 눈을 뜬 순간 손에서 빠져나가는 모래처럼 순식간에 사라졌다.

가끔 남아 있던 한두 톨의 모래도 움직이는 순간 절로 떨어져 나갔다.

수아는 그걸 자신이 그냥 아침잠이 많아서 그런다고만 생각했다. 잠을 떨치고 제대로 정신을 차리면 그 감각은 사라지고 다시 충실한 하루를 보낼 수 있었으니까.

그런데 아침이 이렇게 즐거울 수도 있는 것이구나.

알, 하르페니언.

그가 곁에 있다. 눈을 뜨면 그를 다시 볼 수 있다. 그 사실 하나가 충만감이 되어 그녀의 주변을 맴돌았다.

하지만 지금 이 방 안에는 그가 있는 것 같지 않았다. 그러고 보니 여기에는 침대가 하나밖에 없다.

다른 침실이 또 있었던가? 수아는 잠옷 위에 숄을 걸치고 침실 문을 열었다. 소파에 누군가가 비스듬히 기대어 앉아 있는 모습이 보였다.

"수아?"

그가 살짝 잠긴 목소리로 그녀를 불렀다. 수아는 반은 기가 막히고 반은 당황한 얼굴로 그를 바라보았다. 모습으로 보나 목소리로 보나 그는 분명 방금까지 자고 있었다.

아마 그녀가 문을 여는 소리에 깬 모양이었다. 하지만 누운 것도 아니고 반 정도 앉은 상태로, 거기에 한눈에 봐도 얇아 보이는 모포를 그 위에 살짝 걸치고만 있다는 건 잤다고 하기보다 그냥 졸았다고 하는 표현이 더 적당해 보였다.

수아는 곧바로 그에게 다가가며 물었다.

"뭐예요, 왜 여기서……."

"음, 아니. 일을 처리하고 오니 너무 늦어서."

그는 바로 모포를 내려놓은 뒤 소파에서 일어났다.

"그대야말로, 조금 더 자도 될 텐데."

"전 별로 안 피곤해요. 눈이 그냥 떠지…… 아니, 말 돌리지 마요. 아무리 늦었어도 잠시라도 편하게 자야죠. 소파에서 이게 뭐예요."

"혹시 모르니까."

"네? 아."

그 말에 비로소 그와 헤어지기 전에 처해 있던 상황이 떠올랐다.

언제 무슨 일이 일어날지 몰라 계속 경계를 하던 나날이었다. 암살자들이 그들을 추격했을뿐더러 안전하다 생각한 영지에서조차 엉뚱하게 집무관이 그녀를 노린 적이 있었다.

"그러면 아예 방으로 들어오지 그랬어요. 침대도 넓던데."

차라리 옆에 있으면 이렇게 선잠을 자지 않아도 됐을 것이다.

하르페니언은 그 말에 작게 한숨을 쉬며 말했다.

"수아, 그대는……."

"그렇잖아요?"

어차피 뭐, 더 꺼릴 게 있나. 조금 다른 뜻으로 받아들여져도 상관없었다.

수아는 뺨이 살짝 달아오르는 것을 느끼면서도 그를 똑바로 바라보았다. 그러자 당황한 것은 하르페니언이었다.

"아니, 그……."

그가 휙 그녀의 시선을 피했다.

"그대는 쉬어야 했잖나. 그…… 혹시, 모르니까."

그 말은 아까와 같았지만, 의미는 꽤 달랐다. 잠시 그 뜻을 생각하던 수아도 급히 시선을 돌렸다. 어, 그러니까.

자칫하면 못 쉬게 했을 거라는 뜻이구나.

잠시 그렇게 흐르던 어색한 침묵을 깬 건 하르페니언이었다.

"큼, 큼. 아무튼 아침식사 후에 바로 출발하게 될 텐데, 몸은 괜찮나."

"아, 네. 괜찮아요. 피곤하지도 않고."

둘은 간신히 다시 서로에게 얼굴을 돌렸다.

"그럼 떠날 준비 때문에…… 조금 후에 보지, 수아."

그녀는 지금이 새벽에 가까운 아침이라는 걸 굳이 지적하지 않았다.

하르페니언은 아무리 봐도 자연스럽지 않은 모습으로 방을 나섰다. 수아는 잠시 멍하니 그가 나간 문을 보다가 이내 풋, 작게 웃음을 터트렸다.

두근거리는 동시에 귀여워서 견딜 수가 없었다.

조금 안심도 된다. 변하지 않았다. 그다지 짧지 않은 시간 동안 떨어져 있었음에도 하르페니언은 그녀의 기억 속과 거의 비슷했고, 그가 그녀를 대하는 태도도 마찬가지였다. 그 사실이 기쁘면서도, 환상 속에 있던 과거의 자신이 이해가 가지 않았다. 어떻게 그를 기억하지 못하고 살아갈 수 있었을까.

수아는 힐끗 협탁 위에 놓여 있는 단검을 바라보았다. 하르페니언의 저주를 풀 수 있는 결정적인 단서라는 사실은 의심할 여지가 없는 물건. 하지만 제대로 된 용도를, 과연 시간 안에 찾아낼 수 있을까. 그나마 1년이라는 시간이 남았다는 여유도 지금은 없었다. 그저 황궁에 있을 실바코프가 무언가를 더 알고 있길 바라는 수밖에.

이제는 헤어지고 싶지 않았다.

그 어떤 의미로도, 절대로.

출발은 빨랐다. 그리고 수아는 꽤 당황했다. 마차가 아닌 말을 타고 가야 한다는 사실과 동행하는 일행이 있다는 점 때문이었다.

그나마 전자는 금방 납득할 수 있었다. 서두르려면 말을 타야 한다. 낼 수 있는 속도가 다르기도 하거니와 마차는 어느 정도 넓거나 닦여 있는 길이 아니면 들어서지 못해 아무래도 돌아가야 하기 때문이다. 게다가 수아가 혼자 말을 타는 것은 불가능하기에 하르페니언과 함께 칸을 타야 한다는 것까지도 당연했다.

하지만 거기에 호위 역할이라는 황실 기사가 두 명이나 함께 가야 한다면 이야기가 완전히 달라진다. 수아가 하르페니언과 함께 말을 탄다는 건 거의 그의 품에 안긴 느낌으로 맞닿아 있어야 한다는 소리였다. 그리고 대부분의 사람들은 수아가 하르페니언에 닿아 있는 모습을 공포로 여겼다. 아무리 태연한 척해도 그건 단지 감정을 억누르고 있는 것일 뿐, 정말로 아무렇지도 않은 사람은 보지 못했다.

처음에는 왜 저렇게까지 반응하나 이해 자체가 되지 않았지만, 어느 순간부터 알 수 있었다. 황태자가 타인에게 닿으면 죽게 한다는 것은 「신」의 저주였고, 따라서 죽지 않는다는 것은 그 신의 뜻을 정면으로 거역하는 것이기 때문이었다. 성녀라는 말도 그래서 나온 것일 테다.

신의 힘을 거역할 수 있는 악마의 존재보다는 차라리 신의 허락을 받은 성녀가 나을 테니까.

그런데 이 모습으로, 수도까지 같이 간다고?

기사들의 반응이 무섭기도 하고, 솔직히 보고 싶지도 않았다. 영주관이나 저택 등에서 머물 때에는 계속 사람들에게 노출되어 있는 상황이 아니었는데도 계속 그 시선을 의식하지 않을 수가 없었다. 그런데 심지어 지금은 숙소에 있을 때를 제외하면 계속 함께해야 하는 것이 아닌가.

하지만 하르페니언에게 말 한마디 건네기 어려울 정도였던 그 긴장은, 시간이 지나며 차차 풀려갔다. 기사들은 그들을 굉장히 깍듯이 대했다.

게다가 수아의 걱정이 무색하게도 기사들에게서 공포는커녕 오히려 경외와 존경이라는 믿을 수 없는 감정이 엿보였다. 하르페니언이 명을 내리기도 전에 먼저 점심 먹을 자리를 정돈하는 등의 사소한 행동부터, 몬스터의 습격에도 당연하다는 듯 몸을 던지는 모습까지.

사실 황태자를 모시는 「기사」라면 당연한 행동이었겠지만 이제까지 그 당연한 행동을 어디 받아본 적이 있었던가.

'그러고 보니…….'

수아는 살짝 고개를 갸웃했다. 돌아온 뒤 만 하루도 머물지 못한 영지였지만 그 짧은 사이에도 하르페니언을 보는 시선이 달라진 것 같다는 느낌을 받긴 했다.

어제 방에 들어왔던 하녀라든지, 일행인 기사들에게 신경 쓰느라 잘 살피지는 못했지만 떠나는 그들을 배웅했던 아침의 영주나 다른 기사들이라든지.

자신이 떠나 있던 사이, 어떤 변화가 있었던 걸까. 생각해보면 그동안 무슨 일이 있었는지 들을 여유가 없었다. 그녀가 나타날 곳을 실바코프가 알려줬다는 것 정도만 알 뿐, 왜 황실 기사들이 그와 함께 있으며 이 영지에 머무는 동안 무엇을 하고 있었는지 전혀 몰랐다. 하지만 그걸 기사들과 동행하고 있는 지금 물어볼 수도 없을뿐더러, 말을 타는 건 아무리 수아가 이 세계에 익숙해진 후라고 해도 꽤 힘들었다.

물론 그때처럼 기절할 것 같거나 허리와 엉덩이가 아파서 견딜 수 없을 정도까지는 아니었지만 수아는 계속 말을 타는 데 집중해야 했다. 결국 목적지인 영지에 도착한 해 질 무렵까지 수아는 아무것도 물어보지 못했다.

수아는 곧바로 푹신한 소파나 침대로 뛰어들어 잠들고 싶어졌다. 비록 오늘은 눈이 내리지는 않았지만 찬 겨울바람을 계속 맞는 건 상당히 힘든 일이었다.

"수고했어, 칸."

수아가 칸의 갈기를 쓰다듬어주자 거대한 흑마는 푸르릉, 기분 좋은 듯 그녀에게 얼굴을 비볐다.

황태자가 이동 중이라는 소문을 퍼뜨려 좋을 것은 없기에 일행은 영주관으로 찾아가지 않고 여관에 방을 잡았다. 뭐라고 말을 하지 않아도 기사들이 착착 움직이는 것이 신기했다. 방을 잡거나 열쇠를 받거나 가격을 치르는 것까지 모두 기사들이 대신했다.

따지면 이게 당연한 걸 텐데.

어쨌거나 방에 들어서고 문이 닫히자 수아는 작게 한숨을 내쉬었다. 예상과 달리 기사들이 깍듯이 대해주고 있다고는 해도 긴장이 안 될 수가 없었다.

"많이 힘든가."

하르페니언이 걱정스러운 듯 수아에게 의자를 권하며 물었다. 수아는 외투를 벗고 그 의자에 앉으며 고개를 저었다.

"아니에요. 알이 아닌 다른 사람과 같이 다니는 게 익숙하지 않아서 그래요."

물론 실바코프와 동행한 적이 있긴 했지만, 그에게는 뭔가 숨긴다거나 예의 차릴 것도 없으니 예외였다. 그 역시 하르페니언에게 황족에 대한 예의를 지킨 것도 아니다 보니 크게 신경 쓸 것도 없었다.

"음, 많이 신경 쓰이나."

"글쎄요. 그냥 기사들이 동행하는지 몰라서 좀 놀란 것도 있었던 것 같아요. 그런데 생각해보니 호위가 필요하긴 하고. 음, 며칠이나 걸려요?"

"예정대로라면 사흘. 오늘까지 포함이니, 모레 저녁쯤엔 도착하지 않을까 싶어."

생각보다 긴 시간은 아니었다. 하긴 마차까지 포기했는데.

잠시 의자에 앉아 있자 조금 정신이 나는 것 같았다. 기사들도 기사들인데 확실히 승마도 문제였다.

말 위에 앉아 있는 시간이 길다 보니, 아무리 하르페니언이 뒤에서 잘 잡아준다 하더라도 내려서까지 한동안은 땅이 흔들리는 것 같은 착각이 일 지경이었다.

몸도 꽤 뻐근하고.

어쨌거나 벌써 해가 지고 있는 시간이었다. 이대로 있다가는 그대로 졸 것 같아 곧바로 씻으러 들어갔다. 따끈한 물이 몸에 닿으니 좀 살 것 같았다.

이번에도 특실이라 꽤 호화로운 욕실이 딸려 있는 점이 좋았다. 목욕을 마치고 방으로 나오니 얼마 지나지 않아 음식들이 방으로 날라져 왔다.

식사는 하르페니언과 함께였다. 수아는 간신히 낮 내내 궁금했던 사항들을 물을 수 있었다. 그는 그동안 있었던 일들을 간략하게 이야기해주었고 수아는 눈을 동그랗게 떴다.

자신이 몬스터를 퇴치해서인지 자신에 대해 조금 다른 소문들도 돌기 시작했다 정도의 소극적인 표현의 이야기였지만, 수아는 그게 무슨 뜻인지 대충 알아들었다.

동시에 왜 사람들이 그를 보는 시선이 바뀌었는지도 비로소 이해가 갔다.

하르페니언은 무서울 정도로 강하다.

몬스터든 사람이든 대치하는 모습을 보면 그가 어떻게 했는지 잘 보이지도 않을 정도인데 이미 승패가 나 있다. 아무리 많은 수가 와도 결코 당하지 않을 거라는, 그러한 든든함이 있다. 그런 존재가 목숨을 위협하는 몬스터를 퇴치하고 생활터전을 지켜준다.

얼마나 마음이 놓일까.

자연히 이제까지의 형편없는 소문을 예전처럼 그대로 수용하지는 않을 터였다. 더구나 실제로 만난 하르페니언은 소문과 다른 점이 굉장히 많을 테니까.

식사를 마친 후에 차를 마시면서는, 기간이 끝나도 수도로 돌아가지 않고 그의 곁에 남은 기사들이 있다는 이야기도 나왔다. 마치 지나가는 것 같은 말투였지만 입가에 살짝 미소가 스치는 걸 보았다. 수아는 잠시 차를 마시는 것도 잊어버리고 있다, 곧 들고 있던 찻잔을 테이블에 내려놓았다.

"어, 그럼 그 사람들…… 알의 기사가 된 건가요?"

"일단, 임시로."

"와……."

가슴이 벅차올랐다. 전혀 생각하지도 않던 방향이었다. 인정해준 사람이 있다. 기사와 그 주군의 관계가 어떤 건지는 잘 알지 못하지만, 그의 휘하를 희망한 기사가 있다니.

수아가 반짝이는 눈으로 그를 바라보자 하르페니언은 쑥스럽다는 듯 슬쩍 시선을 돌렸다.

"잘됐어요! 와, 그거 봤어야 하는데. 으, 왜 전 없었죠?"

그 말에 하르페니언이 부드럽게 미소 지었다.

"그대가 있었으면 애초에 이렇게 될 일도 없었겠지만."

"그건 그러네요. 와, 그럼 제가 잠깐 없어졌던 게 오히려 잘됐던 거네요?"

그 말에 하르페니언의 몸이 움찔, 수아의 눈에도 보일 만큼 동요했다. 동시에 수아도 헙 입을 닫았다. 맙소사, 미쳤나 봐.

"수아."

하르페니언의 금색 눈이 순식간에 괴로움으로 가득 차올랐다.

"아뇨, 그게 아니라……."

"그런 소리는, 하지 말아줘."

그가 천천히 테이블 너머에서 손을 뻗어 수아의 손가락 끝을 살짝 쥐었다. 그리고 자신의 쪽으로 끌어당겨 그 손등 위로 가볍게 입을 맞춘다.

"그대가 없으면 아무런 의미도 없으니."

"알."

"세상 모든 사람이 날 비난하고 혐오한다 하더라도, 그대만 그러지 않으면 상관없어. 세상 모든 사람이 날 칭송한다 하더라도, 그대가 날 비난한다면 그건 아무런 가치도 없어."

순간 눈물이 핑 돌았다. 진짜 미쳤나 보다. 아무리 별생각 없이 내뱉은 소리라고 해도, 어떻게 그런 말을 할 수가 있었을까.

"미안해요, 전……."

"그대가 없는 동안…… 정말 하루하루 죽어가는 것 같았어."

뜨거운 숨결이 그녀의 손등에 와 닿았다.

"이제 그대의 의사는 상관없어. 싫다 해도 이제 떠나지 못하게 할 테니."

여전히 속삭이는 것 같은 작은 목소리였지만 그 안에는 진심을 의심할 수 없는 힘이 있었다. 하지만 그 내용이 참 어이가 없어, 수아는 눈물이 고인 눈으로 피식 어이없는 웃음을 지었다. 이 사람, 아직도 이 소린가.

"무슨 소리예요. 저야말로 말했었잖아요. 알이 싫다고 해도 절대 안 놓을 거라고."

그 말과 동시에 몸이 당겨졌다.

챙그랑, 테이블이 기울어지면서 그 위에 놓인 쿠키와 찻잔 등이 요란한 소리를 내며 바닥으로 떨어졌다. 그러나 다음 순간 수아는 하르페니언의 품 안에 있었기에 그쪽을 신경 쓸 만한 여유가 없었다.

"수아."

여전히 그의 목소리는 조용했다. 그녀의 몸에 두른 팔에도 거의 힘이 들어가 있지 않았다. 하지만 그의 몸은 미세하게 떨리고 있었다.

수아는 그런 그의 몸을 마주 안았다. 그가 무엇을 겁내고 있는지 모를 수 없었다. 그녀가 방금 한 말은 사실 문제가 아니었다. 그런 뜻이 아니라는 걸 하르페니언이 모를 리 없기 때문이다.

그저 그녀는 간신히 억누르고 있는 그 불안감을, 아주 살짝이라고는 하지만 건드리고 말았다.

그건 아무리 곁에 있겠다고, 결코 그런 식으로 사라지지 않겠다고 맹세한다 하더라도 결코 소용이 없는 종류의 것이었다.

만약 약속을 한다 하여 지켜진다면, 그리하여 사라질 종류의 불안이라면 정말 목이 쉴 때까지, 목소리가 나오지 않을 때까지 그의 곁에 있겠다고 외칠 텐데.

둘은 더 이상 서로의 이름을 부르지도, 다른 말도 하지 않았다. 단지 서로의 체온을 느끼며, 그렇게 계속해서 껴안고 있었다.

한밤중이었다. 수아는 몇 번이나 눈을 깜박이고 나서야 비로소 자신이 어디에 있는지 깨달을 수 있었다. 아, 그래. 수도로 가는 중이었지.

결국 수아는 그대로 졸았다. 그 뒤 하르페니언이 조심스레 자신을 침대에 누여주고 사람을 불러 깨진 식기를 치우게 한 것이 어렴풋하게 기억이 났다.

몸을 일으키려고 하자 다정하게 그녀의 뺨을 쓰다듬으며 자라고 한 것까지. 그래서 안심하고 푹 잠이 들었었다.

"……알?"

하지만 눈을 떠보니 옆자리가 비어 있었다. 당황하며 반 정도 몸을 일으킨 수아는 이내 이 방에 침대가 두 개 있다는 걸 떠올렸다.

무의식중이라지만 당연히 한 침대라고 생각했다는 게 조금 부끄러워, 수아는 그의 침대 쪽으로 고개를 돌렸다. 하지만 그 침대 위에도 하르페니언의 모습은 보이지 않았다.

타닥, 벽난로에서 장작이 타는 소리만이 방에 울리고 있을 뿐이었다.

"알?"

다시 한 번 그의 이름을 불렀지만 대답은 들려오지 않았다. 결국 그녀는 침대에서 일어났다. 벽난로에서 타오르는 불빛으로 침대 옆에 그의 짐이 놓여 있는 건 보였지만 정작 사람이 없다. 심지어 침대 이불은 조금도 흐트러지지 않고 이 방에 처음 들어설 때의 상태였다.

즉, 아예 눕지도 않은 모양이었다.

왈칵 불안감이 치솟았다. 뭐지? 수아는 급히 잠옷 위에 숄만 찾아 어깨에 두르고는 곧바로 방문을 열었다.

그리고.

"수아?"

복도에 창가에 기대어 앉아 있는 남자를 발견했다.

창 너머로 달빛이 비쳐왔다.

수아는 홀린 듯 남자를 바라보았다. 달빛 아래 있는 검은 머리칼은 마치 빛을 흡수하고 있는 것 같았고 오묘하게 빛나는 금빛 눈동자는 그녀가 이제까지 보았던 그 어떤 보석보다 아름다웠다. 실내복 차림이었기에 평소와 다른 밝은색 셔츠 사이로 쇄골이 보였고, 그 안에 붉은색의 문신이 아로새겨져 있는 것 또한 눈에 띄었다.

하지만 달빛의 마력 때문일까, 지금은 무슨 뜻인지 확실히 알고 있는 붉은 문신까지도 넋을 놓고 보게 된다.

검집에 넣은 칼 한 자루만을 가지고 창가에 기대 있던 하르페니언이 수아를 향해 시선을 돌리고 자리에서 일어났다. 그 짧은 순간이 슬로모션처럼 보일 정도로 그의 모습은 몽환적이었다.

"여기서…… 뭐 해요?"

수아는 간신히 그를 올려다보며 그렇게 물었다.

"잠깐 생각할 것이 있어서. 아, 지금은 내가 불침번이기도 하고."

그는 조금 당황하며 뒷말을 덧붙였다. 그러나 수아는 그것이 거짓말이라는 것을 단박에 알았다.

기사들이 있는데 그가 불침번을 선다고?

하르페니언이 굳이 자신이 서겠다고 명령한 게 아님에야 그럴 일이 있을까. 무엇보다도 변명하듯 말하는 저 모습이 확신을 줬다.

"그래요? 힘들겠네요."

하지만 수아는 그걸 굳이 지적하지 않았다. 여러모로 생각할 것이 많을 것이다.

"방 안에 없어서 놀랐어요. 언제 잘 거예요?"

"음, 30분 정도면 될 거야."

아무리 생각해도 어설픈 그 말에 수아는 저도 모르게 살짝 웃었다. 그는 그녀가 거짓말을 하지 못하고 생각하는 것이 얼굴에 모두 나타난다고 말하곤 했지만, 지금 보니 하르페니언도 만만치 않은 것 같았다. 처음에는 어떻게 그가 무표정이라고 생각했는지 당시의 자신을 이해할 수 없었다.

"알았어요. 너무 무리하지 말고요."

수아가 얌전히 고개를 끄덕이자 하르페니언의 손이 다시 그녀의 뺨을 쓸었다. 그리고 잠시 그의 얼굴이 가깝게 내려온다 싶더니, 입술을 가볍게 부딪쳐왔다.

정말 살짝 닿기만 하는 가벼운 키스. 하지만 그 단순한 동작에도 뺨에 확 피가 몰리는 것이 느껴졌다.

"잘 자."

"어…… 아, 알도요. 얼른 들어와서 자야 해요!"

그가 살짝 미소 짓는 것을 보며 수아는 다시 방으로 돌아왔다. 두근, 가슴이 뛴다. 잠시 그와 닿은 것만으로도, 그의 모습을 보고 이야기를 나눈 것만으로도.

행복하다. 수아는 하르페니언과 닿았던 자신의 입술을 매만지며 지금 이 순간, 진심으로 그렇게 느꼈다.

그러고 보니 환상 속에 지금은 이름도 기억나지 않는 「선배」가 있었다. 그를 좋아한다고 생각했다. 자신을 잃을 정도로 누군가를 사랑하는 건 자신에게는 맞지 않는 방식이라고, 그렇게 생각하던 때가 있었다.

웃기는 일이다. 단순히 그가 잠시 곁에 없다는 것만으로도 이렇게 불안해지고, 그와 잠시 이야기한 것만으로도 이렇게 행복해지는데.

처음에는 완전히 다른 세계였던 지금 이곳이, 단지 그가 있다는 이유만으로 「돌아와야 할 곳」이 되어버렸는데.

비록 그녀가 갔던 곳은 환상일 뿐이었지만, 그래도 그녀의 결심에 확실히 쐐기를 박는 계기가 되었다. 이번에는 조금의 망설임도 없었다.

그녀가 살던 세계로 가는 길이, 환상이 아닌 진짜 세계로 가는 길이 열린다 하더라도 이제는 돌아가지 않을 것이다.

이제 수아의 세계는 바로 이곳, 하르페니언의 곁이었다.

ꕥ

다시 하루가 지나고, 수아는 여전히 주름 하나 잡히지 않은 침대를 바라보며 잠깐 고민했다. 하르페니언은 여전히 곁에 없었다.

오늘도 어제와 크게 다르지 않았다. 하루 종일 말을 타고, 중간중간 나오는 몬스터를 퇴치하고, 때가 되면 식사를 하다 역시 해가 질 때쯤에서야 목적지인 도시에 도착하여 여관을 잡았다. 여전히 말을 타는 건 쉽지 않았고 어제의 피로까지 더해져 온몸이 뻐근하긴 했지만 무난한 여정이었다.

일정도 순조로워 내일 저녁쯤 되면 예정대로 무사히 수도로 들어설 것이라고 했다.

오늘 묵는 방은 좀 큰 도시에 있어서인지 어제 여관의 특실보다 좀 더 화려했고 음식도 조금 더 고급스러웠지만, 그 외에는 대부분 비슷했다.

침대가 둘이고 이제는 그 사이에 굳이 파티션을 치지 않는 것도. 하지만 저녁식사 후 잘 시간이 되자 일이 있다는 말과 함께 하르페니언이 방을 나서는 것까지 똑같을 필요는 없지 않은가.

굳이 말하자면 어제는 나간 후에야 말을 해준 거지만.

수아는 고민에 빠졌다.

떠올려 보면 오늘 아침 본 그의 침대에는 누군가가 누워 잔 흔적이 없었다.

아침에는 준비로 정신이 없어 깊게 생각하지 않았다. 하지만 수아가 아직 자고 있는데 굳이 침대를 정리하겠다고 그가 누군가를 부르거나, 그 스스로가 시트에 주름도 지지 않을 정도로 말끔히 정리를 해놓은 것 같지는 않았다.

'한숨도 안 잔 건가?'

그리고 지금도 그렇다. 잠시라면 자리를 비운다 해도 별생각이 없었을 터였다.

주변을 둘러볼 수도 있는 거고, 기사들에게 지시를 내릴 수도 있을 테니까. 하지만 지금은 아니었다. 나가겠다고 말한 것이 벌써 몇 시간 전이다. 그가 잠깐 일이 있다 하고 나갈 때까지만 해도 수아는 별생각 없이 잠을 청했으니까. 하지만 중간에 잠에서 깨고, 그녀의 옆 침대가 계속해서 비어 있다는 걸 깨달은 순간 정신이 번쩍 들었다.

아마 방문을 열면, 곧바로 하르페니언을 볼 수 있을 터였다. 다른 건 몰라도 그 정도는 알 수 있었다. 고의로 길게 자리를 비운 거라면 당연히 그녀의 보호를 위해서라도 가까이 있을 것이다. 그러니 어디에 갔는지는 문제가 아니었다.

단지 그가 왜 이러느냐는 것이다.

하르페니언이 자신을 피하는 걸까?

그 생각이 들자 숨이 턱 막혀왔다.

안 돼. 가지 마요.

아마 무슨 이유가 있을 거라는 걸 머리로는 알고 있었다. 최소한 보지 못하는 동안 마음이 변했거나 그녀가 보기 싫어졌거나 하는 극단적인 쪽이 아닐 거라는 확신 또한 있었다. 하지만 그런 확신과 별개로 달리 「피한다」는 단어가 떠오르자마자 가슴이 찢어질 듯 아파왔다.

헛구역질이 날 것 같았다.

안 된다. 그가 없으면 살아갈 수 없다.

그 감각은 일견 무섭기까지 했다. 자신이 아닌 것 같았다. 그래도 어느 정도는 그녀 스스로를 알고 있다고 생각했는데 그것과는 전혀 맞지 않은 질척한 감정이 그녀를 집어삼키려 하고 있었다.

"알……."

수아는 비틀거리며 문가로 다가갔다. 그리고 떨리는 손으로 문을 열었다.

하르페니언이 보이지 않았다.

순간 핑 주변이 돌았다.

"수아?"

하지만 곧바로 목소리가 들려왔고, 수아는 그쪽으로 고개를 돌렸다. 그곳에 그녀의 연인이 있었다.

이 여관은 어제 묵은 곳과 구조가 다르다. 한 번 꺾어진 곳에야 공간이 있는데, 문에서 나와 바로 보이는 위치가 아니었다. 그러나 수아는 지금 그것까지 떠올릴 정신이 없었다.

하르페니언이 보인다.

단지 그것만으로, 다리가 풀썩 꺾이고 말았다.

"수아!"

하르페니언이 급하게 그녀의 몸을 낚아챘다. 다행히 수아는 바닥이 아닌 그의 품 안으로 쓰러졌다.

"괜찮나. 무슨 일이……."

"알."

수아는 걱정스럽게 그녀를 내려다보는 그를 멍하니 올려다보았다. 그러다 순간 눈물이 핑 돌았다.

보고 싶었어요. 외로웠어요. 더할 나위 없이 그리웠어요.

오히려 기억하지 못했기에 스스로 인지하지도 못한 채 차곡차곡 쌓여 있던 감정. 괜찮다고 생각했던 것은 겉모습뿐이었다. 불안정하게 흔들리던 그 감정은, 어쩌면 별것 아닌 계기로 터져 나왔다.

한 방울, 두 방울 새어 나오던 눈물은 결국 오열이 되었다.

"수아. 무슨……."

하르페니언은 급히 그녀를 안아 올렸다. 그러고는 곧바로 방으로 들어가 문을 닫고는 그를 붙잡고 울고 있는 수아를 더욱 자신의 품 안으로 끌어당겼다.

"가지…… 마요."

"가지 않아."

"피하지 마요. 왜 계속…… 나가는 거예요? 그러지, 마요."

보고 싶었어요. 계속 곁에 있어줘요. 떠나지 마요.

"나는……."

하르페니언은 무언가 말하려다, 다음 순간 이를 악물며 그녀를 껴안은 팔에 힘을 주었다. 그 포옹은 아플 정도로 강했다.

심장이 뛴다. 맞닿은 곳이 뜨겁다. 서로의 숨소리, 쿵쿵거리는 서로의 맥박 소리가 자신의 것보다 더 크게 들려왔다.

얼마나 그렇게 있었을까. 수아는 점점 진정이 되었다. 그녀는 몇 번이나 숨을 가늘게 내뱉었다. 그리고 천천히 고개를 들다가, 금색 눈동자와 마주쳤다. 그 순간 수아는 얼른 시선을 피했다. 확 얼굴에 열이 올랐다.

방금 무슨 짓을 한 거지, 나.

그녀는 확 고개를 숙이며 그에게서 얼른 떨어지려고 했지만 완전히 꽉 잡혀 있는 것은 물론, 아예 바닥에 발이 닿지 않게 들려 있는 상태라 그것도 불가능했다. 민망해서 얼굴을 들 수가 없었다.

갑자기 자다가 나와서 울며 매달리다니, 얼마나 당황했을까.

"미안."

하지만 그의 입에서 나온 것은 사과였다. 수아는 놀라 다시 고개를 들었다.

"그대도 불안해하리라는 걸 생각하지 못했어."

그는 천천히 수아를 바닥으로 내려주었다.

"아뇨, 제가 너무 호들갑이었죠."

그녀는 어설프게 미소 지었다.

"음, 알은 일이 있어서 나가 있었던 건데."

정말 그런지는 알 수 없었지만, 일단은 그런 걸로 넘어가는 게 좋을 것 같았다. 뭔가 이유가 있겠지만 굳이 그녀에게 이야기하지 않은 것이라면 그걸 캐물을 필요가 있을까. 하지만 그 말에 하르페니언은 곧바로 고개를 저었다.

"아니, 내가 그대를 피한 게 맞아."

"네?"

"그대와 한방에 있을…… 자신이 없어서."

도대체 이게 무슨 소릴까. 수아는 의아함을 가득 담아 그를 바라보았다.

"내 자제력을, 믿을 수가 없으니."

"어, 그러니까……."

이번에는 무엇을 말하는지는 확실히 알아들었다.

하지만 여전히 이해가 가지 않는 것은 마찬가지였다.

"그래도 상관없잖아요?"

하르페니언은 잠시 그녀를 바라보았다. 그의 입술이 잠깐 달싹였지만, 목소리는 나오지 않았다.

강제적으로 몇 달이나 떨어져 있던 연인. 서로의 체온을 나누고 싶어 하는 건 당연하다. 솔직히 침대가 두 개라는 게 수아도 내심 섭섭했었고…….

첫날에야 수아의 몸을 걱정해서 그런 거였다지만, 지금은 체력도 꽤 회복됐다. 물론 여정이 있으니 무리하지 않는 것이 좋긴 하지만, 굳이 잠을 포기하고 밤새도록 방 밖에 있을 정도는 아니지 않은가.

수아가 고개를 갸웃하자, 하르페니언은 간신히 쥐어짜내듯 말을 이었다.

"……그대가 없어, 진 날."

주의를 기울이지 않으면 거의 들리지도 않을 정도로 작은 목소리였다.

"그건, 아무래도 내…… 탓이 아닐까 하고."

"네?"

"내가, 그대에게……."

그 뒤로는 더 이상 말이 이어지지 않았다. 수아는 두어 번 눈을 깜빡였다. 그러니까, 그가 지금 말하는 건.

"잠깐만요, 알. 그 말은."

설마 싶었지만 아무리 생각해도 그의 말은 이렇게밖에 생각되지 않았다.

"그날, 알이 절 안았기 때문에 제가 사라졌다고 생각하는 거예요?"

대답은 없었다. 단지, 그녀의 시선을 피하는 것이 무엇보다 확실한 긍정의 대답을 주고 있었다.

수아는 저도 모르게 입을 반 정도 벌렸다.

맙소사.

그녀는 간신히 그 소리를 입 밖으로 내지 않을 수 있었다. 말도 안 되는 생각이다. 동시에 그럴 수도 있겠다 싶었다. 원인이 정말 그의 말대로라는 게 아니라, 그가 그런 생각을 할 수도 있겠구나 하는 납득.

그는 몇 달이나 그녀를 미친 듯이 찾아 헤맸다. 그사이 왜 그녀가 사라졌는지, 계속해서 곱씹고 또 곱씹었을 것이다. 평소와 다른 것들을 모두 헤집어보며 모든 것을 원인이 아닐까 생각해봤을 터였고, 그 생각 중 하나가 커져 그를 사로잡고 있다 한들 그것을 비난할 수는 없으리라.

원인을 찾으려고 계속 괴로워했을 그의 모습을 떠올리니 지끈 가슴이 아파왔다.

"아니에요. 그럴 리가 없잖아요? 그냥 우연이에요."

수아는 곧바로 부정했다. 그러나 하르페니언은 곤란한 듯 여전히 그녀의 시선만을 피할 뿐이었다. 수아의 미간에 약간 힘이 들어갔다.

"알."

강하게 그의 이름을 부르며 다시 어깨를 덥석 잡자, 하르페니언은 그제야 수아에게 눈을 맞춰왔다. 그녀는 불안하게 흔들리는 그 금안을 바라보며 한 자 한 자에 힘을 줘 또박또박 말했다.

"하르페니언. 그거, 아니에요. 알이 억지로 절 어떻게 한 것도 아니고, 저도 원했던 거였어요. 자연스럽고 당연한 일이잖아요?"

하르페니언은 그렇게 말하는 수아를 내려다보았다. 그녀가 무엇을 말하고 있는지는 안다. 하지만 언제나 생각하게 된다. 사실 수아는 그때 원하지 않았던 것이 아니었을까. 그가 밀어붙여, 어쩔 수 없이 허락 비슷한 것을 했을 뿐 곧바로 후회한 것이 아닐까. 아니, 설사 허락했더라도 손을 대서는 안 되는 게 아니었을까.

신은 그에게 타인과 닿아서는 안 되는 저주를 줬다. 그의 목숨을 앗아가는 대신 그러한 저주를 내린 것이다. 그러니 기적적으로 그 법칙에서 벗어난 이가 나타났다 하더라도 가까이 가서는 안 되는 것이었을지도 모른다.

하물며 밤을 보내며 체온을 나누다니. 신이 더 이상 눈감아 줄 수 없다 판단했다면?

어떻게든 돌아오긴 했지만, 사라졌던 이유도 돌아온 이유도 전혀 모른다. 그러니 지금 이 생각이 지나친 거라고, 괜한 걱정이라고 단정 지을 수도 없으리라.

마지막 기회로 그녀가 돌아온 거고, 다시 손을 뻗었다는 이유로 사라지게 된다면?

그런 생각이 떠오르자 거기서 벗어날 수가 없었다.

그러니까 빨리 황궁으로 가야 한다. 아직 그가 스스로를 억누를 수 있을 때, 황궁에서 실바코프를 찾아, 그의 말을 듣고……. 그 뒤는 나중에 생각하기로 하자고, 계속해서 그렇게 되뇌지 않았던가.

하지만 겨우 며칠이니 억누를 수 있다 생각한 것 자체가 오판이었다. 말을 타기 위해서라지만 종일 그녀를 품 안에 안고 있는 것만으로도 인내심의 한계를 느끼고 있었다. 그런데 같은 방에서, 얇은 잠옷 차림에, 무방비로 자는 모습에……. 사실 지금도 힘들다. 한밤중, 단둘인 방에서 피하지 말아달라며 울며 매달리는 연인이라니. 간신히 막아놓은 욕망은 아주 작은 계기만 있어도 곧바로 터져 나올 것이 분명했다.

그가 여전히 대답을 하지 않자, 수아가 작게 한숨을 내쉬었다.

"알았어요. 그럼 잠깐 이리 와봐요."

수아가 그의 팔을 끌었다.

"여기 앉아봐요."

그가 끌려간 곳은 침대였다. 그가 엉겁결에 그곳에 앉아 둘의 눈높이는 거의 비슷해졌다. 수아는 그의 어깨를 잡아 시선을 맞추고는 하르페니언이 얼굴을 피하지 못하게 했다.

"그러니까, 알이 하는 말은 알이 그럴 자격이 없는데 저를 덮쳐서, 제가 사라졌다는 말인 거죠?"

수아는 빙긋 웃었다.

"그러면 해결책은 간단하겠네요."

그녀는 하르페니언의 어깨를 강하게 밀었다. 물론 그의 기준에서는 떠밀릴 정도의 힘이 아니었지만, 수아가 너무 단호한 얼굴을 하고 있었기에 일단 순순히 그녀가 원하는 대로 조금 뒤로 몸을 기울였다. 하지만 수아는 그것으로 만족하지 않았고, 그가 어느 정도 떠밀리자 아예 체중을 실어 그를 확 밀어버렸다.

그러자 하르페니언은 정말로 균형을 잃고 그대로 침대 위로 넘어갔다. 하지만 여전히 팔로 받쳐 반 정도 몸을 일으키고 있는 모양새인 그에게, 그 위로 수아가 몸을 바짝 붙이며 올라탔다.

"제가 알을 덮치면 되니까요. 그렇죠?"

⁂

그렇게 말을 내뱉고 나자 비로소 얼굴에 열이 확 올랐다. 반 정도는 충동적으로 한 행동이었다. 하지만 물러서고 싶지도 않았다. 충동적이라고 진심이 아니라는 것은 아니니까.

처음으로 몸을 섞은 날. 수아에게는 기쁨으로, 행복한 기억으로만 남아 있는 그날을 하르페니언은 자신의 「잘못」이 아니었을까 하며 계속 곱씹으며 자책했다니.

그녀는 자신이 무슨 소리를 들은 것인지 의심하는 표정의 하르페니언을 내려다보며, 속으로 심호흡을 하고는 천천히 손을 움직이기 시작했다. 셔츠의 단추를 하나 풀자 그제야 석고상처럼 굳어 있던 그가 간신히 입을 열었다.

"수아, 잠깐……."

"가만히 있어요."

하지만 그 미약한 반항은 수아의 단호한 목소리에 사그라졌다. 그녀는 당당히 단추를 풀어 내렸다. 하지만 곧 난관에 봉착했는데, 셔츠 안에 매듭이 하나 있었던 것이다. 그리고 그건 꽤 꽉 매어져 있어 긴장한 수아로서는 쉽게 풀 수가 없었다.

그녀는 조금 곤란한 얼굴로 그것을 풀기 위해 고군분투하기 시작했다.

한편, 하르페니언은 매우 곤란해졌다. 도대체 지금 상황에서 어떻게 반응을 해야 할지, 뭘 말해야 할지 하나도 모르겠다. 이제까지 이런 상황은 단 한 번도 상상조차 한 적이 없었다.

혹시 꿈이 아닐까?

그래서 꼼짝도 할 수 없었다. 조금이라도 움직였다가는 이 환상이 깨질 것 같아서. 하지만 아무리 봐도 그의 위에 올라타고 있는 수아는 진짜였다. 그걸 인식하자, 거의 맨몸이나 다름없는 얇은 슬립 차림에 숄만 걸친 연인이 위에 올라타 붉어진 얼굴로 그의 옷 매듭을 풀고 있는 그 모습에 피가 몰렸다. 그녀 또한 긴장하고 있는 것이 확연히 보였고 살짝 떨리고 있는 손끝은 그 아찔함에 박차를 더했다. 꿀꺽, 저도 모르게 하르페니언은 침을 삼켰다. 갈증이 났다.

"아."

그녀가 작게 탄성을 내질렀다. 꽤 단단히 묶여 있던 매듭을 드디어 풀어낸 것이다. 그리고 그 순간, 하르페니언의 인내심은 한계를 넘어섰다.

수아가 약간의 뿌듯함을 느낌과 동시에 그의 팔이 그녀의 허리를 그대로 휘감았다. 그리고 휙 뒤집히는가 싶더니 다음 순간에는 완전히 자세가 반대로 되어 있었다.

반항하거나 비명을 지를 틈도 없었다.

"……정말."

그는 곧바로 수아의 몸을 아슬아슬하게 두르고 있는 숄을 한 손으로 걷어내 휙 침대 밖으로 던져버렸다.

"믿을 수가 없군."

"자, 잠깐만요. 이거 반칙……!"

수아는 급히 다시 몸을 일으키려고 했지만 이미 하르페니언이 품에 그녀를 가둔 후였다. 어떻게든 빠져나오려고 했지만 그의 몸은 정말 꿈쩍도 하지 않았다. 오히려 하르페니언은 누운 채로 몸을 돌리려는 수아를 다시 바로 눕혔다.

"알!"

붉어진 얼굴로 그의 이름을 부르는 수아에게 그는 답하지 않고 손으로 천천히 그녀의 뺨을 쓸어내렸다.

완전히 가리지 않은 커튼 너머로 달빛이 쏟아져 내리고 있었다. 그 안에서 보이는 상앗빛 피부는 그 어느 때보다 더 부드러워 보여, 하르페니언은 더 이상 참지 않고 그 안에 자신의 얼굴을 묻었다.

"잠깐, 읏!"

몇 번이고 입을 맞추던 하르페니언은, 그녀의 두드리는 손길에 마지막 남은 인내심을 발휘하여 고개를 들었다. 이미 반 정도 옷이 벗겨진 수아는 숨을 몰아쉬며 말을 이었다.

"이, 이건 제가 덮치는 거라니까요! 그러니까……."

"아니."

하르페니언이 부드럽게 웃었다.

"그대의 뜻대로 내가 움직이고 있으니 된 것 아닌가."

그 소리에 그렇지 않아도 홍조를 띠고 있던 피부에 피가 확 몰리는 것이 보였다. 무어라 반박을 하고 싶은데 입술만 달싹이는 걸 보니 목소리가 제대로 나오지 않는 모양이었다.

더 이상 이성을 가지고 대화하는 것도 한계였다. 간신히 눌러두었던 짐승이 꿈틀거리는 걸 느끼며, 그는 그대로 그녀에게 입을 맞췄다.

스스로가 생각해도 꽤 거칠기 짝이 없는 키스였다.

하지만 수아는 순간적으로 움찔 놀라면서도 곧 그에게 맞춰 반응해왔다.

그녀가 그를 원한다.

그 사실에, 다른 건 아무래도 좋았다.

언제나 무서웠다. 그 자신의 욕망이 그녀를 망가뜨릴까 봐. 그래서 어떻게 보면 답답할 정도로 참고, 인내하고, 자제하고, 인내했다. 그러다 마침내 이루어진 그날 밤, 그는 그녀와 같은 심정이라는 것에 환희를 느꼈다. 끝까지 다가갔음에도 그녀를 상처 입히지 않았을뿐더러 그녀 또한 그를 원한다는 걸 알고 얼마나 행복했던가.

그러나 그 심정을 비웃듯 그녀는 사라졌다.

그 뒤 그는 의심하고 또 의심했다. 정말 수아는 그때, 자신과 같은 심정이었나? 그건 그저 자신의 착각이 아니었을까? 사실 수아는 그를 위해 애써 싫은 걸 참은 것이 아니었을까? 그녀가 그를 원했다고? 정말?

하지만 이 순간 그는 다시 알았다. 그때 느낀 감각은 착각이 아니었다. 겨우 이 정도로 그녀는 상처 입지 않고, 진심으로 그를 원하고 있었다.

하르페니언은 안도와 함께, 더 이상 참는 것을 그만두었다.

"아얏."

수아는 몸을 움직이다가 통증에 작게 신음했다.

"괜찮나."

시선을 드니 걱정스럽게 자신을 내려다보는 금색의 눈동자가 있었다. 수아는 속으로 한숨을 내쉬었다. 괜찮다고 해야 할지 말아야 할지 참으로 고민됐다. 분명 시작은 자신이 먼저 했지만…….

창밖으로 서서히 동이 터오고 있었다. 그 희미한 빛 사이로 손목에 멍든 흔적이 보였다.

"진짜."

수아는 힘겹게 반 정도 몸을 일으켰다.

"알, 그거 알아요? 도중에 눈빛이 확 변할 때가 있는 거."

"……음."

"가끔은 진짜, 다른 사람 같다니까요."

수아의 그 말은 어떻게 보면 하르페니언의 정곡을 찌르고 있었다. 그는 대답이 곤란한 듯 슬쩍 그녀의 시선을 피했다.

수아는 이번에는 겉으로, 작게 한숨을 내쉬었다. 그래, 분명…… 시작은 자신이 먼저 했지만……. 그녀는 더 이상 옷으로서의 기능을 할 수 없는 슬립이 바닥에 떨어진 걸 보면서 멍하니 매번 이러면 옷값도 꽤 들 거라는 생각을 했다.

아무래도 이번에는 너무 자극한 게 아닐까.

아니, 이렇게까지 하지 않았다면 하르페니언은 아직도 고민하고 있을 터였다. 그러니까…… 음. 생각이 꼬리에 꼬리를 물고 이어지고 있는데, 하르페니언이 조용히 입을 열었다.

"어쩔 수 없잖나."

"네?"

"그대가 그렇게까지, 강렬한 유혹을 해오는데."

화악, 얼굴에 피가 몰리는 것이 느껴졌다.

"그게 뭐가……!"

"아닌가?"

수아는 입을 뻐끔거렸다. 유혹? 그게? 아니, 생각해보니까 틀린 말은 아닌데, 뭐랄까 이미지가 전혀 다르지 않나. 유혹이라 함은 좀 더 농염하다든지 뭐 그런……. 그 어설픈 행동에 유혹이라는 단어를 붙인다고 생각하니 어울리지 않는 건 둘째치고 부끄러워 견딜 수가 없었다.

이번에는 수아가 시선을 피했다. 그러나 다음 순간 하르페니언에게 손목이 잡혔다. 그가 다시 그녀를 품에 끌어들이며 목에 입을 맞춘다.

"그리고, 지금도."

"읏, 알! 자, 잠깐……. 흣!"

어느새 몸을 덮고 있던 이불이 치워진 상태였다. 다시 한 번 피부가 맞닿는 것을 느끼며 수아는 필사적으로 그의 어깨를 밀어 올렸다.

애초에 뭐가 유혹이라는 건지도 모르겠지만, 도대체 이 남자는 뭘까? 몇 시간 전까지만 해도 안절부절못하며 그녀를 피했던 사람과 동일인물이 맞는지 진심으로 궁금했다. 더구나 전날 밤에도 잠을 거의 안 잔 것 같은데 어떻게 이렇게 팔팔한지 알 수가 없었다.

"뭐예요, 또?"

그제야 하르페니언은 멈칫했다.

"……싫은가?"

"아니, 그게 아니라……. 그……."

지금부터 자도 얼마 못 자잖아요? 곧 떠나야 하는데. 아니, 그전에 체력적으로 도저히 무리인 거 같은데요. 수아는 그런 말을 하려다가 결국 꿀꺽 삼킬 수밖에 없었다.

하르페니언은 싫지 않다는 수아의 말에 부드럽게 눈을 접으며 희미하게 웃었다.

아, 진짜.

수아는 속으로 항복을 선언했다. 심장이 미친 듯이 뛴다. 자신에게 유혹이니 뭐니 해놓고는 정작 유혹은 그가 하고 있었다. 이건 이것대로 정말 반칙이었다.

모르겠다.

결국 수아는 그의 어깨 위로 손을 둘렀다. 다시 한 번 공기가 달아오르기 시작했다.

사람이 졸리면 말 위에서도 잘 수 있다는 걸 처음으로 깨달았다.

언제나 생각하지만 말은 불편한 이동수단이다. 물론 가장 고생인 건 사람을 태우고 있는 말이겠지만, 그 위에 타고 있는 사람도 힘들기로는 만만찮다. 트럭으로 비포장도로를 달리는 것보다 더 흔들린다. 그렇게 타고 있으면 골반도 허리도 꽤 아프다. 물론 지금은 경보보다 조금 빠른 정도였고, 뒤에서 다른 이가 대신 고삐를 잡고 받쳐주고 있으니 혼자 타거나 전속력으로 달리는 것보다는 나을 것이다. 하지만 이 상태로 꾸벅꾸벅 졸다니, 바로 어제까지만 해도 상상조차 하지 못할 일이었다.

"수아."

당연히 몇 번이나 굴러떨어질 뻔한 것을 하르페니언이 잡아주고 깨워줬다.

그럴 때마다 민망해서 얼른 눈을 비비면서 정신을 차리려고 했지만 그 긴장도 오래가지 못했다. 결국 다시 그에게 기대서 꾸벅꾸벅 졸게 된다.

종일 여정이 어떻게 되는지 알 수 없을 정도로 점심도 먹는 둥 마는 둥, 정말 정신없이 졸았다. 머리로는 하르페니언에게 폐가 된다는 것도 알았고, 다른 기사들이 함께하느니만큼 이상하게 생각하지 않을까 하는 걱정도 됐지만 정말 졸음만은 어쩔 수 없었다. 과제를 하느라 밤을 새운 것과는 차원이 다른 노곤함과 피로가 그녀를 계속 덮쳐왔다.

그래서 하르페니언이 이상할 정도로 긴장하고 있다는 것도 정말 뒤늦게야 눈치챌 수 있었다. 그저 그녀가 너무 피곤해하니 좀 더 챙겨주려는 줄 알기도 했고, 실제로 대부분의 시간을 말 위에서 보냈기에 눈치챌 계기도 적긴 했다.

처음 조금 이상하다고 생각한 건 점심을 먹고 나무 밑에서 반 정도 졸고 있다가 짐에서 손수건을 꺼내기 위해 잠깐 일어났을 때였다. 기사들에게 무어라고 지시를 내리고 있던 하르페니언이 눈에 띄도록 움찔했다. 그리고 곧바로 수아 앞으로 다가와 무슨 일이냐고 물었다.

"어, 아뇨. 잠깐 손수건을……."

그 소리에 하르페니언은 곧바로 수아의 짐을 들어 그녀에게 건네주었다. 따지면 아주 낯선 반응은 아니었다. 그녀가 돌아온 후 그는 계속해서 그녀를 과도하게 챙겨주었으니까. 그래서 잠깐 의아하긴 했지만 곧 별생각 없이 수아는 고맙게 짐을 받아 들고 손수건을 꺼냈다.

하지만 다음, 몬스터가 나타났을 때는 확실히 이상했다. 이제까지 몬스터는 몇 번이고 나타났지만 그들을 호위하는 이들은 황실 기사. 하르페니언이 나선 적은 한 번도 없었다. 지금도 그랬다. 더구나 수도와 가까워져서인지 경비병들이 순찰을 돌고 있을 만큼 치안이 좋았다.

경비병들은 침착하게 여행자들을 피난시키며 검을 뽑아 들었다. 굳이 기사들이 나설 필요도 없을 정도였다. 그렇다고 방관하고 있을 필요도 없기에 하르페니언은 로브를 깊게 눌러 써 문신을 숨기며 기사들에게 눈짓했다. 그것만으로도 기사 둘은 즉시 몬스터들에게 뛰어들었다.

그리고.

"알?"

"음, 아니."

몬스터가 나온 이상, 수아는 보호대상이다. 그래서 팔로 허리를 두르고, 몸을 굳힌 채 몬스터들을 경계하는 것까진 당연할 수도 있었다.

하지만, 왜.

그 팔이, 그의 몸이 떨리고 있는 걸까.

귓가로 들리는 호흡이 거칠었다. 허리를 감싼 팔이 아플 정도로 꽉 조여들었다.

수아는 힘겹게 고개를 들어 그의 얼굴을 올려다보았다.

몬스터들에게 시선을 던지다 그녀에게 눈을 맞춰오는 그를 본 순간, 수아는 자신도 모르게 눈을 크게 떴다.

그 안에 있는 감정은 공포였다.

"알."

하르페니언은 대답 대신 그녀를 잡고 있는 팔에 더욱 힘을 줬다. 순간적으로 숨이 확 막혀왔지만 수아는 그의 품에서 벗어나려고 할 수가 없었다. 단지 그녀 또한 그의 팔 위에 손을 올려, 마치 포옹하듯 그 팔을 감싸 안았을 뿐이다. 그제야 그의 팔에서 조금, 힘이 빠지는가도 싶었다.

그렇게 그는, 기사들이 몬스터를 모두 퇴치할 때까지 그녀를 품에 안고 있었다.

그 뒤로는 더 지체되는 일 없이 무사히 수도에 도착했다. 이미 어둑해지는 시간이었지만 거의 예정대로라고 볼 수 있었다. 하지만 황궁으로 바로 달려갈 거라는 수아의 예상과 달리 그는 수도의 외각 쪽으로 말머리를 돌렸다.

하르페니언의 저택은 기억과 거의 같았다.

집사 그라낫이 깊이 고개를 숙여 그들을 반겼다. 황궁에서 파견된 것으로 보이는 하녀들은 덜덜 떨며 그 뒤에 서 있었지만, 기분 탓인지 아니면 정말 그런 것인지 예전처럼 질겁하는 느낌까지는 아닌 것 같았다. 곧 그들이 그라낫의 명에 따라 물러났기에 자세히 관찰할 시간까지는 없었지만.

아무래도 여기서 하룻밤을 묵어간다는 것 같았다. 굳이 말까지 타는, 수아 기준으로는 꽤 강행군을 한 만큼 곧바로 실바코프를 찾아갈 줄 알았는데 좀 의외였다. 한편으로는 조금 반갑기도 했다. 지금도 서서 졸고 싶을 만큼 피곤했기 때문이었다.

오늘 푹 쉰다면 내일은 좀 제정신을 차리고 실바코프를 볼 수 있을 것이다.

방으로 안내받은 후, 목욕 시중을 거절한 채 대충 씻고 나오자 그사이 하녀들이 바뀌어 있었다. 익숙한 얼굴들인 걸로 보아 아무래도 황궁 하녀들을 돌려보내고 리노체스 백작가에서 하녀들을 부른 모양이었다.

반가움에 가볍게 한두 마디를 나누고, 하녀들이 나간 후에는 침대에 기어 들어가고 싶은 마음을 억누르며 의자에 앉아 하르페니언을 기다렸다.

모르긴 몰라도 자세한 내일 일정을 이야기해주러 오지 않을까 싶었다. 아니 딱히 할 말이 없더라도, 그녀가 사라지지 않은 걸 확인하기 위해서라도 오겠지.

낮에 떨리고 있던 그의 몸을 떠올리자 다시 가슴 한편이 아파왔다. 그는 도대체 언제까지 그녀에게 다가오는 걸 망설여야 하는 걸까.

이럴 줄 알았으면 그를 조금 더 빨리 받아들일걸. 뭐가 그렇게 망설여진다고 그를 기다리게 하고 또 기다리게 했던가. 그랬다면 최소한 그와 하나가 된 바로 그날 그녀가 그렇게 사라질 일은 없었을 터였다.

얼마나 그런 생각을 하며 앉아 있었을까.

타닥타닥. 벽난로에서 장작 타오르는 소리가 들려왔다. 종일 찬바람을 맞으며 말 위에 있다가 따뜻한 물로 씻은 후 푹신한 소파에 몸을 파묻으니 잠이 몰려왔다.

그녀는 결국 등받이에 얼굴을 대고 꾸벅꾸벅 졸았다. 그러나 노크 소리에 정신이 번쩍 들었다.

수아는 급히 바로 앉으며 머리카락과 얼굴을 한 번 손으로 더듬고는, 잠긴 목소리를 간신히 냈다.

"아, 네."

"아가씨!"

문이 급하게 열리는 것과 동시에 리노체스 부인의 방 안으로 들어왔다. 수아도 반사적으로 의자에서 일어났다.

"맙소사. 신이시여, 감사합니다. 무사히 돌아오셨군요."

그녀는 눈물을 글썽이며 수아의 손을 잡았다.

"사라졌다는 이야기를 들었을 때는 얼마나 놀랐던지……. 몸은 괜찮나요? 어디에 있었던 건가요? 험한 일을 당한 것은 아니죠?"

리노체스 부인은 채 수아가 대답할 시간을 주지 않고 속사포처럼 이야기를 쏟아내었다.

"아, 그래도 괜찮아 보이네요. 정말, 정말 다행이에요."

평소에는 차분하기만 하던 리노체스 부인이 이렇게까지 안절부절못하는 모습은 처음이었다. 수아는 당황하며 괜찮다고 말하는 것이 고작이었다.

"전하가 정말……."

"알이 많이 걱정했죠?"

"걱정 정도가 아니었어요. 이러다가 전하까지 잘못되는 것이 아닌가 싶었을 정도랍니다."

리노체스 부인이 손수건으로 눈물까지 글썽이며 억누르는 듯한 목소리로 외쳤다.

"저도…… 그랬어요. 아가씨가 돌아오지 않으면 어쩌나, 정말로……!"

리노체스 부인은 하르페니언이 태어날 때부터 그 곁에 있었다. 비록 자신이 낳지는 않았으나 아들만큼이나 그를 아꼈다. 점점 웃지도 울지도 않게 되는, 감정이 드러나지 않는 무표정이 되었을 때조차도 그녀는 언제나 그의 심정을 알았다.

눈물을 흘리지 않는다 하여 울지 않는 것이 아니다. 자신의 마음을 감추고 벽을 쌓아도 리노체스 부인은 그 장막 뒤의 그를 알아볼 수 있었다.

하지만 이번만은 정말로 심각했다. 병력을 요청하러 온 그와 마주쳤을 때, 리노체스 부인은 그만 비명을 지를 뻔했다. 그를 사로잡고 있는 것은 절망이었고 좌절이었다.

맙소사.

처음으로 큰일이라 생각했다. 비로소 아들이 왜, 수아가 하르페니언 곁에 있는 걸 못마땅해했었는지 알 수 있었다.

지나치다.

평민들이야 여러 양상을 보이지만 통상적으로 귀족, 또는 황족 남자에게 있어서 여자는 가정을 이루는 수단이자 자신의 밑에 놓고 아끼고 보듬어야 할 대상일 뿐이었다. 그녀의 남편, 전 리노체스 백작 또한 그랬다. 애인이나 정부를 둘 형편도 못 되었지만, 그래도 한눈 한번 팔지 않을 정도로 부인을 아끼고 존중하고 사랑했다. 하지만 그의 1순위는 당연하게도 그녀가 아니었고 리노체스 부인도 그걸 알고 있었다. 남자는 여자에게 휩쓸려선 안 됐다.

정부나 첩을 가진 남자는 당연하게 생각되지만, 그들의 꼬임에 넘어가 가문에 폐를 끼치게 되면 비난을 받는 것도 같은 맥락이다.

심지어 하르페니언은 황제 교육을 받고 자라난 황족의 남자다. 저주를 받았을지언정 일단은 황태자이기도 하다.

수아를 많이 아낀다 하더라도 어디까지나 그냥 그뿐인 줄 알았다. 하지만 그녀가 본 하르페니언은, 그야말로 모든 걸 던져버릴 것 같은 표정을 하고 있었다.

리노체스 부인은 이런 것을 원한 것이 아니었다. 그저, 현이 계속 팽팽하게 당겨지기만 하던 하르페니언의 삶을 조금이라도 느슨하게 만들어줄 수 있는 휴식처 같은 존재가 생겼으면 좋겠다고, 그리 여겼을 뿐이었는데. 조금만 하르페니언이 편해졌으면 하는 마음이었는데.

이건 아니다.

하지만 그렇다고 해서 다시 시간을 되돌릴 수는 없는 노릇이었다. 그녀는 간절히, 정말 간절히 수아가 돌아오기만을 바랄 수밖에 없었다.

"진정해요, 부인. 돌아왔잖아요."

물론 이런 걸 알 리 없는 수아는, 조금 당황하면서도 리노체스 부인을 달랬다. 그 소리에 리노체스 부인은 잠깐 그녀를 바라보다가 이내 조금 지친 듯한 미소를 지었다.

"그래요. 돌아왔죠……."

그래, 그건 사실이다. 그녀가 조금 전 본 하르페니언은, 몇 달 전에 본 모습이 거짓이었다는 듯 평온했다.

아마 저주 이후 볼 수 있던 가장 편안한 얼굴. 리노체스 부인은 간신히 스스로를 진정시키며 지나치게 꽉 잡고 있었던 수아의 손을 천천히 놓았다.

"어머, 미안해요. 제가 너무 급하게……."

"아니에요. 아, 근데 알은 방에 있나요?"

"무슨 말씀을. 여기가 전하의 침실이잖아요."

"네?"

수아는 깜짝 놀라며 주변을 둘러보았다. 그다지 특별할 것이 없는 침실이었다.

작은 테이블과 의자, 침대, 협탁. 이것만으로는 하르페니언의 방이라는 걸 알아볼 수 있을 리가 없었다. 주인이 계속 없다가 수아가 먼저 들어왔으니 더더욱.

하지만 왠지 뺨이 확 달아올랐다. 정말 당연하다는 듯 그의 방으로 안내받고, 그를 기다리고 있구나 싶어서.

"전하께선 지금 서재에 계세요. 제 아들도 왔답니다."

리노체스 부인은 간신히 평소와 같은 미소를 지으며 말했다.

"아, 백작님이요?"

"네. 아가씨를 찾았을 때 마석을 통해 연락이 왔거든요. 전 제 아들이 그렇게 크게 감정표현을 하는 건 몇 번 보지도 못했을 정도랍니다."

물론 리노체스 부인도 비슷한 심정이었지만.

"어쨌건 사람 하나를 수배하신 모양이라, 그 경과를 말씀드리러 찾아뵌 것 같아요. 그 김에 저도 함께 왔고요."

"아."

수아는 곧바로 그 수배한 사람이 누군지를 깨달았다. 하긴 무조건 황궁으로 간다고 해서 실바코프와 만날 수 있는 게 아닐 것이다.

어쩐지 힘이 빠졌다. 이렇게 되면 내일도 입궁할 수 있으리라는 보장이 없었다. 뭐야, 오라고 했으면 곧바로 나타나야지.

긴장이 풀리자 다시 졸음이 확 덮쳐왔다. 아무래도 그것이 티가 난 모양이었다.

"일단은 좀 쉬세요, 아가씨."

"아뇨, 간만인데……."

"말을 계속 타고 오셨다고 들었어요. 피곤하실 거 알면서 얼굴을 보겠다고 왔으니 제가 예의가 없었네요. 저도 오늘은 이 저택에 묵을 테니 내일 이야기해요."

반가운 소리였다. 수아가 동의하자 리노체스 부인은 곧 인사를 하고 방을 나섰다. 그녀는 뭘 더 어떻게 한다는 생각도 없이 곧바로 침대로 몸을 던졌다. 그리고 잔다는 생각을 채 하기도 전에 그대로 의식이 사라졌다.

그리고 눈을 떴을 땐, 금안이 눈앞에 있었다.

"……알?"

타닥, 침대맡에서 그녀를 들여다보고 있던 하르페니언의 얼굴에 벽난로의 붉은빛이 비쳤다.

"아, 나 때문에 깼나."

그는 곤란한 듯 말했다.

"잠시, 얼굴만 보고 나가려고 했는데……."

"알 때문에 깬 거 아니에요. 그냥, 목말라서요."

수아가 마르지도 않은 목 핑계를 대자, 그 말에 그가 협탁 위에 놓여 있는 물을 컵에 따라 건네주었다. 그녀는 그 컵을 받으며 물었다.

"리노체스 백작님이 오셨다면서요?"

"그래. 이야기가 좀 길어졌군."

물을 한 모금 넘기자 조금 정신이 드는 기분이었다.

"실바코프를 못 찾은 거죠?"

"아니, 황궁에 있긴 해."

"찾았어요?"

"찾았다……기보다는."

그가 살짝 얼굴을 찡그렸다.

"웃기게도 견습 마법사로 있더군."

"네? 황궁에서요?"

"그래. 일단 몇 년 정도 일한 걸로 되어 있는데…… 정말 그 기간 동안 계속 있었을 것 같진 않으니, 다른 방법을 썼겠지."

"으음…… 기억조작마법일까요?"

뭔가 기분이 이상했다. 뭐랄까 그녀의 기준으로 보면 청와대에 도둑이 들어 털렸다는 그런 느낌이었다. 아무리 종족이 다르고 쓰는 마법이 다르다지만 황궁 마법사들도 있을 텐데…….

"서류상으로 장난을 쳐놨을 수도 있고. 평민 출신 견습 마법사는 거의 심부름꾼 비슷한 존재니 그다지 중요하진 않거든. 뭐, 제일 확실한 건 내일 물어보는 거겠지."

하르페니언이 수아가 다 마신 물컵을 그녀의 손에서 다시 협탁 위로 올려놓았다.

"내일 볼 수 있는 거예요?"

"그래. 내가 급하다고 하니 루펜이 아예 카일에게 요청한 모양이야. 아무래도 백작이 황실 마법사에게 청을 넣는 건 시간이 걸리다 보니. 그래서 카일에게 내일 대기시켜놓겠다는 대답을 받았다더군."

"아, 카일. 그러고 보니 카일은 잘 있나요?"

"글쎄. 나도 보지 않은지 꽤 돼서."

완전히 남 말 하듯 말하는 그 소리에 수아가 피식 웃었다.

"뭐예요. 동생이잖아요."

"수도에 온 건 폐하께 병력을 요청하러 온 뒤로 처음이니까."

그 말과 동시에 하르페니언의 손이 수아의 뺨을 쓰다듬었다.

"이번에는…… 사라지지 않았군."

"알."

수아가 천천히 그의 손 위로 자신의 손을 얹었다.

"말했잖아요. 안 가요, 아무 곳으로도."

"그래."

하르페니언은 그녀의 손을 자신의 입가로 가져가 손등에 가볍게 입을 맞췄다.

"확실히 비약적인 생각이겠지만…… 그래도 그대가 있는 모습을 봐야 안심이 돼."

"알."

뺨에 손이 올라왔다. 그는 굉장히 소중한 것을 어루만지듯 수아의 뺨을 살짝 쓰다듬었다. 다음에 오는 것은 부드러운 뺨으로의 입맞춤. 수아는 움찔거리며 눈을 감았고, 하르페니언은 그런 그녀를 자신의 품 안으로 끌어당겼다.

"정말, 그대가 있는 세상은 이상해……."

귓가에서 목소리가 울렸다.

"내가 살던 세상이 아닌 것 같아."

두근, 두근.

심장 뛰는 소리가 누구 것인지 모르게 들려온다.

"숨을 쉬는 공기가 이렇게나 달콤한지, 벽난로의 불이 이렇게 따뜻한지 예전에는 미처 몰랐으니까."

"저도, 그래요."

수아는 더욱 깊게 그의 품 안으로 파고들었다.

"저도…… 알과 있으면 모든 게 달라져요. 모든 게, 알이 중심이 되니까……."

돌아오고 싶었다. 간절히. 그가 있다는 이유만으로 수아의 세계는 이곳이 되었다. 가족을 떠올리면 여전히 가슴이 아팠지만 처음 왔을 때만큼은 아니었다. 그건 아마 가족들도 마찬가지겠지.

옛날과 너무 많은 것이 바뀌었다.

다시 한 번 가족과, 친구들과 함께 그녀가 쌓아온 과거의 모든 것을 기반으로 다시 살아갈 수 있게 되더라도, 그녀는 결국 하르페니언의 곁에 있기 위해 그 모든 걸 버릴 것이다.

한참이나 전에 그녀의 길은 갈렸다. 그저, 이제야 자각했을 뿐.

자연스럽게 두 사람의 입술이 맞닿았다. 그리고 가볍게 시작했던 입맞춤은 이내 점점 깊어져 갔다.

"하아, 알……."

하지만 그녀의 등이 침대에 닿는 순간, 달뜬 숨을 내뱉던 수아는 잠깐 멈칫했다.

"그, 자, 잠시만요, 알."

그 소리에 하르페니언이 멈칫했다. 내일은 황궁에 간다고 했다. 그런데 또 이렇게 되면…….

"싫은가?"

그러나 그 목소리를 듣는 순간 수아는 더 이상 아무런 생각도 들지 않았다. 여전히 낮은 저음이지만, 약간은 흥분으로 들떠 있는 그런 목소리.

"……진짜."

항복이다.

그녀는 눈을 살짝 흘겼지만 이내 속으로 한숨을 내쉬며 그의 목으로 팔을 둘렀다.

"그럴 리가, 없잖아요."

그가 부드럽게 미소 지었다. 그 표정을 보며 수아는 내일 일은 내일 생각하자는 명언을 떠올렸다.

그녀는 하르페니언을 안은 손에 조금 더 힘을 주며, 눈을 감았다.

저주의 진실

눈을 뜨니 낯선 천장이 보였다.

수아는 손등으로 눈을 비비며 잠시간 멍하니 누워 있었다. 온몸이 뻐근한 동시에 나른해, 굉장히 푹 잠들었구나 싶었다. 수아는 누운 채로 주변을 둘러봤지만 하르페니언의 모습은 보이지 않았다.

어젯밤에는 평소보다 그와 함께 일찍 잠들었고, 새벽에 깬 기억도 없었다. 그와 함께 밤을 보낼 때 새벽에 일어나지 않은 건 처음이다. 그가 나름대로 배려를 해준 것이 분명했다. 침대에서 몸을 일으키자 생각보다는 꽤 가뿐했다.

창가로 걸어가 커튼을 걷자 해가 떠 있는 것이 보였다. 그다지 늦지도 않았지만 이른 아침도 아니었다.

수아는 잠시 동안 창밖을 바라보았다. 유리창 밖으로는 눈이 다 녹지 않은 정원과 그 너머의 길이 보였다.

여기가 그의 방이라고 했다. 하르페니언이 이곳에서 그다지 오래 묵는 것 같지는 않았지만, 그래도 이 방에서 묵은 적이 있긴 있을 터였다. 그때마다 그의 눈에 보인 것은 이 너머의 풍경이었겠지. 그런 생각을 하자 별것 없는 정원의 풍경까지도 굉장히 특별해 보였다.

그러고 보니 그와 헤어진 것이 저 정원이다. 새삼 아쉽다는 생각이 들었다. 만약 과거로 돌아간다면, 그렇다면 절대로 헤어지자고 하지 않았을 텐데. 수아는 그런 상상을 하다가 피식 웃었다.

가만히 생각해보면 그와 그녀의 관계는 언제나 아슬아슬한 선 위에 있었다. 그중 뭔가 하나만이라도 삐끗했다면 이렇게 있는 것도 불가능했을 것이다. 특히나 그날 회궁 후원에서 마주치지 않았더라면, 아직도 「알」이라는 사람을 그리며 여전히 회궁의 여관으로 일하고 있지 않았을까. 그것만으로도, 과거에 감사해야 하지 않을까.

지금 수아는 더 이상 하르페니언이 그녀를 두고 떠날까 봐 불안해하지 않아도 되니까.

그녀는 하녀가 두드리는 노크 소리에 몸을 돌렸다. 황궁으로 갈 시간이었다.

“형님, 수아.”

황궁에 도착하자마자 안내받은 방에서 맞이한 이는 카르니언이었다. 오랜만에 보는 그의 얼굴은 기억과 거의 다르지 않았다.

그는 하르페니언에게 예를 갖춰 인사한 후 수아에게도 가볍게 눈인사를 했다. 그 눈길에는 분명 안도의 감정이 담겨 있었다. 그러나 카르니언은 그 외의 별다른 말은 하지 않은 채 곧바로 본론에 들어갔다. 꽤 서두르는 모양새였다.

“실바코프라는 견습 마법사를 급히 찾으셨다고 들었습니다만.”

“그래. 바로 만날 수 있나?”

“네, 불렀으니 곧 도착할 겁니다. 하지만 형님이 굳이 만나고자 하실 특이점은 없는 인물입니다만…….”

“루펜에게 대충의 보고는 받았다. 서류상으로는 평범하기 짝이 없는 견습 마법사더군. 특이점은 소심하고, 말을 더듬는다는 것 정돈데.”

6년 전 견습 마법사가 되고 2년 전부터는 황궁 실험실에서 일하고 있는 성실하지만 소심한 성격의, 살짝 말을 더듬는 20대 중반의 남자. 평민 출신의 견습 마법사는 다른 마법사들의 잡일을 도맡아 하는 조수 정도의 대우였지만, 그 보수가 평민 기준으로는 상당한 금액이라 대부분은 만족해하면서 일했다. 단지 마법사의 「실험」에 적응하지 못하고 계속 그만두려고 하는 수도 적지는 않았는데, 황궁에 있다는 실바코프는 이 후자에 속했다. 몇 번이고 사직서를 냈지만 수리되지 않았으니까.

즉, 서류상으로 볼 때는 전혀 이상하지 않은 인물이었다. 문제가 있다면 그 어느 부분도 하르페니언이 알고 있는 실바코프의 모습과 일치하지 않다는 것 정도일까.

"네. 실제로도 그렇습니다."

그 대답에 하르페니언이 살짝 미간을 찌푸렸다.

"직접 만난 적이 있나?"

"마법사들의 동향을 살피다, 증언을 들을 것이 있어 부른 적이 있습니다만……. 그때 리노체스 백작도 함께 있었습니다."

"루펜과도?"

어쩐지 어젯밤, 약간 미묘한 표정을 짓는다 했다. 이야기를 하지 않은 건 어차피 말해봤자 별 소용이 없을 거라는 판단이었으리라. 지금 카르니언의 이야기를 들어도 더 혼란해질 뿐이었으니, 그의 판단이 틀린 건 아니었다.

어차피 실제 인물을 곧 만나기도 하고.

수아 또한 심각한 얼굴로 카르니언의 이야기를 들었다. 혹시 사람을 잘못 찾은 게 아닐까?

그때 노크 소리와 함께 견습 마법사가 도착했다는 시종의 목소리가 들렸다. 하르페니언이 살짝 고개를 끄덕이자 카르니언이 들어오라는 허락을 내렸다.

방 안으로 들어선 자는 하르페니언과 수아, 둘에게 모두 익숙한 인영이었다. 방금까지 의심했던 것이 허무할 정도로 실바코프의 모습은 기억과 전혀 다르지 않았다.

탁. 미리 이야기가 되어 있었던 듯, 뒤에서 시종이 들어오지 않은 채 문이 닫혔다.

그는 우아하게 한 손을 자신의 몸 앞으로 내밀며 인사했다. 은색 머리카락이 숙이는 몸에 따라 부드럽게 움직였다. 황궁 예법과는 맞지 않는 동작이었지만 그 모습은 어떤 이들보다도 기품 있어 보였다.

"오랜만에 뵙겠습니다, 황태자 전하. 건강해 보이시는군요."

당연히 하르페니언과 수아의 시선이 잠시 카르니언에게 향한 것은 어쩔 수 없으리라. 저자의 어디가 소심하고 말을 더듬는 사람이란 말인가.

물론 억울하기 짝이 없는 카르니언은 무언가 말을 하고 싶은 모양이었지만, 하르페니언이 있는 이상 멋대로 나설 수가 없었다.

실바코프는 그런 주변의 반응을 모두 무시하고는 평소처럼 빙긋빙긋 웃으며 수아에게 말을 걸었다.

"아가씨는, 오랜만이라고 할 수는 없겠네. 아, 이제 아가씨도 「처음」으로 나를 만나고 왔을까?"

"그게 무슨……. 아."

수아는 눈을 크게 떴다. 「과거」에서의 만남. 어린 하르페니언과 그의 어머니. 그리고 그 옆에 있던 은색 머리카락의 남자.

"그거, 꿈이나 환상이 아니었어요?"

"그렇게 생각했어? 하긴 뭐, 아가씨가 있었던 세계 자체가 환상이었으니 믿지 못할 만도 하겠지만."

속을 알 수 없는 연보라색 눈동자가 빛이 났다.

"하지만 「그건」 진짜였어. 나로서는 아가씨와의 첫 만남이 그때였지. 꼭 그 이유 때문만은 아니었지만, 아가씨와 언제 만날 수 있을까 나름대로 고대하고 있었다고."

수아 외에는 알아들을 수 없는 대화였지만, 하르페니언은 그저 입을 다문 채 둘의 대화를 듣고 있었다. 그가 그러고 있으니 카르니언도 마찬가지였다. 그러나 수아는 너무 놀라 그 둘이 알아듣지 못한다는 걸 배려할 여유가 없었다.

그게 진짜였다고? 자신이 봤던, 아니 갔던 그때가 정말로 과거였다면…….

"말도 안 돼요. 그렇다는 건……."

하르페니언의 어머니는, 전 황후는 알고 있었다. 자신이 죽으리라는 걸. 그리고 하르페니언이 저주를 받으리라는 걸. 그럼에도 저항하지 않고 순순히 그에 따랐다.

왜?

아니, 속으면 안 된다. 그 과거에서, 수아는 어린 하르페니언과 만났다. 하지만 지금의 하르페니언은 그녀를 기억하지 못했다. 더 어렸을 때면 몰라도 최소 10대 초반 정도 된 소년이 저주가 통하지 않던 존재를 잊을 리가 없다. 그러니까 이건 실바코프가 그녀를 떠보기 위한, 그런 헛소리일 확률이 높았다.

하지만 실바코프는 수아가 무슨 생각을 하는지 알고 있다는 듯, 조금 더 깊이 웃었다.

"아, 참고로 전하의 기억은 내가 지웠어."

"뭐라고요?"

"그 뒤로 난 계속 전하를 주시했으니까. 아가씨는 저주 초반, 어린 전하를 한 번 더 만났지? 그 기억을 지웠다는 소리야. 그러니 전하가 아가씨를 기억하지 못하고 있는 건 당연하겠지?"

설명하듯 차분히 말하는 저 어투가 얄밉기 그지없었다. 동시에 생각났다. 일단은 그가 이곳으로 돌아올 수 있게 도와주기도 했고 꽤 오래 보지 않아 깜박 잊고 있었는데, 원래 말하는 것 하나하나가 짜증 나고 열 받는 사람이었다는 걸.

"당신, 뭐예요?"

더 이상 예의를 차려줄 필요도 없다.

수아는 날카롭게 말했다.

"뭘 알고 있는 거죠? 아니, 아는 정도가 아니겠죠. 처음부터 계속 개입하고 있었으니. 황후마마에게 무슨 말을 한 거죠? 분명 계약이란 말도 들었어요. 뭘 꾸민 거죠?"

"이런, 이런. 진정해, 아가씨."

하지만 그렇게 말하는 실바코프의 얼굴은 진심으로 즐거운 듯 보였다. 다시 울컥한다.

"생각해보면 당신, 「열쇠」라는 단어도 알고 있었죠. 전 그 단어를 처음 들은 게 아니에요. 어떻게 그 단어를 알고…… 아니, 실바코프 당신, 굉장히 오래 살았다고 했죠?"

갑자기 뭔가가 머리를 내리치는 것 같았다.

시우는 수아를 열쇠라고 불렀다. 실바코프도 그 단어로 그녀를 지칭한 적이 있다. 무의식적으로 수아는 당연히 시우가 「먼저」라고 생각했다. 그녀는 황금시대에서 살다 죽은 사람이고, 실바코프는 지금 눈앞에 있었으니까.

하지만…… 사실은 그 반대일 수 있지 않을까?

실바코프가 나이가 더 많다면, 그래서 먼저 그녀를 그렇게 부른 것이 그였고, 시우는 단순히 그걸 들은 거라면? 과거와 현재를 넘나들게 할 수 있는 존재라면 그사이에 있는 까마득한 세월 따위는 문제가 되지 않을 터였다.

심지어 그는 황후와 직접 무언가의 계약을 논했다. 하르페니언은 이 남자가 엘프가 아닐지도 모른다고 말한 적이 있다. 그녀가 환상에서 돌아올 걸 알고, 시간을 넘나들게 하고, 저주가 시작되기 전부터 하르페니언의 곁에 있다.

설마…….

하지만 생각이 더 진행되기 전, 실바코프가 입을 열었다.

[아니. 거기까지야, 아가씨. 시시각각 변해가는 얼굴을 보는 것도 재밌긴 한데, 너무 비약하지 말라고.]

그가 어깨를 으쓱였다.

“[확실히 난 저주와 깊게 관련되어 있긴 하지만, 저주를 건 주체가 아니야.] 전하에게 걸린 건 신의 저주가 맞고, 난 신이 아니니까.”

“그럼 제대로…….”

제대로, 아는 걸 설명해요. 그렇게 말하려던 수아는 멈칫했다. 말 내용에 신경 쓰고 있어서인지 곧바로 깨달을 수 없었지만, 지금 그가 쓰는 말은 제국어만 있는 것이 아니었다. 다른 언어가 섞여 있었다.

[당신…….]

한국어.

[어떻게 그 말을…….]

[아가씨가 온 세계의, 아가씨가 온 나라의 말이지?]

그는 씩 웃었다.

"[딱히 배운 건 아냐.] 그저, 나에게 언어 같은 건 그다지 의미가 없을 뿐이지."

순간적으로 머리가 빈다. 이곳에서 듣는 한국어가 이렇게 생경하고, 또 이상한 기분이 들게 할 줄은 생각도 못 했다.

수아가 말을 멈추자, 비로소 하르페니언이 입을 열었다.

"처음부터 거짓이었군."

실바코프가 하르페니언에게 고개를 돌렸다.

"무엇이 말입니까?"

"엘프라는 것부터, 신의 의중을 살피기 위해 나를 관찰하겠다는 것까지 모두. 당신은 엘프도 아니고, 신은 아니라지만 신의 의중도 처음부터 알고 있었던 거야."

실바코프는 딱히 부정을 하지 않은 채, 씩 웃었다.

"모든 것이 당신의 손바닥 위에 있었군."

하르페니언은 숨을 몰아쉬고 있는 수아의 어깨를 부드럽게 감싸 쥐며 그녀를 자신 쪽으로 끌어당겼다.

"뭘 원하는 거지? 우리에게 뭘 원해서 이런 일을 꾸몄나."

"이런, 이런. 조금 오해가 있으시군요. 이 일은 꾸민 건 제가 아닙니다. 전하와 아가씨가 제 손바닥에 있던 것도 아니고요. 말씀드렸던 것이 모두 진실이라는 말은 하지 않겠습니다만, 모든 것에 대해 거짓말을 한 것도 아닙니다."

그는 둘을 바라보았다. 그 시선은, 평소와는 조금 다른 느낌이었다.

"저주의 끝을 보는 것. 그것이 제 「임무」인 것은 사실입니다. 단지 말씀드렸던 이유 때문이 아닐 뿐이죠. 그리고 그 끝이 어떻게 될지, 지금의 저는 모릅니다. 처음에는 아가씨가 그냥 목숨을 잃어 전하께 아무런 기회도 주어지지 않는 것이 낫겠다는 생각을 잠깐 하기도 했습니다만 지금은 아닙니다. 나름 진심으로, 전하가 저주에서 벗어나기를 기원하고 있지요."

그의 눈이 서서히 변했다. 연보라색의 동공이 점점 모양이 변하고 있었다.

"그래, 인간들의 방식대로 말하자면 저는 신의 심부름꾼이라고 할 수 있겠군요. 말하자면 이건 하나의 게임이라 할 수 있습니다. 그 안에서 저는 심판이자 감시자 역할을 맡았을 뿐."

다음 순간 그가 눈을 감았다 뜨자, 그의 동공은 완전히 모양이 바뀌어 있었다.

수아는 멍하니 그 눈을 바라보았다.

처음 보는 형태는 아니었다.

하지만 그녀가 알기로는 사람에게서 나타나는 특징도 아니었다.

그건, 마치.

파충류의,

"사실 아가씨가 사라진 시점부터 전하는 대충 짐작하셨을 겁니다. 지금 제가 힌트도 많이 드렸으니, 이제 확신하셨겠죠. 자, 그럼 전하. 저는 누구일까요?"

하르페니언은 잠깐 미간을 찌푸리다 힐끗, 카르니언 쪽으로 시선을 돌렸다. 동생 성격이라면 진작 중간에 끼어들었을 텐데 유난히 조용하다 싶더니, 역시나 부자연스럽게 굳어 있는 걸 봐서는 자의가 아닌 모양이었다.

마법.

그는 기가 막혀 피식 웃었다. 실바코프는 힌트 정도가 아니라 아주 온몸으로 자신의 정체를 외치고 있었다.

"언젠가 읽은 적이 있지. 터무니없는 묘사 때문에 실존한다기보다는 그저 상상의, 허구의 존재라고 생각했지만."

"그런가요."

"신의 대리인이기도 하며, 차원을 마음대로 넘나들고, 언어의 제약을 받지 않을뿐더러 마법은 숨 쉬는 것과 같아 단지 의지만으로 발동시킬 수 있는 존재. 인간, 엘프, 드워프 그 어디에도 속하지 않지만 원한다면 단신으로도 나라 하나쯤은 간단히 멸망시킬 수 있는 힘을 가진 존재."

그는 수아를 안은 팔에 힘을 주었다.

"지금도 그래. 주문을 외우지 않고 사람 하나를 옴짝달싹 못하게 만드는 마법을 쓰고, 심지어 황궁 한가운데임에도 아무도 당신의 마법 발동을 눈치채지 못했지. 황궁에 있는 다른 마법사도, 바로 앞에 있는 마력 흐름에 꽤 민감한 나조차도. 그런 존재는, 내가 아는 한 단 하나."

거기까지 말한 하르페니언은 잠시 망설였다. 이제까지 태연하기만 하던, 아니 정확히는 태연한 척하던 목소리가 조금은 떨리는 듯도 싶었다.

하지만 그는 이내, 명확하고 확실하게 한 단어를 발음해냈다.

"드래곤."

"정답입니다."

실바코프는 빙긋 웃었다. 동시에 눈동자가 사람의 것으로 되돌아왔다. 원래부터 생글생글, 속 모를 웃음을 잘 짓는 이였지만 지금의 미소는 더욱더 가면 같았다. 수아는 오싹 소름이 끼쳐 하페니언의 손 위에 자신의 손을 힘을 주어 얹었다.

"생각해보면 참 멍청이 같은 짓이지. 조화가 특징이라는 엘프가 기억조작마법같이 부자연스러운 마법을 사용할 수 있을 리가 없는데. 그런데도 오히려 강제로 조화를 추구하는 마법이라는 웃기지도 않는 설명에 그대로 넘어갔으니."

"뭐, 지금 시대에는 엘프도 드워프도 없지 않습니까. 무리도 아니죠."

그의 대답은 정말 아무것도 아니라는 듯 태연하기까지 했다.

"그럼, 정답을 맞히셨으니 전 해설 풀이나 해볼까요?"

그는 가볍게 손을 튕겼다. 동시에 굳어 있던 카르니언의 몸이 움직였다.

"너 이 자식……!"

으득, 카르니언이 이를 갈았다. 그는 금방이라도 실바코프에게 달려들고 싶은 모양새였지만 정말 그럴 정도로 분별이 없지는 않았다. 이렇게 소리 소문 없이 한 사람을 옴짝달싹 못 하게 만드는 마법이 있다는 이야기는 들은 적이 없다. 그다지 길지 않은 시간이었지만 정말이지 그 감각은 끔찍했다. 손가락 하나 움직일 수 없고, 목소리조차 낼 수 없다. 말 그대로 서 있는 바위라도 된 기분이었다. 방금까지의 대화를 다 믿는 것은 아니었지만, 실바코프라는 저 마법사는 엘프든 드래곤이든 그 정체가 평범한 인간이 아닌 것만은 확실했다.

하지만 실바코프는 그런 카르니언에게 시선조차 주지 않은 채 말을 이었다.

"물론 저 혼자 풀이를 해봤자 애매할 거고…… 뭐, 황제 폐하를 알현하면서 자세한 이야기를 하면 되겠군요."

"폐하를?"

"무슨 헛소리를."

하르페니언과 카르니언의 말에 실바코프는 가볍게 고개를 끄덕였다.

"네, 곧 부르실 겁니다. 제가 말씀드려놨으니까요."

말도 안 되는 소리다. 견습 마법사가 황제에게 접근할 수 있을 리가 없다.

심지어 알현 신청조차 할 수 없을 정도의 위치다.

하지만 여기에서 거짓말을 할 리도 없다. 그렇다면 결론은 한 가지.

"설마, 폐하께서도 당신의 존재를 아시는 건가."

"물론입니다."

그는 당연하다는 듯 답했다.

"황후마마가 돌아가신 그날, 폐하께 모두 말씀드렸으니까요. 저주가 왜 황태자 전하께 내려졌는지를."

순간 침묵이 흘렀다.

수아는 물론 하르페니언과 카르니언까지도 그 말을 이해하는 데에는 약간의 시간을 필요로 했다.

"뭐, 라고……?"

맨 처음 반응한 것은 카르니언이었다.

"폐하께서……."

"이상하다고 생각한 적은 없으셨나요? 아니, 이상하다고 생각하지 않으셨을 리가 없지요. 폐하께서 이제까지 그저 방관만 하시는 걸."

그는 마치 날씨 이야기 같은 사소한 얘기를 하는 것처럼 태연하기만 했다. 그런 모습이 더 현실감이 없었다.

알고, 계셨다고.

하르페니언은 속으로 그렇게 중얼거렸다.

그때 그는 어머니뿐만 아니라 모든 것을 잃었다. 그를 위해서라면 무슨 짓이든 다 해줄 듯이 굴었던 이들이 한순간에 등을 돌렸다. 그저 공포나 멸시의 감정만을 보인 것이 아니라 그의 목숨을 노리며 암살자들을 보내는 귀족도 상당수였다.

그럼에도 황제는 아무것도 하지 않았다. 황제로서도, 소년의 아버지로서도. 아니, 오히려 그와 얼굴을 마주치고는 딱 한마디를 했을 뿐이었다.

두 번 다시 보고 싶지 않다고.

하르페니언은 그런 그를 원망하지 않았다. 누구보다도 혼란스러웠던 것은 아마 황제였을 터였다. 사랑하는 아내를 잃고, 사랑하던 아들은 신의 저주를 받은 골치 아픈 존재가 되었다. 황실의 약점이 되었다. 적극적으로 나서 그의 목을 자르지 않는다는 것만 해도 고마운 상태가 아니었던가.

그렇게 그는, 아버지 또한 잃었다.

그러다가 수아의 재판 때, 처음으로 「아들」로서 대해졌다. 보고 싶지 않다던 말 뒤에 처음으로 건네진 말이었다. 그래서 조금은 희망을 가졌다. 만약 저주를 풀 수 있다면, 그래서 무엇인지도 모르던 죗값을 그가 치르고 오거든…… 다시 아버지를 얻을 수 있게 되지 않을까 하는. 아주 조금이나마, 그의 마음속에 그가 아들이라는 사실이 아직은 있을 거라고.

그런데…….

숨을 어떻게 쉬고 있는지를 모르겠다. 거의 모든 충격에는 익숙해졌다고 생각했다. 수아와 관련된 일을 제외한다면 더 이상 감정에 다치는 일은 없을 거라고. 이제 와 묵디묵은 다른 감정 따위는 거의 사라졌을 거라고.

제대로 된 사고가 되지 않았다. 머릿속에 있는 것은 혼란뿐이었다.

알고 계셨다고.

그는 정말 필사적으로 발버둥 쳤다. 저주 자체도 무서웠지만 그보다 더 소름이 끼치는 건 자기 자신이었다. 자신은 신의 저주를 받을 만한 존재인가. 그 질문만은 아무것도 알 수 없는, 한 치 앞도 보이지 않는 컴컴한 어둠. 그래서 조금이라도 단서가 있을 것 같으면 어디로든 가봤고 무슨 짓이든지 했다.

나중에는 저주를 푸는 것 자체보다도 이유를 알고 싶었다. 차라리 방법이 없다고 선고라도 받고 싶었다.

그저 그 스스로의 죄가 무엇인지라도 알게 된 후 온건히 포기라도 하고 싶었다.

아마 그걸 황제가 모르진 않았을 터였다.

결코 짧은 세월은 아니었다.

저주가 내린 것은 아홉 살의 생일. 지금 하르페니언은 스물여섯이다.

그 17년이 넘는 세월 동안 황제는 침묵을 지켰다. 아마, 그가 스스로 말라 죽기를 원하면서.

아버지는 그가 이유 따위 알지 못하고 괴로워하며, 떠돌다 죽기를 원했던 것이다.

그때 누군가가 그의 팔을 잡았다. 그는 간신히 그쪽으로 시선을 돌렸다.

하얗게 질린 수아의 얼굴이 시야에 들어왔다. 그리고 깊디깊은 검은색 눈동자 또한.

그 눈을 보고 나서야, 천 너머로 느껴지는 팔의 온기를 느끼고 나서야 하르페니언은 간신히 숨을 작게 내쉬었다. 그리고 이제까지 숨을 쉬는 걸 잊고 있었음을 깨달았다.

아, 그래. 수아.

그녀가 있었다.

그 이유가 어쨌든 상관없다고 말해주는 존재가.

그런 그의 귀로 다시 한 번 실바코프의 목소리가 파고들었다.

"대충 무슨 생각을 하시는지 짐작이 가지 않는 바는 아닙니다만, 아마 지금 생각하고 계시는 것이 사실이 아닐 거라는 정도는 미리 말씀드리고 싶군요."

하르페니언은 손을 뻗어 자신의 팔을 잡고 있는 그녀의 손을 꼭 잡았다. 장갑 너머로 그녀 또한 하르페니언의 손을 마주 잡는 것이 느껴졌다.

그러고는 천천히 실바코프에게 시선을 돌렸다. 도중, 역시 새파랗게 질린 카르니언의 시야에 잡혔고, 그다음에는 웃음기라고는 온데간데없이 사라진 진지한 제비꽃 눈동자가 보였다.

"……그래."

그 짧은 시간 동안 어느새 그의 목소리는 갈라져 있었다. 그는 낮게 말했다.

"가서, 이야기를 듣지."

그와 동시에, 바깥에서 노크 소리가 들렸다. 황제의 부름이었다.

황제와의 알현 자리에는 수아와 실바코프, 그리고 장본인인 하르페니언이 가는 것으로 결정됐다. 수아는 자신이 그 자리에 가도 되는 것인가 조금 머뭇거렸지만 그런 그녀를 이끈 것은 하르페니언이었다.

"이건 그대의 문제이기도 하니까."

그렇게 말해준 것이 기뻤다.

카르니언은 알현실에서 같이 이야기를 들을 생각이 있느냐는 하르페니언의 말에 잠시 고민하다가 고개를 저었다.

"제가 있어도 방해만 될 뿐일 테니까요. ……끝나고, 말씀해 주십시오."

그는 미련 가득한 눈동자로, 하지만 단호하게 그렇게 말하고는 하르페니언에게 묵례했다.

그렇게 넷이 황제가 기다리고 있는 알현실로 향했고, 얼마 되지 않아 수아는 어느 곳의 문을 노크하는 시종의 모습을 볼 수 있었다. 새삼 긴장이 됐다.

문이 열렸고, 방은 그다지 넓지 않았다.

아니, 황궁이라는 점을 생각하면 오히려 굉장히 작은 방이었다. 적어도 공식적인 알현실로는 보이지 않았다. 방은 장식도 거의 없을 정도로 단출했고 대여섯 사람이 앉을 수 있는 의자가 있을 뿐이었다.

활활 벽난로의 불이 타오르는 가운데, 한 남자가 앉아 있었다.

수아는 저도 모르게 침을 꿀꺽 삼켰다. 그의 인상은 그녀의 재판 당시 봤을 때와는 상당히 달라 보였다. 당시에는 아무것에도 흔들리지 않는 바위 같은 인상이었고 동시에 어떤 감정도 읽을 수가 없었다.

하지만 지금은 뭔가…… 굉장히 지쳐 보였다.

시종이 깊이 고개를 숙이고 문을 닫자, 실바코프가 가볍게 손가락을 튕겼다. 그 순간 약간 공기가 바뀌는 것 같은 위화감이 들었다.

"이제 이곳의 이야기가 밖으로 새어 나가진 않을 겁니다."

그가 그렇게 말하는 것과 동시에, 자신의 아버지를 계속 바라보고 있던 하르페니언이 공손히 예를 갖추며 고개를 숙였다.

"……부르셨습니까, 폐하."

수아도 그 뒤에서 허둥지둥 치마를 들어 올려 예를 갖췄다. 원래 이 정도 예로 끝나서는 안 되겠지만 사실 지금 그녀에게 신경 쓰고 있는 이는 아무도 없었다. 황제는 하르페니언을, 하르페니언은 황제를, 그리고 실바코프는 그 둘을 바라보고 있었으니까.

잠시 침묵이 흘렀다.

하르페니언은 아버지의 금빛 눈동자를 바라보았다. 이렇게 가까이서 보는 것은 저주 이후 처음이었다.

그의 기억 속의 아버지는 엄격했지만 다정했다. 언제나 그를 자랑스럽게 여기고 귀애하고 있음을 어렸던 그조차 알 수 있을 정도였다. 인자하게 웃으며 그의 머리를 쓰다듬곤 했던 아버지의 모습이, 껄껄 웃으며 그를 번쩍 안아 들어 올렸던 기억이, 있었다.

"오랜만이구나."

"……그렇습니다."

그 뒤로 또다시 짧은 침묵이 흘렀다. 그동안 하르페니언은 황제에게서 눈을 뗄 수가 없었다.

세월은 길었다.

반짝이던 금발은 색을 잃고 점점 백발로 변해가고, 얼굴의 주름은 기억과 비교하는 것이 소용없을 정도로 많아졌다. 그 어떤 상황이든, 부모가 늙었다고 인지되는 상황 자체는 기분 좋은 것이 아니었다.

"모두 앉지."

그리고 그 말을 들은 후에야, 하르페니언은 간신히 수아를 챙길 수가 있었다. 사실 그녀를 이 자리까지 데려오는 것에 갈등이 없던 건 아니다.

아마 지금 나오는 「사실」은 그게 뭐든 기분 좋은 이야기는 아닐 터였다. 아마 저주를 푸는 방법 따위 없다고 선언을 들을지도 모른다.

그럼에도 더 이상 수아에게 숨기고 싶지 않았다. 아무리 추악한 이야기라도, 이건 그녀가 당연히 알아야 할 권리라고 그렇게 판단했다.

그는 수아의 손을 가볍게 쥐고는 그녀를 먼저 자리에 앉히고, 그 옆의 의자에 앉았다. 하지만 그 뒤로도 손은 놓지 않았다. 수아가 움찔하는 것이 느껴졌지만 하르페니언은 오히려 손에 조금 더 힘을 쥐며 황제에게 시선을 돌렸다.

"이 자리까지 데려온 걸 보면, 진지하게 생각하고 있는 모양이구나."

그 모습을 보며 황제가 물었다. 하르페니언은 일순간 낭황했다. 그 말이 상당히 따뜻하게 들린 까닭이었다. 그가 긴장하며 대답했다.

"그렇습니다."

"그래."

황제는 눈을 천천히 감았다가 떴다.

"네 어머니를 닮았구나."

그 얼굴에 드러난 것은 회한이었다. 하르페니언은 그 말에 대답하지 못했다.

아직 그는 자신의 피를 이은 아이에 대한 생각을 해본 적이 거의 없었다. 하지만 지금 심정으로서는 만약 수아가 낳은 아이가 그녀를 죽이는 존재가 된다면, 조금도 망설이지 않고 아이를 내치리라.

황제는 전 황후를 무척이나 사랑했다. 그에게 남아 있는 드문드문한 기억의 파편은 후에 들었던 이야기와 모두 일치했다. 그렇게 어머니가 돌아가신 후에도, 귀비는 계속 귀비로 남겨둘 정도로.

“먼저 말해두고 싶은 게 있었단다.”

하르페니언이 대답을 하지 못하리라는 걸 알았던 듯, 혹은 딱히 대답은 기대하지 않았던 듯 황제가 이어 말했다.

“난, 내 아들을 원망한 적이 없다.”

처음에는 그 말이 무슨 소리인지 잘 이해가 가지 않았다. 하지만 그 말이 무엇을 뜻하는지 깨달은 순간, 차가운 얼음을 삼킨 것 같은 느낌이 등골을 파고들었다. 그게 나쁘거나 좋다기보다는 아예 이해가 힘든 무엇이었다.

“이것만은 말해두고 싶었다. 그래……. 무슨 일이 일어나기 전에.”

황제는 한숨을 쉬듯 말을 천천히 흘려내었다.

그건 일견 하르페니언에게 하는 말 같기도 했고 그저 혼잣말 같기도 했다.

"말할 수 있어서 다행이구나."

하르페니언은 황제의 그 말에 답하지 않았다. 아니, 답을 해야 한다는 생각 자체가 떠오르지 않았다. 그저 멍하니, 그는 아버지의 얼굴만을 바라보고 있을 뿐이었다.

하지만 황제는 그 뒤로 정말 자신의 말은 다 했다는 듯 입을 다물었고, 그 표정은 굉장히 피곤하면서도 편안해 보였다.

"흠, 일단. 먼저 제가 설명을 해야겠군요."

그 사이로 실바코프의 목소리가 끼어들었다.

"그게 폐하나 전하에게 모두 나을 겁니다. 서로 할 이야기는, 그 뒤에 나누시죠."

그는 멍하니 황제를 바라보다가, 그 소리에 천천히 실바코프를 향해 시선을 돌렸다.

"우선 다시 소개를 하죠. 저는 실바코프. 여기에 있는 분들이 다 아시다시피 드래곤입니다. 뭐, 일단 별로 궁금하시진 않겠지만 간단히 이야기를 하자면 드래곤은 차원에 속해 있지 않은 존재입니다. 정확히는 태어난 차원이 고향이긴 하지만, 다른 종족들처럼 그 차원에 얽매이지 않죠. 인간들이 나라와 나라를 오가듯 우리도 차원과 차원을 오갑니다. 바로 그래서 신의 존재에 크게 얽매이지 않습니다. 저희는 피조물이지만 신의 품 안에 있지 않습니다. 그래서 이런 역할도 맡게 된 겁니다."

실바코프의 눈은 거의 하르페니언에게 고정되어 있었다.

"왜냐면 신의 존재는 하나가 아니니까요. 여러 차원이 있고, 그 차원마다 신은 모두 다릅니다. 어차피 이 세계에도 여러 신들이 있죠."

실제로 그러했다. 불꽃과 혼돈의 신 마닐레스, 바람과 멜로디의 신 아이린, 암흑과 태양의 신 칸체르, 지팡이와 자유의 신 라이젤, 목련과 자비의 신 에를리아. 과거에는 다섯 신의 대신전이 각각 있었다. 하지만 신관들의 이권 다툼이 문제를 일으켰다. 그 결과 사람들의 믿음이 약화되며 인간은 스스로의 능력에 대한 교만을 가졌다. 그 결과 찾아온 것이 신마전쟁이다……라고 알려져 있다.

그래서 지금은 대신전을 하나로 통합하여 신들을 한꺼번에 모셨다. 물론 그 안에는 각각 신들의 구역이 따로 있고 신관들도 마찬가지였다. 당연히 내부에서는 알력이 없을 리 없다. 그러나 그건 신전 안에서의 이야기일 뿐, 보통 사람들에게 신은 그저 「신」일 뿐 「어떤」 신이라는 건 전혀 중요하지 않았다.

따라서 지금 실바코프의 이야기는 그다지 놀랄 만한 사실은 아니었다.

"즉, 이곳의 신들은 여기에서만 전지전능한 존재가 될 수 있습니다. 이곳이 아닌 다른 차원으로 가게 되면 그건 이미 신이 아니게 되죠. 그래서 신들은 자신의 세계를 지키려고 합니다만……음, 이렇게 말하니까 뭔가 굉장히 이야기가 달라지는 것 같군요.

이건 인간이 말하는 권력욕이나 소유욕과는 전혀 다릅니다. 좀 바꿔 말하면 신이 아니면 세계가 유지되지 못합니다. 따라서 생겨난 세계를, 신은 필사적으로 지키려고 하는 겁니다."

실바코프는 작게 한숨을 내쉬었다.

"한마디로 신은 거의 전지전능하긴 하지만, 완벽하지는 않은 존재입니다. 참고로 전 시켜준다고 해도 못 해먹습니다. 셀 수도 없는 생명을 책임지며 세계를 유지하기 위해 노력해야 하는, 굳이 따지면 무보수 노동에 야근까지 계속해야 하는 모양새니까요. 그러니 그 안에서 뭔가 문제가 생기는 것까지 따질 생각은 없습니다만……."

그는 약간 씁쓸한 미소를 지었다.

"그 문제의 희생양이 된 존재의 입장에서는 가볍게 넘어갈 수만은 없는 법이죠. 특히나 전하처럼 대놓고 「제물」이 된 경우라면 더더욱."

"제물, 이라고요……?"

그 반응은 수아에게서 나왔다. 실바코프는 어깨를 으쓱였다.

"그래. 전에 아가씨에게는 비슷한 이야기를 한 적이 있지? 왜 축복이 아닌 저주일까 하고. 그럴 수밖에 없었어. 신에게 필요했던 건 신뢰나 숭배가 아닌 두려움의 감정이었으니까."

그런 소리를 들으면서도 하르페니언은 별 느낌이 없었다. 제물, 희생양.

현실감이 없는 이야기였기 때문일까, 아니면 생각하지도 않았던 이유였기 때문일까. 웃기게도 지금 그의 머릿속에서는 수아와 맞잡고 있는 손의 장갑을 벗고 싶다는 게 다였다. 그녀의 손이 조금씩 떨리고 있는 게 느껴졌다.

"먼저, 이 세계에는 아직 마신(魔神)이라는 개념이 없죠. 아니, 마왕(魔王)이나 마족(魔族) 같은, 이름을 뭐라 붙이든 마의 속성을 지닌 「지성이 있는」 종족도 없습니다. 그저 「악마」라고 뭉뚱그리는 어설픈 개념과 몬스터라는 하급 존재인 괴물만이 있을 뿐이죠. 차라리 아가씨가 온 세계에서처럼 신도 드러나지 않으면 상관없는 이야기겠습니다만, 이 세계에서는 이미 신의 존재가 적나라하게 드러나 있습니다. 실제로 신성력이 존재하고 신탁이 내려오는 등 신이 적극적으로 개입하는 세계에서 그 반대급부는 없다……. 사실 이게 비정상적인 상황이죠."

실바코프의 시선은 결코 황제에게 향하지 않았다. 황제 또한 아무런 반응도 보이지 않았다. 이미 그는 모두 알고 있는 사항이라는 듯.

"이 세계는, 처음부터 불완전한 세계로 출발했으니까요. 전지전능한 신이 세계를 만들어 돌보는 게 아니라, 세계가 만들어지고 그 관리자가 필요해 신이 탄생한 역순으로 돌아갔습니다. 그래서 다른 세계라면 처음부터 잡혀 있었을 신과 마신의 개념이 없었습니다. 정확히는 마신이 없었죠. 그러하기에 지성을 가진 마족이 없었고, 마족이 없으니 그들을 컨트롤할 마왕이 있을 리가 없던 겁니다."

실바코프의 설명은 수아가 이해하기에도 그다지 어렵지 않았다. 단지 저주와 저 이야기가 관계가 있으리라는 생각을 하니 몸이 덜덜 떨려왔다.

"신마전쟁의 원인을, 인간들은 스스로의 교만 때문이라고 여기죠? 말도 안 되는 소립니다. 겨우 그런 걸로 신이 힘을 잃는다면 이 세계는 존속도 할 수 없어야 합니다. 문제는 그저 이 세계 자체. 처음부터 균형이 잡혀 있지 않았던 세계가 마침내 더 버틸 수가 없게 된 거죠. 빛이 있으면 어둠이 있어야 하고 어둠이 있으면 빛이 있어야 합니다. 하지만 이 세계는 빛만 드러나 있었죠. 자연히 어둠은 제멋대로, 곰팡이가 피듯 자라났습니다. 당연히 그렇게 자라난 어둠에는 규율이 있을 리가 없었고 빛을 없애고자 했죠. 그래서 터진 게 신마전쟁입니다."

그는 그쯤에서 잠시 말을 끊었다. 그의 얼굴에는 어째서인지 살짝 복잡한 빛이 엿보였다.

"즉, 제대로 된 어둠이라면 그래도 선(線)이 있습니다. 세계 자체가 멸망한다면 빛도 어둠도 없으니 그 본체를 없애려고 할 리가 없으니까요. 그러나 이곳의 어둠은 본능에만 충실하게 발달했기에 그걸 인지하지도 못했지요. 신들은 당황했고, 어떻게든 수습은 하고자 노력한 것이 바로 신마전쟁입니다. 진작 현존하는 신들 중 한 명이 몬스터들을 컨트롤할 수 있는 존재, 즉 마신이 되었어야 했습니다만 다른 일이 더 바쁘다고 미뤄두었던 것이 치명타가 되었죠. 결국 신들은 강제로 「문」을 만들고, 그 안에 어둠…… 그러니까 몬스터들을 넣는 것 정도로 만족해야 했습니다. 그러나 시기가 너무 늦어, 그 문을 잠그는 것조차 할 수 없었죠. 그래서 툭하면 문밖에 손발을 뻗는 놈들을 막는 것만으로도 힘들어했습니다."

문. 수아는 그 말에 「열쇠」라는 단어를 떠올렸다.

하지만 그녀가 그에 대해 질문하기도 전에 실바코프의 말은 계속 이어졌다.

"그래서 인간과 신들의 관계가 멀어졌던 겁니다. 신들에게 여유가 사라졌거든요. 심지어 그럼에도 어둠을 막기 힘들어, 하나의 묘책을 냈죠. 그게 바로 「제물」입니다. 말이 좋아 제물이지, 한마디로 신의 임무를 인간에게 떠넘긴 겁니다. 인간의 힘을 대신 가져다 쓴 거죠. 신의 일에 인간의 힘을 끌어 썼으니 어떤 현상이 일어났겠습니까? 당연히 선택된 인간은 제 운명을 살지 못하고, 대부분 짧은 시간 내에 생을 마감했습니다."

그는 피식 미소 지었다. 상당히 비틀려 있는 비웃음이었다.

"애초에 그저 살다 죽을 인간이었다면 선택되지도 않았을 겁니다. 그야, 신의 힘을 대신할 인간인걸요. 원래대로 살아갔다면 가슴 떨릴 노래를 작곡하여 몇백 년이고 회자될 음악가도 있었습니다. 수많은 작품으로 문학의 부흥기를 이뤘을 작가도 있었죠. 문학뿐만이 아닙니다. 단숨에 마법을 황금시대에 근접하게 끌어올릴 정도의 마법사도, 백전백승하여 전 대륙을 찬탄과 공포로 몰아넣을 대장군도 있었습니다. 하지만 제물로 선택된 이상 그 미래는 모두 삭제됐습니다. 대부분은 미쳐버리거나 제 수명을 쓰지 못하고 급사했습니다. 모두의 기억 속에서 존재 자체가 지워진 적도 있고, 아예 아무런 감정도 느끼지 못하게 된 자도 있었습니다. 그러다 살해당하거나 자살하거나 사고를 당하거나 하여 빠르게 사라져갔죠."

실바코프는 거기서 잠깐 말을 끊었다가 하르페니언을 똑바로 바라보았다.

"그리고 전하의 어머니, 즉 전 황후마마께서도 그렇게 선택된 사람 중 한 사람이었습니다."

그 말에는 하르페니언도 반응할 수밖에 없었다.

"어머니가?"

"네. 물론 선택되었을 뿐, 실제로 제물이 된 것은 아닙니다만."

제물, 제물, 제물.

그제야 하르페니언은 그 단어가 귀에 미친 듯이 거슬리기 시작했다.

"이런 말이 있지 않습니까? 신이 단순한 노예나 종을 원했더라면 처음부터 인간에게 자유의지를 허락하지 않았을 거라고.

인간이 스스로 선택한 그 자신의 뜻으로 신을 섬기길 바랐기에 자유의지를 허락했다고. 뭐, 엄밀히 말하면 순서가 뒤바뀌긴 했습니다만 틀린 말은 아닙니다. 생각보다 의지라는 건 세상에 굉장히 중요한 역할을 하고 있으니까요. 다시 말하면 아무리 신이라고 해도 멋대로 선택하여 희생을 강요하지는 못한다는 말입니다. 단지 그 장본인이 「동의」를 했다면 이야기는 달라지지요."

"동의라고요?"

그 말에 답한 것은 수아였다.

"잠깐만요. 설마 그거……."

"아가씨는 봤지. 정확히 말하면 그건 「재확인」이었지만. 아, 그러니까 전하는 이미 어렸을 때 동의를 한 적이 있다는 뜻입니다. 저를 만난 건 기억을 모두 지웠을 때니 재확인의 기억은 없겠지만, 첫 번째는 아마 전하께서도 기억하실 텐데요."

"그런 기억 따윈 없어."

"아뇨. 아실 겁니다. 대충 이런 느낌이 아니었을까요? 만약 너에게 세계를 구할 힘이 있다면 구할 건가? 설사 그 때문에 굉장히 힘들어진다 해도."

그 순간 하르페니언의 말문이 막혔다.

들었던 기억이 있다.

방금 실바코프의 저 소리를 들을 때까지만 해도 완전히 파묻혀 있던 기억이었다. 하지만 지금 떠올랐다. 아주, 아주 옛날. 아주 까마득히 어린 시절, 그는 저 질문을 들었었다.

그 모습에 실바코프는 웃기지도 않다는 듯 코웃음을 쳤다.

"기억을 잘 못 하시는 것도 무리는 아니죠. 전 정확한 때는 알지 못하지만, 제가 전하를 뵙기 전의 일이니 기껏해야 네다섯 살 정도가 아니었을까요? 사리분별도 하지 못하는 나이에 그딴 질문을 해놓고, 그걸 동의라고 했다는 겁니다."

그의 말투는 점점 더 신랄해져 갔다.

"동의를 얻는 시기는 정해져 있지 않지만, 전하의 경우는 재수 없게도 아주 어릴 때였던 거죠. 그러나 전하의 어머니에게는 최소 성인이 된 이후, 아마 폐하와의 결혼을 앞두고 있었을 때쯤이었던 것 같습니다."

제물을 찾는, 세계의 그 「무엇」은 자그마한 몸집에 검은빛에 가까운 남색 눈동자를 지닌 여인에게 물었고, 그녀는 답했다.

—아니요.

어째서냐고 묻는 그것에게 그녀는 빙긋이 웃으며, 하지만 단호하게 말했다.

—세계를 구한다는 거창한 일에는 분명 그만큼의 대가가 필요하겠죠. 저는 저 자신을 잘 알아요. 저에게 그 정도 능력은 없어요. 만약 가능하다면, 그건 저에게 능력 이상의 무언가를 요구하는 걸 테니까요. 게다가 전 곧 제가 가장 사랑하는 사람과

혼약을 할 거예요. 그러니 싫어요. 말만이라도, 저를 희생해서 뭔가를 구한다는 대답은 하고 싶지 않아요.

어차피 세계가 존속하지 않으면 그것도 의미가 없지 않으냐고, 무언가는 다시 물었다. 그녀는 잠시 눈을 동그랗게 뜨더니, 이내 답했다.

—그렇다면 그때까지만이라도 사랑하는 이와 함께하다가 죽겠어요. 그게 그이에게도 행복하겠죠. 제 주변의 그 누구도, 제가 희생하여 세상을 존속시킨다는 걸 기뻐하지 않을 테니까요.

그 대답에는 조금의 흔들림도 없었다. 언제나 사랑받고, 그리하여 언제나 주변을 사랑하며 살아왔던 이만이 할 수 있는 대답이었다. 어차피 그녀는 어릴 때부터 몸이 너무나도 약해 오래 살지 못할 거라는 이야기를 들어왔었기에, 그런 결론은 이미 그녀의 안에 나와 있는 것이기도 했다.

질문을 던졌던 무언가는 동의를 얻는 것을 포기했다. 그리고 그녀를 제물로 택하는 것 또한 포기했다. 그것은 같은 질문을 던지기 위해 다른 이에게 갔다.

실바코프는 그 「무엇」은 아니었지만, 차후에 그 대답을 그대로 전해 들었다.

"명답이었다고 생각합니다. 어차피 제물은 미래의 가능성이 대단한 자라면 누구든 상관없을 테니까요. 실제로 전하의 어머니 다음으로 찾아간 다른 이는 기꺼이 고개를 끄덕였고, 그래서 전하의 어머니는 본인의 희생 없이도 존속된 세계를 살았습니다. 단 하나, 문제가 있었죠."

그는 천천히 말했다.

"전하의 어머니, 즉 전 황후마마의 가능성은 본인의 것이 아니었다는 것. 그녀는 두 명의 아이를 낳을 예정이었습니다. 그리고 그 아이들의 운명은 그야말로 대단했죠. 그것이 그분의 「가능성」이었습니다."

"두 명이라고?"

"제왕의 운명을 타고난 황자님과 여러 가지 의미로 세계의 나라 모두를 뒤흔들 황녀님. 물론 지금에 와서는 황녀님의 존재가 처음부터 없는 것이 되어버렸지만요."

처음, 아주 잠시간은 그 말이 무슨 뜻인지 이해하지 못했다. 하지만 그 말이 귀에서 머리로 들어온 순간 숨이 턱 막혔다.

여동생. 이제까지 단 한 번도 생각해본 적이 없던.

"금색 머리칼과 남색에 가까운 검은 눈동자를 가진 황녀님은 그 누구보다도 아름다우면서도 총명하셨을 겁니다. 그리하여 이 세계의 그 어떤 나라도 황녀님을 왕비로 탐내지 않는 나라가 없었겠죠."

원래 황후는 몸이 약해 아이를 낳기 힘들다 하였다. 그럼에도 하르페니언이 태어났다. 하지만 그 뒤 아이는 더 생기지 않았고 신하들은 그 사실에 불안을 느끼고 있었다.

하나뿐인 황자인 하르페니언이 자칫 물에 빠져 죽을 뻔하는 일이 일어나자 수많은 상소가 올라왔다. 그리하여 받아들이게 한 것이 지금의 귀비였으며, 그 사이에서 태어난 아이가 카르니언이었다.

그랬는데.

“본래 황후마마의 생 자체는 그다지 길지 않았습니다. 황자님과 좀 나이 차이가 있는 황녀님을 잉태하고, 출산으로 몸이 더 악화되어 1년도 채 되지 않아 돌아가실 예정이었습니다. 원래대로라면 말입니다.”

하르페니언은 저도 모르게 황제에게 시선을 돌렸다. 황제는 딱히 놀랄 일도 없다는 듯, 여전히 가라앉은 눈으로 그를 바라보고 있었다. 하지만 하르페니언은 그 눈을 잠시도 마주 보지 못하고 피하듯 눈을 돌렸다.

그가 그의 아버지에게서 앗아간 건 어머니만이 아니었다.

“그리고 원래대로라면, 아무 일도 없었다면 황자님의 운명도 지금과는 아주 달랐겠죠. 우선 아칸도르 제국은 나라의 크기가 달라져 있었을 겁니다.”

그것이 자신에 대한 이야기라는 걸 다시 이해하는 데에는 다시 약간의 시간이 필요했다.

하지만 그 말은 전혀 놀랍지 않았다. 저주 따위가 없었다면 그는 분명 그리했을 테니까.

그 누구보다도 훌륭한 황제가 될 자신이, 어릴 때의 자신에게는 가득 있었다.

"그런 운명은 제물로 매우 적합했죠. 그래서 한때 황후마마에게 물은 그 무언가는 그 아들에게 다시 가서 물었습니다. 그때의 황자님은 그러하겠다고, 힘들어도 세계를 구하겠다고 대답했고요. 그리고 모든 것이 바뀌었지요."

아주 어린 아이의 치기 어린 대답이었을 것이다. 애초에 세계를 구한다느니 뭐니 하는 의미조차 제대로 파악하고 있었을까도 의문스러운 나이였다. 간신히 그 질문을 떠올린 지금의 하르페니언도 당시의 자신이 무어라고 대답했는지 알 수 없을 정도였다.

"그것을 안 황후마마는 절망했습니다. 과거 자신이 대답을 피했기에 그 죄가 아들에게 이어진다고 생각했기 때문이죠. 물론 그건 사실이 아니었습니다. 그때 황후마마께서 동의했다면, 오히려 지금 이 자리에 전하가 없었겠지요. 아칸도르 제국의 황후도 다른 분이셨을 겁니다. 하지만 황후마마는 그렇게 생각할 수가 없었습니다. 단지 과거로 돌아갈 수 있다면 고개를 끄덕일 테니, 제발 내 아이만은 그 운명에서 벗어나게 해달라고 기도하고 또 기도하셨습니다. 그리고 응답이 왔습니다."

그 무언가는 다시 황후의 앞에 나타났다. 그리고 물었다.

—아이를 살리고 싶어? 그 대가를 네가 치르더라도?

황후는 이제 옛날의 그녀가 아니었다. 한 아이를 가진 어머니였다. 때문에 그녀는 그 무슨 대가를 치르더라도, 그리하여 비록 자신이 살 수 없더라도 아이를 살리고 싶었다. 그로 인해 주변 사람들이 슬퍼한다 하더라도.

그녀의 행복은 더 이상 자신의 것이 아니었다. 아이의 것이었다.

하지만 이미 한 계약은 물릴 수 없었다. 비록 사리분별조차 힘든 아이의 동의를 받았다 하더라도 그건 엄연한 신과의 맹약이고 세계에 대한 약속이었다.

—그러니 없던 걸로는 하지 못해. 단지 비틀 수는 있어.

무언가는 그렇게 이야기했다. 당연히 이것은 그녀만을 위해서는 아니었다. 그 「무엇」은, 단순한 시스템에서 나온 심부름꾼으로 자신의 의지가 거의 없었지만 지금이 기회라는 것 정도는 판단했다.

두 명의 제물.

두 명의 운명.

아직 그녀는 딸을 낳지 않았다.

그러니 대가는 충분했다.

무언가는 달콤한 말로 그녀를 속일 수도 있었을 것이다. 하지만 그것은 악마라기보다는 신의 심부름꾼에 가까웠다. 그래서 솔직히, 그녀에게 말했다.

—제물의 방식을 바꿀 수는 있어. 어쩌면 네 아이는 모든 일이 끝난 후 다시 제 운명을 살아갈 수 있을지도 몰라. 하지만 그것을 위해 네 아이는 세상에서 가장 끔찍한 저주를 받게 될 거야. 원래대로라면 모든 이에게 경외를 받을 네 아이는 공포와 혐오의 시선만을 받게 되겠지. 아마 죽는 것이 나을지도 몰라. 그런 괴로움 속에서 살게 될 뿐만 아니라, 끝까지 버틸 수 있다는 것도 장담하지 못해. 사람들의 혐오만을 가득 받은 채, 도중에 아무것도 이루지 못하고 그저 죽게 될지도 몰라. 그래도?

그녀는 한참을 망설였지만, 고개를 끄덕였다. 그것은 다시 속삭이듯 말했다.

—네 딸은 정말로 아름다운 아가씨가 될 거야. 나이 차 나는 오라버니에게 검술을 배우고 함께 제왕학을 논하는 씩씩하고도 총명한. 누가 봐도 한눈에 반하지 않을 수 없는 사랑스럽고 상냥한 황녀님이 되겠지. 네가 없더라도 아버지를 누구보다도 위해주는 딸이야. 그래도?

아들을 포기하면 그러한 딸을 얻게 된다. 하지만 딸을 포기한다 하더라도 아들이 제대로 살 수 있을지는 알 수 없다. 그런 말이었다. 이 계약으로 그녀가 잃을 것을 이야기해주는 단순한 사실의 나열이었지만 그 한마디 한마디에 가슴이 아파 견딜 수가 없었다.

하지만 그녀는 고개를 젓지 않았다.

아직 태어나지도 않은, 존재조차 없는 딸보다는 아들이 더 소중했다. 그녀는 억지로 미소 지었다.

—제 욕심이라는 건 알고 있어요. 그래도 전 제 아들이 살았으면 해요.

비록 모든 걸 알게 된 남편이, 아들이 그녀를 책망하고 원망한다 하더라도. 그녀는 스스로가 지독히도 이기적이라는 걸 알면서도 아들을 택했다.

"그렇게 비튼 계약은, 기존의 방식과 굉장히 다른 것이었습니다. 이제까지는 미봉책에 불과했거든요. 그저 인간의 운명을 훔쳐 그 힘으로 문에서 나오려는 어둠을 막는, 단순하기 짝이 없는 방법이었죠. 하지만 이번은 조금 달랐습니다. 통제할 수 없는 어둠이 모여 제멋대로 날뛴다면, 통제할 수 있는 어둠을 모으면 된다. 그런 구조로 비튼 겁니다."

물론 이 역시 미봉책이다. 하지만 그사이 다른 대책을 세울 수 있다는 게 다른 점이었다. 하르페니언이 공포의 대상이 되어 어둠이 그에게 집중한 사이, 신들은 잠깐 문의 수호에서 손을 떼고 그동안 문을 닫을 방도를 찾을 수 있을 터였다.

"그때부터는 제가 움직였습니다. 신들에게 의뢰를 받았다고 생각하시면 됩니다. 황후마마께 질문을 한 그 무엇은 응용력이 부족했으니까요. 그래서 다시 한 번 전하께 재동의를 받아 계약의 세부 내용을 비틀었죠. 아가씨가 본 건, 그 재동의를 하는 모습이고."

아, 그래서.

수아는 그제야 알았다.

황후가 저주에 관해 알고 있던 이유를.

"계약을 비틀기 위해 황후마마도 대가를 치렀습니다. 황녀님을 배 속에 품고는, 의도적으로 전하께 닿아 죽었지요."

그리고…… 자신이 죽을 걸 알고 있던 이유도.

수아는 입술을 꾹 깨물었다.

그녀는 황후와 직접 대화했다. 살아주기를 바란다는 그녀의 말. 너무나도 애가 타, 뭔가 봐서는 안 될 것을 본 기분이었던 그때. 그리고 미래의 아들이 잘 있느냐고 수아에게 묻던 그녀의 말. 자신은 더 이상 함께 있어주지 못한다는 그 말을 했을 때…… 과연 그녀는 무슨 심정이었을까.

울컥, 가슴에서 뭔가 치솟아 올랐다. 이건 너무 잔인하다.

"황후마마는 재계약 직전까지 고민하고 또 고민하셨습니다."

태어나지도 못하고 배 속에서 죽는 딸, 한순간에 아내를 잃는 남편, 어머니를 죽였다며 죄책감을 짊어질 아들. 백성들은 혼란스러울 것이다. 지금의 황제가 황권을 얼마나 힘들게 확립했는지 잘 알고 있는 만큼 죄책감은 더더욱 컸다.

무엇보다도 가슴 아픈 것은 아이에게 내리는 끔찍한 저주. 그녀는 수없이 생각하고 또 생각했다.

아이가 견뎌낼 수 있을까? 견딘다 하더라도 제대로 된 정신 상태를 유지할 수 있을까. 오히려 아무것도 하지 않는 것보다 더한 죄를 짓는 것은 아닐까. 아이에게는 차라리 죽음이 더 편한 선택지가 아닐까. 어쩌면 자기만족일 뿐인 것이 아닐까.

"하지만 결국 황후마마는 선택을 번복하지 않으셨죠."

처음에는 자신이 손을 떠는 줄 알았다. 하지만 이내 수아는 맞잡은 손에서 하르페니언이 가느다랗게 떨고 있다는 것을 깨달았다. 그 떨림은 점점 더 심해져, 수아는 반사적으로 그의 손을 더욱 꼭 잡았다. 이미 힘껏 잡고 있었기에 이제는 손이 아플 지경이었다.

하르페니언이 수아에게 시선을 돌렸다. 그리고 수아는 충격으로 흔들리고 있는 그의 금안을 보고 입술을 깨물었다.

금방이라도 울 것 같은 눈이라는 느낌이 든 것은 단순한 그녀의 착각일까. 아니 착각이든 아니든 지금은 그게 중요한 것이 아니었다. 그 눈을 본 순간 수아도 코끝이 시큰해졌다. 눈에 물기가 어리는 것을 스스로도 느낄 수 있었다.

실바코프의 이야기에서 들었던 말이 떠올랐다.

제왕의 운명.

그래, 분명 그러했겠지. 수아는 새삼 그가 입은 옷을, 황실의 문양이 박혀 있는 정복을 다시 한 번 인지했다. 이런 모습이 가끔씩 보이는 드문 모습이 아니라 일상이었겠지.

여자라면 누구든지 당신을 보며 가슴을 설레어했겠지. 이 손을 잡기 위해 무슨 짓이든 할 여자들이 잔뜩 있었겠지.

어머니는 곁에 없었어도, 그래도 당신을 사랑하는 아버지와 여동생과 함께.

얻지도 못하고 잃은 것이 너무나도 눈부셔서, 수아는 더욱 입술을 세게 깨물었다.

하지만 감상에 빠져 있을 시간은 없었다.

확실히 저주가 왜 내렸는지 그 이유는 알 것 같았지만, 아직 가장 중요한 이야기를 듣지 못했다. 그래서 수아는 하르페니언 대신 물었다.

"그래서."

수아는 나오는 눈물을 꾹 참으며 실바코프를 바라보았다.

"이제, 신은 그 힘이라는 걸 모았나요?"

"대충은."

그 대답과 함께, 실바코프의 입술이 호선을 그었다.

"신은 계약을 비틀며 해결책을 준비했지. 그것이 바로 「열쇠」야."

이번에는 놀라지 않았다. 문이라는 단어가 나올 때부터 대충 짐작을 하고 있던 바였기 때문이었다. 단지 무슨 이야기가 나올지 몰라, 수아는 긴장으로 몸을 굳혔다.

"내가 아까 이곳은 불완전한 세계라고 했었지? 마신이 없고

신만 있는 세계라니 원래대로라면 생기지 말았어야 했어. 하지만 이미 생긴 세계를 어쩌겠어? 신들은 어떻게든 유지하려고 노력했지. 마신의 탄생을 미뤘다는 이야기는 반대로 말하면 그만큼 이 세계에 산재해 있는 문제가 많았다는 뜻이기도 하니까. 그 과정에서 신들은 다른 차원의 힘을 끌어들이기도 했어. 사실 아가씨 세계에도 이계인이라는 개념은 없잖아? 하지만 이곳에는 보통 사람들까지 그 개념을 알 정도야. 손쉽게 사람이 넘어올 정도의 길이 있는 거지. 결국 이 말은, 신이 다른 차원의 힘을 끌어들였다는 증거가 돼."

그는 수아에게 시선을 맞춰왔다. 연보라색 눈동자에서 묘한 빛이 났다.

"생각해봐. 잠시 여유를 가진다고 해서 과연, 한 방에 문을 닫아 잠글 힘을 모을 수 있을까? 허약한 사람이 조금 노력한다고 순식간에 몇 톤의 문을 움직일 수 있는 근육질이 될 수 있을까? 그래서 신들은 그쪽으로 노력하는 대신 다른 방법을 찾았지. 도구를 만드는 것. 튼튼한 「열쇠」를 만들어 그 문을 닫을 수 있게 하는 것. 하지만 이 역시 이곳 신의 힘만으로는 불가능했지. 그래서 다른 차원의 힘을 빌렸어. 그게, 바로 아가씨야."

"무슨."

그 말에 하르페니언이 의자에서 몸을 일으킬 뻔했다.

"수아는 상관없어."

“아뇨, 매우 상관있습니다. 애초에 전하와 만날 수 있었던 것도 아가씨가 열쇠이기 때문이었을 겁니다. 어떻게든 반드시 한 번은 만날, 그럴 예정이었을 테니.”

잠깐 침묵이 흘렀다.

“열쇠가 될 조건은 아주 간단합니다. 이 세계의 사람이 아닐 것. 그 많은 이계인 중 아가씨가 어떻게 선택되었고 어떻게 이곳으로 왔는지 그 과정은 잘 모릅니다만, 열쇠는 이계의 힘을 가지고 이곳으로 왔죠. 동시에 몬스터들도 날뛰기 시작했습니다. 진화……라고 하기에는 생물이 아니기에 애매하지만, 어쨌거나 어둠도 이 세계의 일부. 열쇠가 가져온 이계의 힘은 신들만의 것이 아니니까요. 그 힘으로 몬스터들은 좀 더 효율적으로 인간들을 그리고 세계를 잡아먹기 시작한 거죠. 아가씨가 이 세계로 온 장소, 그리고 스쳐 지나간 곳부터 차차 변화했을 겁니다.”

그가 무슨 말을 하고 있는지 알아듣지 못하는 것이 더 이상했다. 몬스터들의 이변은 이미 충분이 겪었다. 그 이유도 결국 수아가 열쇠로서 이 세계로 왔기 때문이라는 소리였다.

으득, 하르페니언이 이를 갈았다.

“그래서, 수아에게 원하는 게 뭐지.”

“열쇠로서의 역할을 말씀하시는 거라면, 전하를 만나는 것? 그리고 살아남는 것 정도겠군요. 아, 매개체를 신전에 바치는 것까지 역할이라면 역할이겠군요. 사실 아가씨가 열쇠로서 이쪽으로 왔다는 것 자체가 중요하기에 아가씨가 뭔가를 크게 하셔야 할 건 없습니다."

"신전이라고요? 그리고 매개체라면……."

이번에는 수아가 물었다. 실바코프가 고개를 끄덕였다.

"아가씨가 받은 물건이 있을 테지? 그걸 바치면 돼. 대륙의 끝에는 신의 손에서 시작되어 드워프의 손으로 마무리된, 인간은 모르는 신전이 있으니까. 처음부터 열쇠를 만들 힘을 모은 곳이니 끝도 그곳에서 내야겠지."

끝을 낸다. 그 무게에 수아는 꿀꺽, 한 번 침을 삼키고는 다시 물었다.

"끝을 낸다는 건."

어쩐지 이건 하르페니언에게 직접 묻게 해서는 안 될 거 같았다.

"저주가, 풀린다는 뜻인가요?"

"그래."

그 대답은 너무나도 빨랐고, 그리고 간단했다. 현실감이 들지 않는다. 저 「그래」라고 대답한 것이, 정말로 저주가 풀린다는 확답이 맞는 건가?

수아는 멍하니 그를 바라보다가 하르페니언에게 시선을 돌렸다.

겉으로는 딱히 표정을 찾을 수 없었지만 그도 자신이 들은 실바코프의 대답에 당황하고 있다는 것 정도는 알 수 있었다. 그에게 시선을 고정한 채 굳어 있었으니까.

그러다 수아는 무의식적으로 황제 쪽을 보았다 흠칫하며 다시 시선을 돌렸다. 황제는 자신의 아들을 바라보고 있었다. 일견 무심해 보이는 금안이었지만 그 눈은 하르페니언과 너무나 닮아 있었다. 그래서 수아는 금세 그 안에 담긴 감정을 읽을 수 있었다.

그것은 따스함이었다.

아, 이 사람도…… 힘들었겠구나.

비로소 수아는 재판 때, 자신이 황제에게서 받은 느낌이 틀리지 않았다는 걸 확신했다. 황후가 죽은 일로 그를 원망한 적이 없다 했던가. 그렇다면 아들을 보며 어떤 심정이었을까.

"실바코프 씨는…… 처음부터 다 알고 있었네요."

"음?"

"원인도…… 저주를 푸는 방법도. 처음부터 다 알고 있었으면서……."

사실 실바코프에게 이런 말을 하는 건 옳지 않다. 그가 원인이 아니다. 하지만, 처음부터 지켜보고 있지 않았던가. 최소한 이유라도 그에게 이야기를 해줬다면, 하르페니언은 조금은 덜 괴로워도 되지 않았을까?

"아가씨 마음은 알겠지만."

그는 약간 씁쓸한 미소를 지었다.

"말했잖아. 신들에게 의뢰를 받았다고. 그건 이 세계의 신 이야기만은 아니야."

"네?"

"열쇠를 만드는 데는 다른 세계의 힘이 필요하다고 했지. 그런데 다른 세계의 힘을 그쪽 신의 허가 없이 끌어올 수 있을 거라고 생각해? 간단하게 돈으로 예를 들어볼까. 한마디로 빚이 많아서 당장 갚지 않으면 파산할 거 같으니 다른 부잣집에 돈을 빌려달라고 요청하는 꼴이라고 보면 돼. 물론 그 부잣집은 이쪽 집이 망해도 별 상관이 없어. 단지 하도 애원하기도 했고, 돈을 좀 빌려준다고 해서 그 부잣집이 흔들릴 정도도 아니다 보니 한 번 빌려줘 보기로 한 거야. 이 위기를 넘겨서 이쪽이 또 다른 부자가 되면 저쪽에게도 나쁜 건 아니거든. 나중에 문제가 생겼을 때 도움을 요청할 수 있으니까."

순식간에 세계의 유지 이야기가 빚 이야기로 끌어내려졌지만, 확실히 이해는 쉬웠다.

"그런데 다른 세계의 신들이 이의를 제기한 거야. 이쪽 세계는 옛날에도 다른 세계의 힘을 빌려 위기를 해결한 적이 있거든. 벌써 두 번째인데, 그럼 문제가 생길 때마다 매번 그래야 하나? 그렇다면 여기는 하나의 「세계」라고 하기에는 무리가 있지 않나? 그냥 순리대로 없어지게 하는 게 나은 것이 아닌가? 하지만 반대로 약간의 힘만 빌리면 세계가 유지될 수 있는데, 그마저도 금지해 세계 하나가 없어진다면 그것도 나름대로 문제가 아닌가? 뭐 그런 이야기들. 결론은 몇 가지 조건을 걸어 이 세계의 자생력을 시험해보고, 그래도 끝까지 살아남는다면 힘을 빌려주는 데 「이의 없음」으로 결론이 났지."

그는 그쯤에서 잠깐 말을 끊었다. 듣고 있는 이가 잘 따라오고 있는지 확인하려는 것 같았다.

"시험이라고 해서 다른 신들이 직접 개입하는 정도는 아니었지. 어차피 힘을 빌리는 것도 그때까지 전하가 잘 버텨주고 있어야 가능한 소리였고, 따라서 열쇠가 이 세계로 오는 것, 그러니까 부잣집이 돈을 빌려주는 건 저주의 끝 무렵이겠지. 그러니 그전까지 파산하지 않기만 하면 된단 소린데…… 반대로 말하면 그전까지 전하는 아무런 도움을 받아서는 안 됐어."

절대 하르페니언에게 저주의 원인을 말해서는 안 됐다. 그를 보호하는 형태를 취해서도 안 됐다. 오로지, 그 혼자 버티도록. 실바코프는 중재자인 동시에 감시자이기도 했다.

"나 또한 전하를 도와서는 안 됐지. 뭐 끝에 가선 약간 참견하긴 했지만…… 이미 아가씨가 온 후고 「엘프」 정도로 힘을 맞추고 그 범위 안에서만 행동했으니까."

"그건……."

그건, 세계에 대한 시험이 아니라 그냥 하르페니언에 대한 시험이잖아요.

그 소리가 목 끝까지 차올랐다. 하지만 차마 그 말을 입 밖으로 내뱉지는 못했다. 이건 진짜, 진짜 너무하다.

실바코프는 그런 수아의 표정을 마치 보지 못한 척, 하르페니언에 시선을 돌려 말했다.

"그러니 전하, 시작과 끝의 신전으로 가십시오. 열쇠인 아가씨와 저주의 주체인 전하, 두 분이."

"……그러면 끝인가?"

하르페니언이 간신히 입을 열었다.

"모든 게?"

"그렇습니다."

실바코프는 잘라 말했다.

"제물인 전하가 모은 힘으로, 열쇠인 아가씨가 어둠이 아등바등 나오려 하는 문을 닫아 잠금장치를 돌려버리겠죠. 물론 둘 다 직접 하시는 건 아닙니다. 두 분의 역할은 끝났고, 아니 마지막으로 매개체 정도는 돌려놓으셔야 하겠지만요. 용케 버티셨습니다."

끝. 하르페니언은 그 어감이 잘 들어오지 않아 속으로 한 번 더 중얼거려보아야만 했다. 그에게 있어서 끝은 죽음이었다. 살고 싶다는 생각은 그저 과한 욕심이고 망상일 뿐이었다.

그런데…….

얼떨떨했다. 기쁨이나 환희도 하다못해 왜 하필 자신이 그 제물이어야 했느냐는 억울함도 없었다. 그저 멍할 뿐이었다.

"다녀올 게냐."

그 사이를 끼어든 건, 이제까지 관조하고 있던 황제였다. 처음에는 누구를 향해 묻는 것인지 몰라 잠깐 대답을 하지 못했지만, 이내 그는 뻣뻣하게 입을 열었다.

"네, 폐하."

어떤 대답을 원하시는 걸까. 너무 머리가 혼란스러워 제대로 머리가 돌아가지 않았다.

이제까지 황제는, 아버지는 그를 원망할 거라고만 생각했다. 너무나도 미워 견딜 수 없을 거라고. 하지만 그는 원망한 적이 없다고 했다. 저 드래곤이라는 남자는 하르페니언에게 저주의 이유를 이야기해서도 안 되며, 보호해서도 안 되는 것이 조건이라고 했다.

이제까지 그는 아버지가 그를 직접적으로 내치지 않았을 뿐 버려두었다고 생각했다. 그러나 하르페니언은 명목상이나마 황태자의 자리를 유지했고, 구석이나마 그의 궁을 가지고 있었다. 저주를 풀기 위해서라고 하지만 국내외를 제한 없이 돌아다닐 수 있었고, 아무리 저주가 공론화되지 않았다고는 해도 그가 사람을 죽인 일로 공식적인 규탄을 받은 적도 없었다.

즉, 그 말은.

그때 실바코프가 한 번 손뼉을 가볍게 쳤다. 하르페니언이 흠칫 놀라는 것과 동시에 그의 목소리가 들려왔다.

"자, 그럼 저와 아가씨는 이만 나가보도록 하죠."

"네? 아, 네."

수아 또한 잠깐 놀라는 듯싶더니 이내 그의 말에 고개를 끄덕인다. 하르페니언은 반사적으로 수아의 손을 잡고 있는 손에 힘을 더 넣었다.

"잠깐……."

"그, 먼저 나가볼게요."

그러니까 아버지와 이야기하고 와요. 생략된 뒷말을 알아듣는 건 어렵지 않았다.

하르페니언은 잠깐 망설였지만, 확실히 지금이 아니라면 하지 못할 이야기가 있을 것 같았다. 실바코프의 정체가 밝혀진 이상 더 이상 그를 경계할 이유도 없다. 아니, 오히려 끝까지 수아를 지켜야 하는 상황이다.

그럼에도 하르페니언은 잠시 망설였다.

하지만 그는 이내 그 마음을 누르고 천천히 수아의 손을 놔주었다.

어찌나 꽉 잡고 있었던지, 그가 놓은 수아의 작은 손에는 그의 손자국이 붉은색으로 뚜렷하게 나 있었다.

그러나 수아는 하르페니언이 그에 대해 말을 꺼낼 틈도 없이 곧바로 의자에서 일어나 황제에게 고개를 숙여 보이고는, 실바코프를 따라 문밖으로 나갔다.

하르페니언은 기억했다. 과거, 어머니가 죽은 직후. 아니, 직후였을까? 너무 오래 전이라 기억이 명확하지 않았다. 확실한 건 어머니가 죽은 후, 그는 단 한 번 아버지를 알현한 적이 있었다. 저주에 대해 제대로 인지하지도 못했고, 어머니가 그리 허무하게 사라질 리 없다는 부정, 태어나 처음으로 받아본 여러 부정적인 시선들 등으로 거의 넋이 빠져 있을 때였다.

하지만 그 와중에도 황제의 차가운 분위기만은 확실히 알 수 있었다. 생일날 아침까지만 해도 황제의 선물인 검을 들고 있던 그를 흐뭇한 눈길로 바라보던 아버지였지만, 그 눈길은 이미 온데간데없었다.

그때 그는 아홉 살이었고, 아예 사리분별을 하지 못하는 나이도 아니었다. 그의 머리 한구석에서는 이미 현실을 받아들이고 있었다.

그러나 동시에 누군가가 아니라고 말해주길 원했었다. 어머니는 그 때문에 목숨을 잃은 게 아니라고, 거짓말이라도 좋으니 그를 끌어안아 주며 괜찮다고 이야기해주길. 저주 같은 건 그의 잘못이 아니라고 이야기해주길.

그럴 리 없다는 걸 알면서도.

"조금은 원망했었단다, 황후를."

그런 상념 속에서, 하르페니언은 들려오는 목소리에 퍼뜩 고개를 들었다.

"황후가…… 그렌타가 그렇게 간 후에야 연유를 적어놓은 편지를 봤다. 도무지 받아들일 수가 없었지. 더구나 내 아들에게 저주라니. 그 드래곤이 나타나지 않았다면 정말 신전이라도 무너뜨렸을지도 모르겠구나."

이제까지 지독하게 무표정이었던 황제의 얼굴에 서서히 표정이 돌아오기 시작했다.

"난 선택해야 했다. 황후가 남긴 것을 그대로 끌어안고 갈 것인지, 아니면 정면으로 부정하고 아들을 감싸 안을 것인지. 그 어떤 것을 택해도 이미 내린 저주는 무를 수 없었다. 그렌타가 되살아나는 것도 아니었다. 단지 전자를 택하면 네가 스물일곱 이후에도 살아남을 가능성이 있었고, 후자를 택하면…… 이미 제물로서 자격을 잃었으니 저주가 내린 채로 스물일곱에 죽겠지만, 그전까지는 내가 보호해줄 수 있었겠지."

황제의 한마디 한마디는 마치 깊은 한을 토해내는 듯했다.

“그 가능성이라는 말이, 얼마나 부질없게 들리던지. 당시 넌 겨우 아홉 살이 막 되었을 뿐이었다. 그리고 열쇠가 완전히 준비되는 것은, 스물일곱의 생일이 가까워져 올 때. 과연 그동안 버티는 것이 가능하기나 할는지 의문스럽더구나.”

그는 깊은 한숨을 내쉬었다. 그에 따라, 황제의 얼굴에 나 있는 주름이 형편없이 구겨졌다. 이 방에 처음 들어왔을 때부터 느꼈던 거지만 황제의 얼굴 위에 새겨진 세월의 흔적은 커다란 위화감이었고 그동안 얼마나 시간이 흘렀는지를 다시 한 번 각인시켜주는 것이기도 했다.

“고민했다. 하지만 어차피 신탁에 대한 소문은 막을 수 없었다. 무얼 택해도 네가 괴로운 것은 마찬가지겠지. 그렇다면, 차라리 가능성이 있는 쪽에 걸어보기로 했단다.”

조건은 이 일에 진상에 대해 아무것도 말하지 말 것. 그를 보호하려 하지 말 것.

얼마나 이 두 가지 조건을 어길 뻔했는지 모른다. 그는 아내를 사랑한 만큼이나, 아내가 아들을 사랑한 만큼이나 자신의 아들을 사랑했다.

그래서 오히려 그를 따로 만나지 않았다. 엉뚱한 감정이 생길까 봐, 스스로 그 조건을 지킬 수 없을까 봐.

어느 정도 짐작은 했다지만 하르페니언에게 가해지는 일들은 그 이상이었다. 지금이라도 아들을 보호한다면 훨씬 낫지 않을까 싶은 때가 수없이 많았다. 차라리 단명하더라도, 그 안에서만이라도, 조금이라도 덜 괴롭다면.

때때로 아내가 원망스럽기도 했다. 그리 갈 줄 알았다면, 작별인사라도 할 시간을 주면 좋았을 것을. 그리고…… 차라리 이런 길을 마련하지 않았더라면.

「원래대로」였다면, 하르페니언은 아무도 그 진상을 알지 못한 채 어릴 때 죽었을 터였다. 그리고 황후 또한 딸을 낳고 명을 달리했을 테고, 그리하였다면 그의 곁에는 딸과 귀비 출신 황자인 카르니언이 남아 있었을 것이다.

아주 가끔, 가끔 그는 그랬다면 차라리 어땠을까 하는 상상을 했다. 어린 아들과 아내를 잃은 슬픔은 있었겠지만 반대로 말하면 그걸로 끝이었다. 최소한 아들의 목숨을 저울질하며 무엇이 더 나은가 고민하지 않을 수 있었을 것이다. 멋대로 암살자를 보내고, 목소리 높여 저주받은 황태자를 비난하는 작태들을 보지 않아도 됐을 터였다.

그래도 하르페니언은 잘 버텼다. 그런 아들의 모습을 보며, 황제는 은발의 드래곤에게 들은 「제왕의 운명」에 대해 떠올렸다. 하지만 그 말을 떠올릴 때마다 안도보다는 안타까움과 답답함이 더했다.

만약, 이런 일로 엉뚱하게 소진되지 않았다면.

얼마나 찬란한 미래가 그에게 기다리고 있었겠는가.

"……카르니언에게도, 참으로 미안한 짓을 했지."

귀비에게서 나은 아들은 참으로 잘 자라났다. 하르페니언만큼은 아니지만 충분히 영민할뿐더러 무엇보다도 주변에 흔들리지 않았다. 카르니언이 황제가 되는 것이 당연하다는 귀비와 귀족들에게 둘러싸여 있음에도 그에 끌려가기는커녕 말도 안 되는 소리라고 선을 그었다. 정면으로 맞서봤자 스스로만 피곤해진다는 걸 알고 있는 듯, 겉으로는 어느 정도 따라주는 척하면서도 결국은 하나하나 주변을 치고 자신의 사람으로 채우기 시작했다.

그것이 황제가 되지 않기 위해서라는 것이 아이러니하긴 했지만, 황제는 오히려 그 모습에서 카르니언에게 황제의 재목을 보았다.

황제란 남의 말에 흔들려서는 안 되는 존재다. 어설프게 심약해 제대로 황권을 정립하지 못하는 황제보다는 차라리 강인한 폭군이 나았다.

카르니언의 심정이 여린 편이라는 건 알고 있었다. 하지만 그런 성정과는 별개로 그는 제대로 황족으로서 자라났다. 하르페니언이 없었다면 그를 다음 대의 황제로 지명하는 데 아무런 문제도 없었으리라.

"아비로서 아무것도 해주지 못했으니."

하지만 하르페니언이 있었다. 가장 사랑하는 이와의 사이에서 낳았고, 기질로는 카르니언이 감히 따라가지 못하는 그의 「진짜」 아들이. 힘이 있되 최소한의 보호도 해주지 못하는 아들이.

가끔은 카르니언이 안쓰럽기도 했다. 왜 모르겠는가. 카르니언의 눈빛에는 그를 아버지로서 따르고 황제로서 존경하며, 사랑받고 하고자 하는 것이 뻔히 보였다. 거기에 카르니언은 자신의 혈육이라는 것까지 더해져, 때때로 황제는 그에게 부성애를 느꼈다.

카르니언도 그의 아들이었다. 귀비를 사랑한 것은 아니지만 딱히 그녀에게 좋지 않은 감정이 있는 것도 아니었다. 귀비는 영민하지도 않고 욕심 또한 꽤 있었으나 지나치지 않게 중도를 잡을 수 있는 자제력도 있었다.

하지만 황제는 카르니언에게 황자 칭호를 주되 아들로 보지 않았다. 아니, 그러지 못했다. 하르페니언에게도 아무것도 해주지 못하고 있는데 어찌 다른 아들을 아낄 수 있겠는가.

그는 카르니언을 방치했고, 카르니언의 빛나던 눈길이 점차 체념으로 바뀌어가는 것을 보았다.

어릴 때는 어떻게든 그의 눈에 들기 위해 노력하고 어떻게든 자신에게 관심을 돌리려고 노력했던 그가, 지금은 그를 황제로서 대할 뿐이었다.

이제껏 그는 단 한 번도 황제를 직접 아버지라고 불러본 적이 없었다.

황제는 다시 한 번 깊게 한숨을 내쉬며 고개를 뒤로 젖히고 눈을 감았다. 그의 얼굴이 순식간에 늙어가는 것 같았다. 하르페니언은 주저하며, 그를 불렀다.

"……폐하."

"부르지 마라."

황급히 입을 다무는 하르페니언에게, 황제는 한마디를 덧붙였다.

"더 이상 그런 호칭으로는 듣고 싶지 않구나. 지긋지긋해."

그러더니 눈을 뜨고, 하르페니언을 똑바로 바라보았다.

"옛날처럼 그리 불러보거라."

하르페니언은 한참을 주저했다. 입안에서만 맴돌고 밖으로 나오지 않는 말이 있었다. 그는 몇 번이나 입을 떼려다가 다물었지만, 이내 그를 바라보고 있는 황제의 얼굴을 보며 마침내 말할 수 있었다.

"……아버지."

순간 황제의 금빛 눈이 일그러졌다.

"아버지."

"그래……."

순간, 하르페니언은 믿을 수 없는 것을 보았다.

황제의 눈가에서 무언가가 반짝였다. 그리고 그걸 본 순간, 그 또한 참을 수가 없어졌다.

"아버, 지……"

언제 흘러내렸는지 모르게 손등에 툭, 무언가가 떨어졌다. 다음 순간 그는 시야가 흐려져 있다는 걸 알았다.

아무런 원망도, 증오도, 그리하여 더 이상의 감정도 없다고 생각했다. 그런데 아니었나 보다. 쌓인 것은, 이렇게도 많아서.

모든 걸 덮고 덮어 없는 것처럼 만든다고 해도 결국 없어지는 것은 아니다. 그건 장막 뒤에 그대로 남아, 때로는 오히려 더더욱 커지기도 한다.

"하르페니언, 내 아들."

황제는 비로소 미소 지었다.

"저주만 풀린다면, 그래서 모든 사실을 밝힐 수만 있다면, 이 아비가."

그는 작게 숨을 끊었다.

"너를 해하려 했던 놈들을 하나도 남겨두지 않을 작정이란다."

그 말은 무엇보다도 서늘한 동시에 따스했다.

"이 제국에, 이 나라에. 네 자리는 언제나 있었어."

그러고는 길게 숨을 내쉬었다.

"……언제나 하고 싶은 말이었지. 드디어 네 앞에서 말할 수 있게 되었구나."

"아버지."

"그래, 하르페니언."

"저는……. 전."

그 뒤로는 말문이 막혔다. 무어라고 이야기를 해야 할지 몰랐다. 어설프게 입을 열었다가는 그저 오열만이 터져 나올 것 같았다.

갑작스럽게 받은 그 말은 너무나도 낯설고 이상해서…… 그리고 견딜 수 없을 정도로 기뻐서.

황제는 그런 하르페니언의 마음을 안다는 듯, 굳이 그의 대답을 기다리지 않고 다시 입을 열었다.

"저주를 풀고 돌아오면."

그건 굉장히 만족스러운…… 하지만 어쩌면 간절한 목소리였다.

"함께 저녁이나 하자구나. 너와 카르니언, 내 두 아들과."

눈이 뻑뻑했다.

하르페니언은 아버지와 많은 말은 하지 못했다.

무슨 말을 해야 하는지도 몰랐고, 어설프게 입을 열었다간 이상한 소리만 나올 것 같았다. 결과적으로 두 부자의 대면시간은 그다지 길지 않았다.

하지만 충분했다.

아들.

그 어떤 말보다도 달콤한 단어였다. 설사 황제가 두 번 다시 이 제국에 돌아오지 말라고 했다 해도, 아니 아예 자결을 명했다 하더라도 아들로 생각했다는 한마디만 있었다면 그래도 그는 기뻤을 것이다. 증오나 원망의 그 뒤편에, 아주, 아주 조금이라도 아들로서 생각했다는 아버지로서의 감정이 있었다면.

그래서 지금 아버지의 말은 기대치 않은 선물이었고, 그 선물은 아직도 그에게 온건히 스며들지 못하고 있었다.

아마도 며칠, 아니 어쩌면 몇 달이 지나야 그에게 서서히 들어올 터였다.

아들이라고 불렸을 때의, 그 환희는.

지금도 떠올리는 것만으로 다시 코끝이 시큰해져 왔다.

하르페니언은 복도를 걷던 발걸음을 멈춰, 그 자리에 서서 잠시 숨을 골랐다. 그렇게 일단 급한 감정이 가라앉자 여러 생각이 떠오르기 시작했다. 이제까지는 의식적으로라도 절대 떠올리려고 하지 않았던 생각.

저주를 풀어, 그가 다시 나라로 돌아온다면.

더구나 황제까지도 그의 자리를 공언해준다 하였다. 그렇다면 그가 이번에야말로 「제대로 된」 황태자가 되는 건 어렵지 않으리라. 물론 소요는 클 터였다. 한바탕 피바람이 불고 나라 안이 뒤집히겠지. 그러니 제국을 생각한다면 그냥 카르니언에게 황태자의 자리를 넘기는 것이 가장 좋을지도 몰랐다.

하지만, 왜?

이제까지는 그에게 저주라는 하자가 있었다. 그래서 무슨 일을 당해도, 목숨을 위협받는다고 해도 어쩔 수 없다며 단념했다. 아니, 단념해야 했다. 그가 조금 편해질 길은 여럿 있었지만 어차피 저주를 풀지 않는 이상 근본적인 해결이 불가능했기에, 하르페니언은 다른 길들을 모두 포기하고 그저 자신을 억눌렀다.

하지만 이제는 아니었다. 저주를 풀고, 다시 나라로 돌아오고. 그 상상을 그는 비로소 죄책감 없이 할 수 있었다.

새삼 가슴이 뛰었다. 이미 죽어버렸다 생각했던 기대가 그를 감싸 안는다.

모든 것이 완벽했다. 정말 저주를 풀고, 그 저주 자체가 하르페니언의 잘못 때문이 아니라는 사실이 제대로 공표된다면, 그렇다면.

오로지 숨만 쉰다는 자체가 죄라고 생각했던 때가 있었다. 그의 존재 자체가 그를 아끼는 이들에게 오로지 해가 되기에,

차라리 없어져 버리는 것이 낫지 않을까 하는 생각을 수도 없이 했다. 그곳에 삶은 없었다. 그저 버티고 버틸 뿐.

하지만 제대로 모든 것이 풀린다면……. 황제가 그의 위치를 보장해주고, 다른 종족인 실바코프가 진위 여부까지 이야기해 줄 수 있다면.

그렇다면 모든 것은 원래대로 돌아갈 것이다. 그가 마땅히 그래야 했던 그 미래로.

하르페니언은 천천히 자신의 손을 내려다보았다. 손이 살짝 떨리고 있었다. 두려움이나 공포는 아니었다. 이건 흥분이었고 기대였다.

한때, 이 제국을 자신이 원하는 방향으로 이끌 수 있다고 기대했던 때가 있었다.

그 기억은 있었지만 그 눈을 반짝이던 소년이 자신이었다는 걸 하르페니언은 믿을 수가 없었다. 어떤 기분이었는지, 어떤 느낌으로 환희에 떨었는지 그는 기억해낼 수가 없었다. 그저 낡디낡은 책에 적혀 있는 것처럼 과거의 자신은 이러했다는, 그저 쓸려 내려가 간신히 알아볼 수 있는 흔적으로 남아 있을 뿐이었다.

그런데.

그는 몇 번이고 숨을 천천히 내쉬었다. 깨달음은 불현듯 왔다. 그는 그때를 기억하지 못한 것이 아니었다.

그저 기억하지 못한 척 억누르며, 그랬던 때는 없었다는 듯 스스로를 기만하고 있을 뿐이었다.

그 이유까지도 지금의 그는 알 수 있었다.

그렇지 않으면 견딜 수 없었을 테니까.

그래, 얼마나 달콤하고 짜릿한 기억인가. 곧 다가올 미래를 뜻대로 할 수 있다는 것은. 최소한 뜻대로 하기 위해 노력할 기회가 주어진다는 것은 언제나 소년을 가슴 뛰게 만들어 주었다. 이 나라를 어떻게 움직일지, 백성들을 어떻게 다스릴지. 그는 자신이 있었고 하루라도 빠른 내일이 오기를 바랐다.

성장하여 황제가 된다는 것이, 정말로 당연하던 그때.

그는 바라보고 있던 손에 힘을 주고, 꾸욱 주먹을 쥐었다. 다시 할 수 있다. 다시 이 손으로, 어릴 때 바라던 그것을. 약간 시간은 흘렀지만, 가능하게 된다.

다시, 삶을, 살아갈 수 있게 된다.

물론 쉽지만은 않을 것이다. 20년에 가까운 시간이 흘렀고, 아무리 신의 뜻이니 세계를 위함이니 하더라도 그 공표 자체를 믿지 않을 사람들은 많다.

최근 들어 아주 약간 나아졌다고는 해도, 근본적으로 공포의 대명사로 지냈던 세월이 한순간에 바뀔 거라고는 기대도 하지 않는다.

하지만 그는 자신이 있었다.

찍힌 낙인만이 사라진다면, 다시 한 번 그의 손으로 삶을 만들어나갈 기회가 주어진다면, 제대로 이 나라의 황태자이자 차기 황제로서 길을 깔고 그 위를 걸어갈 자신이.

그렇게 된다면 보상해줄 수 있으리라. 계속 옆에 있던 루펜도, 리노체스 부인에게도.

그리고…….

수아.

그는 저도 모르게 미소 지었다. 그를 위해 설사 자신의 세계로 돌아갈 방법이 있다 하더라도 돌아가지 않겠다고, 그의 곁에 남아 있겠다고 말해준 이다. 가족도 세계도 모든 것을 버리고 그의 옆에 남아준 이. 그의 손을 잡아주고, 체온을 나눠주고, 사랑한다 속삭여준 이.

그런 이에게 다시 그녀의 세계를 만들어줄 수 있다. 더할 나위 없이 호화로운 별장도, 드레스도, 보석도, 그녀가 원한다면 뭐든지.

물론 그것이 그녀의 세계를 버린 것에 대한 보상은 되지 못하겠지만 최소한 위로는 되지 않을까. 그 어떤 영예도 대우도 원하는 대로 모조리 주리라. 저주가 풀린다면 하르페니언에게는 그럴 수 있는 힘이 생긴다.

그 자신도 마찬가지였다. 더 이상 미래를 생각하는 걸 막지 않아도 된다.

함께 있으리라고, 그녀의 옆에 자신이 있으리라고, 스물일곱 이후 함께 늙어갈 수 있으리라고…… 이제는 그렇게 이야기할 수 있었다.

그렇게 되면…….

순간 하르페니언은 얼굴을 굳히며 고개를 들었다. 앞에서 누군가가 다가오고 있었다. 굉장히 조심스러운 듯하나, 정작 본인은 전혀 조심하지 않는 발걸음.

"아, 전하. 여기 계셨습니까."

연보랏빛 눈동자를 한 은발의 남자는 빙긋 웃었다.

"이야기는 다 마치신 겁니까?"

하르페니언은 잠시 갈피를 잡을 수가 없었다.

이자를 어떻게 대해야 할까.

문헌 속에 기록되어 있는 드래곤은 한낱 인간이 감히 대적할 수 없는 존재였다. 심지어 아까 이야기를 종합해보면 문헌은 오히려 드래곤이라는 존재를 겨우 일부분 담아내고 있을 뿐이었다. 다른 차원을 자연스럽게 넘나들며 각 세계의 신과도 의사소통이 어렵지 않은 존재라니. 그런 존재가 형식적으로나마 존대를 쓰며 예를 갖춰주고 있다고? 말이 안 되는 이야기였다.

하지만 눈앞의 남자는 실제로 그러고 있다. 하르페니언은 작게 한숨을 내쉬었다.

"그래."

본인이 이런 태도라는 건 결국 이쪽이 어떻게 나오든 별로 상관없다는 뜻일 테고, 그런 거라면 그도 굳이 그에게 어떤 대우를 해주고 싶지 않았다. 실제로 그는 하르페니언의 태도는 전혀 신경 쓰지 않는다는 듯 빙긋 웃었다.

"아가씨께 가시는 거겠지만, 그전에 한 가지 이야기를 더 들어주셔야겠습니다."

"남이 들어서는 안 될 이야긴가?"

"눈치가 빠르시군요. 네, 이건 제물이신 전하만이 아셔야 하는 이야깁니다. 저도 이것까지 말씀드리면 대충 제 역할이 끝난다고 할 수 있겠군요. 아, 끝까지 지켜봐야 한다는 의무도 있긴 하지만요."

"그래, 그럼……."

하르페니언은 비어 있는 방을 준비시켜야겠다고 생각하다가, 뭔가 위화감을 느꼈다. 주변에 전혀 인기척이 없었다. 주변을 시선으로 둘러보는 그를 보며 실바코프는 빙긋 웃었다.

"제가 마법으로 막아놨습니다. 어차피 긴 이야기도 아니니까요."

그러면서 그는 가볍게 손가락을 튕겼다.

"먼저, 기억을 돌려드리지요."

그다지 바뀌었다는 느낌은 없었다. 하지만 눈앞의 남자를 보는 순간, 잊었던 일이 기억났다. 아주 어렸던 자신과 곁에 서 있던 어머니 옆으로 저 남자가 있었다.

은발과 제비꽃색의 눈동자를 지닌 남자를 보고, 그 색의 조합이 신기하다 생각했던 기억이 났다. 색 또한 반짝반짝 예쁘다고.

그는, 예전에 들어본 질문을 다시 했었다.

세계를 구할 힘이 있다면 구하겠느냐고.

예전? 하르페니언은 잠시 미간을 찌푸렸다. 하지만 당시에 「예전에도 들었던 질문」이라고 여겼던 것만이 기억이 날 뿐, 그전의 「실제」 기억은 아무리 더듬어봐도 찾아지지 않았다.

기억이 돌아온다고 해서 완전히 새것과 같이 선명하게 덧씌워진 것은 아니었다. 다른 기억과 엇비슷했다.

아주아주 어릴 적, 낡은 종이 위에 그려내어 단편적인 것을 떠올리는 정도였다. 오히려 이제까지 단 한 번도 그 기억을 떠올릴 기회가 없었던 것이니만큼 희미하고 또 희미했다. 그러다 보니 그다지 새로운 기분도 들지 않았다.

그래, 그런 일이 있었지. 그렇게 문득 떠오를 정도의 자그마한 느낌.

만약 실바코프가 기억을 지웠다가 되돌려준다는 말을 하지 않았다면 하르페니언은 되돌려받은 기억인지도 몰랐을 터였다. 그저 우연히 잊고 있던 기억이 갑자기 생각났다. 그 정도였다.

또 다른 기억도 있었다. 갑자기 나타난 검은 머리의 여인.

언제였더라. 암살자들과 한바탕한 후였다고 기억한다.

갑자기 습격해왔었던가, 아니면 하인으로 위장한 놈들이 갑자기 달려들었던가? 어쨌든 간에 피투성이가 되어 있었던 것 같다. 차라리 그냥 이대로 죽어버리는 것이 좋지 않을까, 완전히 탈진하여 그렇게 생각하고 있을 때였다.

그때 나타난 검은 머리 여자. 처음에는 어머니라고만 생각했다. 그를 데리러 온 거라고. 그를 원망해서 목숨을 끊으러 온 거라고.

하지만 눈을 깜빡인 순간 다른 여자라는 걸 알았다. 그리고 다가오는 손에 기겁했다. 하지만, 그녀는 죽지 않았다.

벼락을 맞아도 그보다 더 놀랄 순 없었을 터였다. 더구나 그는 그를 「알」이라고 불렀다. 오직 어머니만이 불렀던 그의 애칭. 어머니와 같은 검은 머리. 어머니가 아니라면, 어머니가 보낸 누군가일까?

그렇게 생각했던 기억이 있다. 그리고 그건 실바코프를 만났을 때보다 훨씬 선명했다.

아마 그때보다는 조금 더 나이를 먹었던 덕도 있을 테지만 무엇보다, 누군가가 자신을 만지고도 죽지 않았다는 기억이 매우 충격적이었기 때문일 것이다. 더구나 그 여자가 남긴 말.

살라고.

절대 죽지 말고 살아남으라고.

저주는 꼭 풀어주겠다고.

여자는 금방 사라졌지만 그 뒤 하르페니언은 한참이나 울었다. 그가 당시 가장 필요했던 말이었다. 누군가가 해줬으면 좋겠다고, 간절히 원했던 말이었다. 저주가 걸린 뒤 처음으로 느낀 사람의 온기였다. 그걸 어찌 잊을 수 있었을까.

하지만 그는 실제로 잊었다. 아주 깨끗이.

"수아의 기억을 잃은 게…… 네놈 짓이었군."

순간 곱게 말이 나오질 않았다. 어릴 때 실바코프를 본 것이 문득 떠오를 만한 기억이라면 수아와의 만남은 그런 성질의 것이 아니었다. 계속해서 보듬고 보듬을 만한 기억. 떠올릴 때마다 힘이 될 수 있는 그런 기억. 하지만 그런 걸 오히려 잊고 있었기에 지금 와서 안타까움이 확 밀려왔다.

그녀는 어떤 표정이었지? 어떤 얼굴을 하고 있었더라? 옷은? 이미 꽤 오랜 시간이 흘렀기에 그런 세부적인 것들이 하나도 기억이 나지 않았다.

"네. 만약 기억을 그대로 놔뒀더라면 전하는 아가씨를 만나자마자 뭔가 이상하다는 걸 알아차리셨을 테니까요."

그는 아무렇지도 않게 긍정하며 대답했다.

"전 전하의 머리에서 기억만을 지웠을 뿐, 그 이상의 뭔가를 한 것은 아닙니다. 아마 무의식적으로는 계속 남아 있었을 터. 그때의 아가씨가 한 말이 전하의 인생에 어떤 영향을 끼쳤는지 저는 잘 알 수 없지만, 한 가지 확실한 것은 바로 그렇기 때문에 다시 만난 아가씨에게 좀 더 쉽게 호감을 가지고 애칭을 허하셨을 거라는 사실입니다."

실바코프의 말이 맞긴 했다. 기억이 남아 있었더라면 레틴 숲에서 본 순간 같은 여자라는 걸 알아챘을 확률이 높았다. 그랬더라면 그는 분명 여러 가지 의미에서 경계했으리라. 그를 처음 보는 듯한 수아를 의심하고 어쩌면 적의까지 가졌을지도 몰랐다.

하지만 불쾌했다. 그걸 멋대로 재단하여 기억을 지웠을 뿐만 아니라 오로지 과거에 그녀를 만났기 때문에, 그게 무의식에 계속 남아 있었기에 그녀에게 반했을 거라고 말한다.

"그래서."

언제나 이 은발의 남자와 대화하면 그 이야기에 말리는 기분이었다.

"하고 싶은 이야기라는 게 뭐지?"

본론이나 빨리 이야기하라는 말에, 실바코프는 순순하게 답했다.

"저주를 푸는 방법에 대해서입니다. 이건 전하의 「선택」이니까요."

"선택?"

"네, 시작과 끝의 신전에 가서 매개체를 바치라고 말씀드렸었죠. 사실 여기에는 한 가지 조건이 더 있습니다."

"조건? 그걸 왜 나에게?"

"이건 전하가 아셔야 할 부분이라서요."

"매개체를 바치는 건 열쇠인 수아의 역할이라고 하지 않았나?"

"그렇긴 합니다만…… 전하도 매개체를 보셨죠?"

"단검이더군."

"네. 정확히는 제단에 바치는 것 자체는 전하의 몫입니다."

순간 좋지 않은 느낌이 들었다. 그래, 그건 단검의 형태다. 왜? 거기서 더 생각이 진행되기 전, 실바코프의 목소리가 그의 귀를 때렸다.

"아가씨의 심장을 찌른, 그 단검을요."

순간 무슨 소리를 들었는지 잘 인지되지 않았다. 하지만 실바코프는 여전히 매우 태연하게, 날씨 이야기나 하듯 말을 이어나갔다.

"거기까지가 열쇠의 역할입니다. 그걸로 모든 건 끝나게 되죠."

무언가 말을 하려고 했다. 하지만 목소리가 나오지 않았다. 하르페니언은 몇 번 입술을 달싹이다가 간신히 목소리를 냈다.

"……그러니까."

아주 잠깐 사이였음에도, 이상하게 목소리가 갈라져 나온다.

"수아가, 죽어야 한다고?"

그 뜻이 아니라고 고개를 저어주길 바랐다. 자신이 잘못 해석한 거라고.

하지만 그 마음과는 달리 실바코프는 곧바로 긍정했다.

"바로 그렇습니다. 사실 전하가 딱히 죄책감을 느낄 것은 없습니다. 어차피 열쇠는, 본인의 세계에서도 미래가 없는 존재이니까요. 즉 아가씨는 아가씨 세계에서 원래의 수명이 끝났습니다. 이 세계로 와서 전하와 함께 있던 만큼 오히려 수명이 늘어난 거죠."

확실히 절벽에서 떨어져 이 세계로 왔다는 이야기는 들었다. 하지만.

"별로 어려운 일은 아니지 않습니까? 이제껏 전하는 자의든 타의든 많은 이들의 목숨을 그 손으로 앗아오지 않으셨습니까. 거기에 한 명 더 더해질 뿐입니다."

그 말에는 뭘 더 생각할 틈도 없었다. 다음 순간, 하르페니언은 실바코프의 멱살을 쥐고 있었다.

"너."

"뭐, 전하의 심정도 이해 못 할 바는 아니지만."

그는 이제까지 중 가장 천진해 보이는 얼굴로 빙긋 웃었다.

"잘 생각해보십시오. 황후마마도 전하가 살아남기를, 행복해지기를 원하면서 그 목숨을 버리셨습니다. 황제 폐하도 길디긴 세월 동안 속만 끓이면서 전하를 기다렸죠. 전하의 편을 드신 분들은 또 어떻고요? 게다가 리노체스 백작이나 리노체스 부인의 경우는 그 누구보다도 많은 희생을 하지 않았습니까?"

그의 연보랏빛 눈동자가 가늘어졌다.

"물론 아가씨는 전하께, 이성적인 의미로 접촉할 수 있는 첫 여인이었지요. 그러나 어차피 저주가 풀린다면, 전하는 세상 모든 여자들과 접촉할 수 있게 됩니다. 아마 금방 잊힐 겁니다. 지금이야 아가씨가 특별하지만, 앞으로도 계속 그럴까요?"

"입 다물어."

"뭐, 당장 결정하셔야 할 일은 아니니까요. 조금 여유를 가지고 생각해보셔도 됩니다만, 일단 제 생각에는 그렇습니다. 아가씨 같은 외모가 취향이시라면, 찾아보면 검은 머리나 검은 눈은 드물지만 찾는 게 불가능하지 않을 겁니다. 상앗빛 피부는 이쪽 세계의 사막 민족들도 가지고 있습니다. 원한다면 얼마든지 비슷한 외형의 여자는 찾으실 수 있을……."

더 이상 들을 가치를 느끼지 못했다.

하르페니언은 그의 목을 움켜잡았다. 하지만 다음 순간, 뭐가 어떻게 됐는지도 모르게 실바코프는 그에게서 조금 떨어져서 있었다.

"흥분하지 마십시오, 전하. 제가 하는 말은 그저 제 개인적인 생각일 뿐이니까요."

"닥쳐. 수아를 그딴 식으로……."

"하지만 사실이잖습니까? 아가씨가 이곳에 온 것은 애초에 그런 역할 때문이었습니다. 전하께서 처음부터 그리 특별하게 여기신 것도, 단순히 옛날 만나셨던 기억이 무의식에 남아 있기 때문일 뿐이고요. 그리고 어차피 이계인이잖습니까. 만약 아가씨가 저주가 풀린 전하 곁에 남으면 어쩌실 겁니까? 결혼해서 황태자비로, 나아가서 이 제국의 황후로? 과연 아가씨가 그런 역량이 되실까요? 오로지 사랑이라는 감정 하나로 그런 모험을 감수하실 겁니까?"

그는 마치 재미있다는 듯 빙글빙글 웃음을 지었다.

"아가씨 목숨 하나로 모든 것이 다 원래대로 돌아오는 겁니다. 전하는 다시 한 번 황제 폐하를 아버지로 두고, 진정한 황태자로서 모두에게 존경을 받으며 살아가실 수 있습니다. 수많은 미녀들도 전하를 따를 겁니다. 마땅히 그랬어야 할 삶으로 되돌아가시겠죠."

마땅히 그랬어야 할 삶.

그 말에, 순간 머리끝까지 올라와 있던 열이 확 식는 기분이었다.

"화내시는 건 이해합니다. 지금에서야 아가씨는 전하의 모든 것이나 마찬가지일 테니까요. 더할 나위 없이 소중하게 생각되시겠지요. 하지만 잘 생각해보십시오. 나라, 직위, 명예, 가신, 미래, 가족과 삶까지. 모든 것이 이제 눈앞에 있습니다. 전하는 그걸 움켜쥐기만 하면 되는 입장입니다. 아가씨 한 명만 포기하면 되는 상황이지요."

"넌 마치."

입이 마른다. 하르페니언은 간신히 뒷말을 이어 했다.

"내가, 수아를 죽이길 원하는 것 같군."

"일단은 저도 저주가 풀리기를 바라니까요."

그는 부정하지 않았다.

"저는 전하를 어릴 때부터 지켜봐 왔습니다. 사실, 이 일을 맡을 때부터 이 세계가 멸망하지 않을 가능성은 굉장히 희박하다고 생각하고 있었습니다. 그런데 전하는 용케 살아남으셨죠. 솔직히 좀 감탄도 했습니다. 보통은 동물도 그 사회에서 내쳐지면 얼마 버티지 못할 텐데, 하물며 인간이."

실바코프는 살짝 쓴웃음을 지었다.

"어쩌면 너무 몰입했는지도 모릅니다. 드래곤이라는 종족은 언제나 유희를 즐기죠. 그저 변덕으로 세기의 행운을 선사하기도, 불행을 선물하기도 합니다. 하지만 그 끝이 어떻게 나도 신경 쓰지 않습니다. 하지만…… 이번은 완전히 관조할 수가 없었습니다. 여러 가지 의미로요."

그러고는 혀를 가볍게 찼다.

"일단 공정함을 위해 하나는 더 말씀드리지요. 사실 여기까지 온 이상, 세계 자체는 문제가 아닙니다. 세계가 원하는 힘을 비축할 수 있는 시간은 충분히 벌었고 아가씨는 열쇠가 되어 이곳으로 왔습니다. 그 힘으로 문을 닫고 열쇠로…… 정확히는 열쇠가 가져온 힘으로 문을 잠그겠죠. 만약 지금 당장 아가씨나 전하가 죽는다 해도 그 과정이 좀 복잡해질 뿐, 큰 문제는 없을 겁니다. 조건은 모두 완료된 거나 마찬가지니까요. 단지 신전으로 가면 좀 더 수월하게 문을 닫을 수 있게 되고, 거기에 아가씨의 심장을 찌른 매개체를 바치게 되면 저주까지 완벽하게 사라지지요. 그러니 전하는 세계의 존속 여부와 상관없이 선택하시면 됩니다. 저주를 풀지, 아니면 스물일곱의 생일까지 그 저주를 안은 채 끝을 내실지."

하르페니언은 잠시 그를 바라보았다.

"그 말은 결국, 수아를 죽이지 않으면 이 저주를 풀 수 없단 말이군."

"그렇습니다."

조금도 망설임이 없는 그 대답에 하르페니언은 기가 찼다. 그나마 다행인 것은 한 번 내려간 열이 다시 올라올 생각을 하지 않는다는 것이었다.

머리가 더욱더 차가워지는 기분이었다.

"잘 생각해보십시오. 설사 아가씨가 진실한 사랑이라 하더라도 그것이 전하의 미래와 삶을, 가족들을, 백성들과 나라를, 그 모든 것을 버리고 택할 가치가 있을 것인지를. 따지면 아가씨와의 인연은 2년도 채 되지 않았습니다."

헛웃음이 나왔다.

그래, 생각해보면 수아는 만난 지 채 2년도 되지 않은 이다. 헤어져 있던 시간까지 합한다면 1년도 되지 않았다.

따지면 실바코프의 말이 틀린 건 아니다. 아니, 옳다. 저주가 있는 지금과 저주가 풀린 이후의 삶은 말 그대로 하늘과 땅 차이로 완전히 바뀔 것이다. 지금과는 완전히 달라지겠지.

"물론, 아직 선택까진 시간이 있다지만……."

"아니."

하르페니언은 곧바로 말을 끊었다.

"더 생각할 필요도 없는 문제군."

계속해서 피식 웃음이 나왔다.

"어릴 때부터, 차라리 죽는 것이 나을 거라는 생각을 정말 수없이 했지. 정말 모든 것이 바뀌었으니까."

그부터가 모든 기대를 접어야 했다. 그렇지 않으면 견딜 수가 없었으니까.

처음부터 원하지 않으면 상처를 입는 것이 덜하다. 사랑받길 원하지 않는다면 사랑해주지 않는다 하여 좌절하지 않는다. 그러니, 그도 그리했다. 그가 원했던 모든 것을 하나하나 끊어나갔다.

그렇게 점점, 모든 것을 포기하게 됐다.

"난 내가 저주로 죽는 것이 당연하다고, 내 존재 자체가 없어지는 것이 당연하다고 여기게 됐지. 아, 저주를 풀 수 있다고 생각할 때도 있긴 했지만…… 지금은 그게 언제인지도 모를 정도로 까마득해. 언제부터인가 난 죽을 장소를 찾아 돌아다녔어."

그에 대해 계속 생각하려고 하지 않았다. 스스로 인정하고 싶지 않았기에 누군가에게 입 밖으로 꺼내지도 못했다. 그 자신에게도 난 저주를 풀기 위해 방법을 찾는 거라고, 끊임없이 그리 이르고 또 일렀다.

"그런데, 그러지 않아도 된다고? 포기했던 모든 것이, 아니 생각했던 모든 것이 돌아온다고? 만나지 얼마 되지 않는 여자의 존재만 지운다면?"

억지로 구겨 넣고는 있었지만 그는 아칸도르 제국의 황자로서, 황태자로서 자라났다. 아무리 어릴 때까지라지만 그래도 아홉 살 때까지였다. 그때 받은 교육은 그의 근간을 이루고 있었다.

대를 위한 소의 희생은 옳았다. 그것이 황실을 유지시키고 나라를 유지시키기 위해서라면 더 말할 것도 없었다.

그는 더욱 크게 몸을 떨며 웃기 시작했다. 너무나도 우스워서 터트리지 않으면 참지 못할 만큼.

그렇게 몸을 떨며 웃는 하르페니언을, 실바코프는 그가 진정할 때까지 아무런 말도 하지 않은 채 지켜보고 있었다.

"애초에 선택할 시간을 줄 필요도 없어. 이건 어처구니없을 정도로 간단한 선택이니."

그는 조금 복잡한 눈빛으로 하르페니언을 보다가, 작게 한숨을 내쉬었다.

"그런가요. 하긴, 전하는 황족이셨죠."

그러더니 이제 됐다는 듯 어깨를 한 번 으쓱였다.

"그래도 매개체를 제단에 바쳐야 할 날짜는 정해져 있습니다. 전하의 스물일곱 번째 생일날이죠. 그럼 아가씨께는 미리 말씀드릴 겁니까?"

"아니, 굳이 그럴 필요는 없지."

"그렇습니까."

실바코프는 잠시 눈을 감았다 떴다.

"뭐, 이제부터는 제가 참견할 영역이 아니죠. 참, 심장을 찌르시는 건 직접 하셔야 합니다. 타인을 시켜봤자 아무런 효과가……."

"드래곤."

하르페니언의 목소리는, 그 어느 때보다도 평온했다.

"뭔가 착각하고 있는 것 같군."

"네?"

"수아는 죽지 않아."

"……네?"

그는 빙긋 웃었다. 그건 실바코프가 본 하르페니언의 표정 중 가장 후련한 표정이었다. 실바코프는 당혹하여 말했다.

"잠깐만요. 아가씨의 심장을 찌르지 않으면……."

"그래. 내가 죽는다."

그렇게 말하는 하르페니언의 금안은 조금의 흔들림도 없었다. 오히려 흔들린 것은 이제까지 태연하기만 했던 실바코프의 표정이었다.

"전하? 방금까지의 말씀은……."

"당신야말로 웃기는군. 내가 왜 당연히 수아를 희생시킬 거라고 생각한 거지?"

그 질문에, 실바코프의 말문이 막혔다.

"물론 당신의 말은 옳아. 틀리지 않지. 만난 지 얼마 되지 않은 여자와 자신의 삶이 있다면, 택해야 하는 건 당연히 후자. 삶이 없는데 그 안에 여자가 있어서 무슨 소용일까."

당황하는 실바코프의 모습을 보는 건 생각보다 즐거운 일이었다. 이상하게도, 하르페니언은 지금 자신이 꽤 유쾌해하고 있다는 걸 알았다.

"하지만 드래곤. 그건 처음부터 그런 삶이 있었을 때의 이야기야. 마땅히 그랬어야 할 삶이라고? 뭔가 표현이 이상하지 않나. 나에게는 그런 삶 따윈 없어. 어머니가 저주를 택하지 않았다면 지금 난 살아 있지도 않았을 테고, 세계를 구하겠느냐는 질문에 고개를 젓는 어린아이는 내가 아니었을 테니."

설사 그가 저주를 받지 않고 삶을 영위해나갈 방법이 있었다 하더라도, 애초에 「만약」 따위를 가정하는 것만큼 의미 없는 것은 없다.

그는 이미 아홉 살에 저주에 걸렸고, 저주받은 황태자로서 지금 이때까지 살아왔다. 그것이 하르페니언 로데인 쥬다스 아칸도르라는 사람의 삶이었다.

"수아를 만나기 전의 난 지독히도 무기력했어. 아니, 그 정도 표현으로는 적당치 않군. 그저 살아 있는 시체에 지나지 않았다. 그저 숨을 쉬고 습관처럼 저주를 풀겠다고 움직였을 뿐, 루펜과 리노체스 부인 또한 부담에 지나지 않았지. 내가 받아들일 수 없는 충정만큼이나 힘든 것이 또 어디 있을까. 이미 모든 걸 포기한 사람에게 포기해선 안 된다며 이미 자신의 것이 아닌 것을 쥐여주려고 하는 것처럼…… 제멋대로인 짓이."

"전하."

"알고 있어. 고맙지. 더할 나위 없는 충정이고, 그 무엇보다도 고귀한 마음이지. 그러나 그걸 내가 받아들이는 순간부터 그건 쓰레기가 되어버려. 그들을 죽이고 나를 좀먹어 더 이상 버틸 수 없게 만들겠지."

그건 하르페니언에게 간절한 어떤 것임인 동시에 취해서는 안 될 것이었다. 굶주린 사람 앞에 산해진미를 펼쳐놓은 꼴이지만, 그 음식에 손을 뻗는 순간 독으로 변모하게 될 그 어떤 것. 심지어 차려준 이조차 죽여버리는, 절대로 손을 대서는 안 되는 그 무엇.

"미칠 것 같았다. 아니, 실제로 어느 정도는 미쳐 있었을지도 모르지. 어디에 있어도 편하지 않았어. 숨 쉬는 것 하나조차 칼날이 가슴을 찔러대는 것 같았지. 버티기 위해선 아예 모든 감각을 지우고 없애야 했어. 괴롭다는 생각은 하지도 않았지. 아니, 못 했어. 그걸 인식한 순간 난 그대로 무너져버렸을 테니. 그런 내 앞에…… 수아가 나타났다."

동시에 계속 억누르고 있던 감정들이 하나둘 깨어나기 시작했다. 자신이 살아 있는 인간이라는 걸 그녀의 존재만으로도 하나둘 자각해나갔다. 질투도, 독점욕도, 그녀를 위해 다가가서는 안 된다는 괴로움조차 그에게 「살아 있다」는 감각을 불러일으켰다.

같은 하늘 아래 있다는 사실을 인지하는 것만으로도 가슴이 두근거렸고, 그녀가 서툰 발음으로 그의 애칭을 부르는 것만으로도 자신이 지금 존재하고 있다는 걸 자각했다.

"그래, 내가 수아에게 마음을 품게 된 것은 당신 말대로일지도 모르지. 과거에 그녀를 만났기 때문에, 내 무의식에 그 잔재가 남아 있었기 때문에 첫눈에 반했다 여겼을지도 몰라. 하지만 도대체 그게 무슨 의미가 있지?"

만약 수아가 어머니를 연상시키는 검은 머리와 검은 눈동자가 아니었다면, 비록 과거에 나와 만나지 않았더라면, 그의 저주가 접촉과는 전혀 별개의 것이라 그가 사람의 체온을 그리워하지 않았더라면……. 그랬더라면 어쩌면 그녀에게 이토록 빠져들지 않았을지도 모른다.

하지만 그런 것과는 상관없이 빠져들었을지도 모르는 일이다.

가정만으로는 아무것도 확실할 수 없다.

"만약 내가 남자가 아니었다면, 이 세계에서 태어나지 않았더라면, 인간이 아닌 다른 종족이었다면. 보통 이런 생각을 매사에 하고 사나? 만약이라는 건 아무런 의미도 없어. 지금의 나에게 수아는 그 무엇보다 소중하지. 시작이 언제였든, 계기가 어떻게 되었든 이제 와 그게 중요한가?"

하르페니언은 그녀가 어떤 모습이라도 상관없다고 생각했었다. 하지만 그 생각은 틀렸다. 지금 수아의 모든 모습은 오롯이 그녀였다. 머리카락 한 올부터 땅에 닿는 그 발까지, 그 모든 것이 그녀였다.

검은 머리칼도, 반짝이는 검은 눈동자도, 재잘거리는 듯한 부드러운 목소리도, 매끄러운 상앗빛 피부도, 자그마한 손과 가느다란 목도, 한 팔에 모두 들어오는 아담한 몸도…… 그 모두가 그녀이니까. 그를 보는 눈빛, 표정, 말투. 믿을 수 없을 정도로 대담한 말을 하다가도 사소한 것에서 얼굴을 붉히고, 멀어지려 하는 그에게 화내면서도 누구보다도 더 달콤하게 그의 이름을 부르는 모습까지, 모두 그녀였다.

어느 이야기에서처럼 갑자기 수아의 모습이 바뀐다면 그는 그 모습까지도 사랑하리라는 맹세는 하지 못하리라. 그러나 지금의 수아를, 지금의 그녀를 이루고 있는 모든 것을 자신의 목숨보다도 더 아낄 수 있다는 건 확신할 수 있었다.

"수아가 있었기에 다시 숨을 쉴 수 있었다. 나를 나로 받아주는 이가 있었기에 땅에 발을 디딜 수 있었어. 비로소 부담으로만 느꼈던 것들의 본질이 보이고, 살아 있다는 것 자체로 죄책감을 느끼는 것도 사라졌지. 수아 덕에, 그녀가 있었기에."

그녀는 그에게 유일하게 허락된 존재였다.

"그런 존재를 포기하라고? 애초에 나에게는 있지도 않았던 삶을 위해?"

실바코프는 겨우 2년이라고 했다.

어처구니가 없었다. 그 기간은, 아홉 살 이후 그가 가진 모든 것이었다.

대를 위해 소를 희생시키는 것이 당연하다. 그는 수아를 위해서라면 그 외의 것은 포기할 수 있는 각오가 되어 있었다.

"그러니 드래곤. 선택이라고는 하지만, 나에게는 그 여지가 없어. 수아는 살고, 내가 죽는다. 간단하군."

그는 다시 한 번 후련하다는 듯 웃었다.

그래, 결국 살 수는 없었다. 계속 생각하듯 저주의 끝은 그의 죽음이다. 하지만 그것이 별로 절망적이지는 않았다. 아니, 오히려 조금은 기뻤다.

"나쁘지 않은 끝이군. 분명 마지막엔 후회에 가득 차 어느 구석에서 혼자 객사할 거라고…… 그렇게 생각했는데."

저주를 받았던 것은 그의 어떤 죄의 대가가 아니었다. 그의 존재가 잘못된 것이 아니었다. 그걸 안 것만으로도 충분한데, 저주받았던 기간을 대가로 무려 세계가 구해진단다. 아버지가 여태껏 그를 아들로 생각해온 것도 알았다. 사랑하는 여인은 그가 숨이 끊어지기 전까지 계속 곁에 있을 터였다.

뭘 더 바랄 수 있을까.

잠시 살아남는 것을 꿈꿨지만, 어차피 그건 그의 것이 아닌 것을.

"전하."

하지만 실바코프는 초조한 듯 입술을 깨물었다.

"전 황후마마께서는……."

"내 죽음을 선택할 수 있게 해주셨지."

하르페니언은 곧바로 말을 끊었다.

"감사하고 있다. 비록, 끝이 어머니가 생각하신 대로는 아니겠지만 난 충분히 만족하니까."

정말 깔끔한 마무리다. 루펜이나 리노체스 부인을 걱정할 필요도 없었다.

그가 죽는다 하더라도 세계를 구한다는 목적은 달성되니, 제국이 그 기회를 놓칠 리 없다.

신께 선택되었지만 갖은 오명을 뒤집어쓰고 고귀하게 죽어간 영웅으로 그를 포장할 터였다. 동시에 신의 뜻이 제국에 있음을 공고히 하고 그 위치를 더욱 확고히 할 터였다.

국내도, 황태자를 적대한 세력은 물론 방임한 대부분의 귀족들까지 한동안 황제에게 기를 펴지 못할 것이다. 그 반대급부로 황태자를 도운 유일한 귀족인 리노체스 백작가는 영예와 부를 손에 넣게 될 것이다.

카르니언이야 걱정할 만한 아이가 아니었고, 황제는 어느 정도의 충격은 받겠지만 회복 불가가 될 정도로 약하진 않다. 오히려 하르페니언이 없어짐으로써 카르니언을 제대로 된 아들로 받아들일 수 있을지 모른다.

그리고…….

"수아는."

아마도.

"돌아갈 수 있겠지."

그에 대한 드래곤의 대답은 작은 한숨이었다. 하르페니언은 그게 긍정이라는 걸 손쉽게 알 수 있었다.

"역할을 끝낸, 그리고 끝까지 살아남은 다른 세계의 존재를 이곳에 계속 남겨두는 게 달가울 리 없으니까."

"……강제는 아닙니다. 그쪽은 아가씨의 「선택」이니까요."

하지만 수아가 그가 없는 세계에 남을 리가 없다.

그 선택의 기회가 주어진다면 그녀는 반드시 돌아가겠지. 그녀의 가족이, 그녀가 쌓아온 것이 남아 있는 그녀의 세계로.

내가 죽으면 수아는…… 울까.

그 생각 하나에, 순식간에 가슴 한구석이 욱신거리며 격통이 달렸다.

분명히, 울어줄 것이다. 진심으로 슬퍼하겠지. 그를 원망하고 화를 낼 터였다.

하지만 그때는 그걸 받아줄 이가 없다. 그렇다면 약간은 시간이 걸리더라도, 그녀는 회복할 터였다. 본인의 세계까지 돌아가게 된다면 그의 기억은 차차 잊힐 것이다. 그래서, 언젠간 다른 남자를 다시 옆에 두고 함께 걸어가게 되겠지.

그 생각에, 일어나지도 않은 일에, 얼굴도 모르는 남자에게 하르페니언은 순간 지독한 질투를 느꼈다. 동시에 됐다는 생각도 들었다.

이 목숨이 있는 한 영영 놓지 않겠다고 결심했었다. 그리고 그 결심은 끝까지 지킬 수 있을 것이다. 동시에 수아는 다시 본인의 세계로 돌아가는 것도 가능할 것이다.

"그게…… 전하의 선택이시군요."

그 목소리에는 동조도 비난도 들어가 있지 않았다. 하르페니언은 연보랏빛 눈동자를 잠시 바라보다, 고개를 끄덕였다.

"그래."

"아가씨에게는 알리지 않고요."

"나 대신 자신이 죽겠다 할지도 모르는 여자니까."

실바코프는 잠시 동안 대답하지 않았다. 하르페니언은 그 침묵의 뜻을 알 수 없었으나, 최소한 부정의 의미가 아니라는 것만은 확신했다.

곧 그는 깊이 고개를 숙이며 대답했다.

"뜻대로 하십시오, 전하."

실바코프와 이야기한 시간은 실제로 얼마 되지 않았다. 하지만 그가 결계를 풀고 물러나자, 하르페니언은 알 수 없는 초조함에 휩싸여 발걸음을 재촉했다. 어쩐지 수아를 본 것이 굉장히 오래전인 것 같았다.

조금이라도 더 빨리, 한시라도 더 시간을 낭비하지 않고 그녀에게.

방은 가까웠지만 애가 탔다. 그 짧은 거리를 걷는 동안, 그로서는 있을 수 없는 일이지만 호흡까지 흐트러져 있었다.

"알."

벌컥, 노크도 없이 문이 열리자 의자에 앉아 있던 수아가 깜짝 놀라 그쪽을 바라보았다. 그러나 들어온 사람이 하르페니언이라는 것을 확인한 후 안도의 빛을 얼굴에 띠며 빙긋 웃었다. 그러고는 자리에서 일어나 그에게 다가왔다.

"이야기, 잘 했어요?"

그 미소를 보는 순간, 하르페니언은 스스로가 굉장히 긴장하고 있었다는 걸 깨달았다. 조여왔던 가슴이 확 풀어진다.

"수아."

그녀의 이름도 굉장히 간만에 발음해보는 것만 같은 느낌이었다.

수아, 수아, 수아.

하르페니언은 대답 대신 그녀의 이름을 부르며 자신에게 다가온 그녀를 가만히 내려다보았다.

그는 천천히 손을 뻗어 그녀의 뺨을 손바닥으로 감싸고, 엄지로 눈가를 한 번 쓰다듬었다. 그리고 다음 순간, 그는 단숨에 그녀를 품 안으로 끌어당겼다.

꽤 급히 서두르는 것만 같은 그 행동에 수아의 몸이 움찔 놀라는 것 같았다. 하르페니언은 팔에 힘을 줘 더욱 강하게 그녀를 껴안았다.

"알?"

"아버지는, 나를 아들로 여기고 계셨어."

두근, 두근, 두근. 심장이 뛰는 소리가, 맥박이 뛰는 소리가 맞닿은 몸을 통해 전해져 왔다. 따스하고 부드러운 몸.

"어머니도, 내가 살아가길 원하셨고."

하르페니언은 간신히, 미소를 지을 수 있었다.

"그대 또한 지금 내 옆에 있고. ……이렇게까지 완벽한 순간이 또 있을까."

"알."

그녀가 그를 마주 껴안아 오는 것이 느껴졌다. 사랑스럽기 그지없는 동작이었다. 하르페니언은 수아의 부드러운 검은 머리칼을 쓰다듬으며 다시 한 번 느꼈다. 그의 결정에는 조금도 후회의 여지가 없다고.

"신전에, 같이 가줄 건가."

수아가 쿡쿡 웃었다.

"이제 와서 안 간다고 할 리가 없잖아요."

그녀가 조심스레 숨을 내뱉는 것이 느껴졌다.

"다행이에요, 정말. 많이…… 돌아왔다지만, 그래도."

그래, 수아 또한 여러모로 마음고생이 심했겠지. 하지만 정말로 이제 「끝」이다. 아니, 곧바로는 아니다. 스물일곱의 생일까지는 몇 달이라는 기간이 남아 있을 테니까.

다행이었다. 그가 없는 제국엔 그녀 또한 없을 터였다. 가족 곁으로, 그녀의 세계로 돌아간다면…… 괜찮겠지, 분명히.

가슴 한구석이 아려왔지만 하르페니언은 그걸 무시했다.

하르페니언은 천천히 그녀의 목을 쓸어내리며 살짝 품에서 떼었다. 그리고 그대로 입을 맞췄다. 처음에는 살짝 입술만 닿는 듯하던 입맞춤은 이내 점점 더 깊어졌다. 수아가 그의 목에 팔을 둘러 그를 껴안았다.

그 느낌이 좋아 하르페니언은 입을 맞춘 채로 웃었다.

그러면서 그 또한 그녀를 더 느끼기 위해 깊숙이 그녀를 끌어안았다.

그가 수아에게 한 말은 거짓이 아니었다.

정말, 지금 이 순간만큼은 더 바랄 것이 없을 정도로 완벽했다.

수아와 하르페니언은 당분간 수도에 머물기로 했다. 쉴 필요도 있던 데다, 어차피 매개체를 제단에 바치는 건 하르페니언의 스물일곱 번째 생일날이여야 한다는 날짜가 지정되어 있기에 굳이 서두를 필요도 없기 때문이었다.

처음 며칠간 수아는 리노체스 백작가에 머물렀다. 푹 쉬기 위해서였다.

돌아오자마자 여름옷 차림으로 눈보라 한복판에 내쳐져 몬스터에게 습격을 받고, 바로 그다음 날부터 계속 말을 타야 했다. 사이사이 잠이 부족하기도 했다. 여기에 저주를 풀 수 있다는 확신을 얻은 다음 긴장이 확 풀린 것도 있어, 며칠 내내 수아는 거의 먹고 잠만 잤다.

하르페니언은 저택에 같이 머물진 않는 것 같았지만, 그녀가 저녁 일찍 잠이 들었다가 한밤에 눈을 떠보면 언제나 옆에 누워 자고 있었다. 수아는 그 모습이 좋아 한참이나 잠든 그를 보다가 슬쩍 뺨에 손을 대곤 했다.

그러면 감겨 있던 그의 눈이 천천히 떠진다. 수아는 잠이 가득하던 금빛 눈동자가 수아를 인식하며 또렷하게 바뀌는 그 찰나의 시간이 좋았다. 수아, 하고 낮게 그녀의 이름을 부르는 그 목소리도.

그러면 수아는 부드럽게 웃으며 그의 이름을 부르며 더욱 품 안으로 파고들었다. 보이지는 않았지만 하르페니언 또한 입꼬리를 올려 웃고 있다는 것이 느껴졌다. 그는 천천히 커다란 손으로 그녀의 머리를, 등을 쓰다듬었다. 그리고 이마나 뺨에 가볍게 키스해주며 다시 자라고 말을 해주었다.

자신을 감싸고 있는 그의 단단한 몸이 좋았다. 맥박이 뛰는 느낌 또한.

수아는 그의 체온을 느끼며 다시 잠이 들었다.

그렇게 며칠간 휴식을 취해 시도 때도 없이 감기던 눈에 좀 힘이 생기자 하르페니언은 황궁의 본궁으로 거처를 옮기면 어떻겠느냐는 제의를 했다. 그녀의 안전을 위해서였다.

아무래도 수도에 한동안 머물 거라면 혹시 모를 사태를 대비해야 했고, 최소한 이러한 저택보다는 황궁 안이 방비는 더 철저하기 때문이다.

수아는 꽤 주저했다. 솔직히 내키지가 않았다. 내내 방 안에만 있을 거라면 상관없지만, 그렇지 않은 이상 분명 다른 이들과 마주칠 수밖에 없을 터. 꼭 귀족들이 아니라도 본궁에서 일하는 고용인들도 있다. 불편할 것이 뻔하다. 하지만 겨우 그것만으로 본궁으로 들어가는 걸 거절하는 건 어리광밖에 되지 않는다. 결국 고개를 끄덕이려는 수아에게, 해결책을 준 것은 의외로 실바코프였다.

"원하는 곳에 있어, 아가씨."

"네?"

"암살자는 내가 막아줄 테니. 아니, 몬스터든 뭐든 손 하나 까딱할 수 없게 해주지. 기한은 신전에 매개체를 바쳐, 끝을 볼 때까지로 할까."

"무슨 꿍꿍이지?"

하르페니언이 의심스럽게 물었지만, 실바코프는 씩 웃었다.

"작은 선물입니다, 전하."

"선물?"

"아가씨와 전하를 위한. 신전에 다녀온 이후에는 많은 것이 달라질 것이 아닙니까?"

그 말에 하르페니언은 입을 다물었다. 수아도 납득했다. 하긴, 신전에 다녀온다는 건 저주가 풀려 돌아온다는 이야기다. 그러면 아주 일이 많겠지. 황궁은 물론 나라 전체가 뒤집힐 테고, 하르페니언은 훨씬 바빠지지 않을까. 그리고 그 부산함이 이번에는 하르페니언 선에서 끝나지 않고 수아에게까지 올 터였다. 그러기 전에 마음이라도 좀 편하게 있으라는 뜻인 것 같았다.

"용언(龍言)은 보통 마법들과 차원이 다르지요. 다른 드래곤이 나타나지 않는 이상 완벽할 테니, 걱정 마십시오."

이번에는 굳이 목걸이를 빌려 가는 등 번거로운 행동도 필요 없었다. 딱히 주문을 외우지도, 뭔가 빛이 나지도 않았다. 하지만 이미 보호는 시작되었다고 했다.

"그런데 이렇게 해줘도 되는 거예요?"

참견에는 엘프 정도의 힘밖에 사용할 수 없다고 하지 않았나.

"사실상 거의 끝난 거나 마찬가지니까. 이 정도야 내 임의로 해줄 수 있어."

그렇게 말하는 건 아무래도 진심으로 보였다.

물론 태연히 거짓말을 하는 사람이긴 했지만 그 행동이 하르페니언이나 수아에게 방해가 된 적은 없었다. 오히려 계속해서 도와줬고 목숨까지 구해줬으니까. 수아는 그렇게만 생각했다.

어쨌든 그렇게 되자 선택 범위가 넓어졌다. 황궁으로 들어가든 리노체스 저택에서 계속 머물든 아니면 하르페니언이 외각에 가지고 있는 저택으로 가든 상관이 없어진 것이다.

그중 수아는 회궁으로 들어가는 길을 택했다. 안전에 신경을 쓰지 않는다면 그만큼 좋은 장소가 없었다. 어차피 하르페니언도 회궁에 머물 테니 수아가 다른 곳에 묵으면 그가 오가며 남의 눈에 꽤 띄리라. 더구나 그녀에게도 회궁은 제법 익숙하고 편한 장소였다.

그리하여 돌아온 회궁은 여전했다. 비에린느 부인이 욕지거리를 섞어 환영해줬고, 베슨은 계집애가 다시 돌아오지 않을 줄 알았다느니 어쩌니 하면서도 허허 웃었다. 루시도 무표정한 그 얼굴에 반가워하는 티가 역력했다. 하지만 역시 가장 격렬하게 반긴 것은 렉스였다. 일어서면 거의 키가 사람만 해지는 그 커다란 개는 후원과 정원을 단숨에 빙글빙글 돌면서 온 힘을 다해 수아 주위를 껑충껑충 뛰었다.

수아의 복장도 다시 여관의 붉은 치마로 되돌아갔다. 예전처럼 하루 종일은 아니었지만 어느 정도 일을 할 생각이었다. 여기에 있으면서 굳이 손님으로 있기는 싫었다.

하르페니언은 그런 수아의 복장을 보고 조금 곤란한 표정을 짓다가, 이야기가 어떻게 되었는지 리노체스가에서 하녀 셋과 하인 둘을 데려왔다.

이렇게 되면 굳이 수아가 일을 할 만한 부분이 많이 없어지는 데다, 하녀들은 모두 수아와 안면이 있는 사이다. 리노체스 저택에서는 손님으로 있었기에 「아가씨」였던 수아가 함께 일을 하기도 참 애매했다. 결국 수아는 회궁에서 하던 기존 일에서 대부분 손을 떼게 되었다.

사실 정석적으로 보면 이게 맞긴 했다. 수아가 이제까지 회궁에서 한 일은 여관의 일이라기보다는 하녀들이 하는 일에 가까웠으니까.

외부인들을 안내하는 것도 딱 한 번만 함께해 인수인계를 해주고 손을 놨다. 주방 또한 하녀들이 차지했다. 이제 수아가 요리하지 않아도, 카르니언이 오지 않아도 음식은 상당히 괜찮게 나오기 시작했고 그렇게 나온 식사는 아직 이곳의 재료에 완전히 익숙하지 않은 수아가 만든 것보다 더 나았다. 심지어 하녀들 중 둘은 리노체스 저택에서도 종종 요리를 거들었던 모양으로 식재료를 다루는 것에 매우 능숙했다.

리노체스 저택의 고용인들이 회궁의 들어온 후 이런 작은 부분부터 분위기가 완전히 바뀌었다. 전반적으로 더 활기차지고 깔끔해져, 더 이상 먼지가 굴러다니거나 거미줄이 눈에 띄는 일도 없어졌다.

일손이 몇 배나 늘었다는 것도 있지만, 무엇보다 새로 온 고용인들은 젊었다. 하인과 하녀 대부분이 수아와 비슷하거나 조금 더 위였고, 가장 나이가 든 하녀마저도 30대 초반이었다.

여기에 그들도 이곳의 주인을 무서워하지 않는다는 것이 더해졌다. 애초에 리노체스 저택에서 일하고 있다는 말 자체가 최소한 황태자를 봐도 기절하지 않거나 도망가지 않는다는 조건을 충족시켰다는 뜻이기도 했다.

부풀려진 소문 안에서 진실을 찾으라고 하기보다는 그게 실제든 아니든 누가 옆에서 확실하게 말해주는 것이 낫다.

리노체스 저택에서는 그 주인들부터가 저주받은 황태자를 아무렇지도 않게 대했고, 고용인들에게도 가까이 가지만 않으면 아무 일이 없으리라는 걸 계속 강조해왔다. 실제로 저주받은 황태자와 마주쳤음에도 대부분 아무 일도 없었고, 닿아 죽어 나간 사람이 한 명도 없다는 것도 한몫했다.

결과적으로 리노체스 저택의 고용인들은 개개인마다 받아들이는 게 좀 다르다고 해도 저주받은 황태자를 「최소한 갑자기 그들을 죽일 리 없는」 존재 정도로 인식하게 되었다.

그러다 보니 아무것도 아는 것 없으면서 기절이나 해대는 「외부인」에게 질렸던 기존 회궁 사람들과도 굉장히 부드럽게 융합됐다.

하르페니언과 마주쳐도 비명을 지르거나 주저앉지 않고 곱게 인사하는 부분만으로도 상당히 플러스였고, 무엇보다도 맛있는 음식을 주는 사람을 싫어하는 이는 별로 없는 법이다. 특히 베슨은 술안주까지 다양하게 나온다며 입이 귀에 걸렸다. 더구나 하인들 중 하나와 죽이 맞아 정원을 돌보는 방법까지 가르치는 모양이었다. 루시는 음식보다도 다양한 디저트에 지대한 관심을 보였고, 비에린느 부인도 깨끗해진 회궁과 분위기를 보며 만족스러운 미소를 지었다.

리노체스 저택에서 온 하인들과 하녀들도 마찬가지였다. 황궁에서 일한다는 경력 자체가 그들에게 굉장히 도움이 된다. 게다가 황궁에서 일하는 동안 나오는 수당은 리노체스 저택에서 받는 것보다 더 많기 때문에 웬만한 일로는 불만을 가질 리가 없었다. 여기에 약간은 독특하긴 해도 큰 텃세 없이 그들을 받아들인 기존의 고용인과 빡빡하지 않은 생활까지 더해지니 오히려 꽤 즐기면서 생활하고 있는 모양이었다.

그러한 모습을 보며 수아는 생각했다.

"그냥…… 처음부터 황궁의 여관이 아니라 리노체스가에서 사람을 불러오면 안 됐던 걸까?"

그러자 테이블 너머에 앉아 있던 이는 곧바로 대답했다.

"당연히 안 됐지, 그거."

"안 돼?"

수아는 금빛 눈동자를 바라보았다. 같은 색이라고는 해도 선연하게 구분되어, 절대 착각할 수 없는 「다른」 눈동자. 그 눈의 주인인 카르니언은 톡톡, 테이블에 손가락을 한 번 치고는 설명했다.

"으음…… 정확히 말하면 형님이 허락을 안 하셨으니까? 궁 주인의 허락 없이 멋대로 사람을 들일 순 없잖아. 사실 별로 안 좋아 보이기도 하고. 황궁의 고용인들을 놔두고 다른 가문의 고용인들을 받아들이는 게."

"응? 하지만 내가 다쳤을 땐……"

"그때야 리노체스 부인이 성에서 묵었고. 미리 허가를 받아야 한다지만 황궁에 묵는 손님이 자기 고용인을 데려오는 건 그다지 드문 일도 아냐."

"아하. 잠깐, 그럼 지금은 리노체스 부인도 없는데?"

"지금은 또 달라. 형님께서 허락을 하신 거니까. 사실 이게 좀 복잡한데, 사람의 지원을 받았다는 건 공식적으로 리노체스가의 후원을 형님께서 받아들인 게 돼."

똑똑. 그때 노크 소리가 들려왔다. 둘째 황자가 왔다는 소식에 차와 다과를 가져온 하녀였다. 카르니언이 들어오라 답하자 리노체스가의 하녀 하나가 긴장이 가득한 몸짓으로 트롤리를 끌고 들어와 차와 다과를 테이블 위에 늘어놓았다. 그리고 조심스레 차를 따른 후 카르니언의 손짓에 따라 물러났다.

탁, 문이 닫히는 소리가 나자 카르니언은 차와 다과를 가리키며 말을 계속 이었다.

"가신의 고용인을 직접 쓴다는 건 대단한 신뢰 표시기도 하고. 여기에 독이 들어가 있으면 어쩌지? 같은 고민은 최소한 안 한단 이야기니까. 원래대로라면 다른 가신들이 들고 일어날 만한 일이야."

어차피 지금의 하르페니언에게는 충정을 다툴 만한 다른 가신도 없으니 그쪽은 문제가 아니다. 단지 이제까지 부정해오려고 했던 그 관계를 인정했다는 그 소리가, 수아는 조금 기뻤다.

"뭐, 몇 달 정도 리노체스 백작이 좀 고생하겠지만…… 어차피 형님이 다녀오고 나서는…… 후후후, 다 죽었어. 그 너구리들."

카르니언이 음험하게 큭큭거렸다. 수아는 작게 한숨을 내쉬면서 차를 마셨다. 살짝 민트 맛이 올라오는 달콤한 카티차가 시원했다.

어째 요즘 가장 신이 나 보이는 건 어째 카르니언이었다.

그날, 카르니언은 수아가 나올 때까지 그 앞에서 기다리고 있었다. 그리고 새하얗게 질린 수아가 방에서 나오자 굉장히 묻고 싶은 것이 많았을 텐데도 그녀가 진정할 때까지 기다려줬다. 하지만 수아는 진정을 좀 하고 나서도 카르니언에게 모든 이야기를 할 수는 없었다. 실바코프는 방에서 나오자마자 사라져버렸기 때문에 저 안에서 들은 이야기를 어디까지 이야기해도 되는지 물어볼 사람이 없었기 때문이다. 카르니언도 어느 정도는 그걸 짐작하는지 굳이 캐묻지는 않았지만, 딱 하나만은 확실하게 물었다.

—저주를 푸는 방법이, 있어?

그 말에는 수아도 고개를 끄덕일 수 있었다. 동시의 카르니언의 표정이 더욱 딱딱하게 굳었다 이내 확 녹아내렸다. 그 표정을 뭐라 표현해야 할까.

단순한 안도라든가 기쁨이라고 표현하기에는 애매했다. 마치 산더미처럼 쌓인 사탕을 다 먹어도 된다고 허락받은 아이? 한 칸씩 밀려 썼던 수능 점수가 어느 대학이나 골라갈 수 있을 정도로 나왔다는 이야기를 들은 수험생?

어쨌건 카르니언은 그 대답을 들은 것만으로도 만족했고, 그럼 형님이 올 때까지 좀 쉬라며 자리를 비켜주었다.

그리고 그 뒤, 누구에게 어디까지 들었는지는 몰라도 저주를 풀기 위해 수아와 하르페니언이 시작과 끝에 있는 신전으로 떠난다는 것 정도는 알게 된 모양이었다. 그 후 카르니언은 언제나 반 정도 땅에서 떠 있는 상태였다. 하르페니언이 돌아올 때를 생각하면 재미있어서 견딜 수 없는 모양이었다.

"그게 그렇게 좋아?"

"당연하지! 두고 봐, 완전히 발칵 뒤집힐걸. 내가 뭘 어쩌기도 전에 폐하와 형님이 가만두지 않으시겠지만."

그는 정말로 즐거운 듯 큭큭거리며 쿠키를 하나 베어 물었다. 그러다 문득 생각났다는 듯 지나가는 말처럼 덧붙였다.

"하긴, 어머니는 기겁하시겠다."

"어……. 카일의 어머니?"

"응. 귀비마마. 어릴 때부터 내가 황제가 되는 게 당연하다고 믿고 계시는 분이지."

그 말에 수아가 약간 당황하며 그를 보자, 카르니언은 손을 휘휘 저었다.

"아, 괜찮아, 괜찮아. 어머닌 주변에서 하도 부추기니까 내가 황제가 되는 게 당연하다느니, 「하나뿐인」 황자로서 몸가짐을 조심하라느니 하시는 것뿐이지 원래 권력과는 굉장히 먼 분이셔. 그냥 막연하게 황제의 어머니가 되면 좋겠다, 그냥 그 정도 생각이실걸? 태후마마가 되고 싶은 것뿐이니까. 실제론 보석, 드레스, 멋진 별장, 호화로운 무도회를 즐기며 그 중심에 계실 수 있다면 어찌 되든 상관없으실 거야. 만약 직접 정치나 다른 실무적인 일이라도 맡겨드리면 머리 싸매다 앓아누우실걸."

본인의 어머니를 말하는 것이라기엔 꽤 신랄한 말이었다. 하지만 그 말에서는 귀찮음과 동시에 어머니를 향한 애정이 느껴졌다.

"오히려 더 잘됐어. 아예 가능성이 꺾이면, 아니 정확히 말해 내가 황제가 되는 게 당연한 일이 아니라 역적모의를 해야 가능해진다면 포기하실 분이거든. 차라리 그렇게 되면 어머니도 안달복달 안 하셔도 되고, 나도 착한 아들로 있을 수 있으니까."

귀비와 카르니언, 둘의 사이는 그다지 나쁘지 않았다. 따지자면 좋은 편이다. 단지 귀비는 당연히 황제가 되어야 하는 아들이 그걸 거부하는 것 같아 이해를 할 수가 없었고, 카르니언은 그런 어머니에게 약간 진절머리가 났을 뿐이었다.

"나도 일단 그런 식으로 바람을 불어넣은 어머니의 측근이라는 작자들을 좀 내칠 수 있을 거고. 아, 역시 여러모로 기대돼."

수아는 황제가 되고 싶지 않다 말하는 황자를 바라보았다. 그는 진심으로 기쁜 듯 눈을 반짝이고 있었다.

"참, 날이 좀 풀리면 떠난다고 했나?"

"응. 신전에 가기 전까지 같이 여행이나 하자던데."

"그거 괜찮네. 하긴 돌아오면 너랑 형님이랑 오붓하게 지낼 시간을 내기가 당분간 좀 힘들 테니까. 굉장히 정신없어질걸."

돌아온 후. 그래, 돌아오면 더 이상 그에게 저주의 문신 따윈 없다. 더 이상 쏟아지는 혐오나 공포의 눈빛 같은 건 보지 않아도 된다. 오히려 쩔쩔매며 고개를 숙이겠지. 현재 그를 따르는 리노체스 백작이나 기사들처럼 진심으로 경외하고 충정으로 대하는 사람이 아닐지라도 모두 그에게 제대로 된 황족 대우를, 아니 차기 황제의 대접을 해줘야 하리라.

"아~. 빨리 돌아오시는 날이 됐으면 좋겠다."

카르니언이 쭉 기지개를 켜며 말했고, 수아도 그 말에 진심으로 동감했다.

돌아와, 제자리에 선 하르페니언은 누구보다도 찬란히 빛나리라. 그건 정말 의심할 여지가 없는 사실이었다.

수아는 가제보에 딸린 의자에 앉아 어두운 후원 곳곳에 켜져 있는 마법등을 바라보고 있었다. 정원 군데군데에 남아 있는 아직 녹지 않은 눈이 그 빛을 반사해낸다. 그러고 보니 언제부턴가 눈이 오지 않고 있었다. 아직 봄이 오려면 약간 남았겠지만 그래도 겨울이 끝나가고 있다는 것이 느껴졌다.

후원 또한 새 고용인들이 들어온 후 한층 더 깔끔해졌다. 수아는 그런 후원의 모습에서 오히려 얼마 전의 일을 떠올렸다. 실제로는 15년 이상 전의 일일 테지만. 바로 이곳에 어린 소년이 피투성이로 쓰러져 있었다.

그 상처투성이 소년은 지금의 청년으로 자랐다. 그 공백의 기간에 같이 있어주지 못했다는 사실에 새삼 가슴이 저려왔다.

살라고 했다. 버티라고 했다.

많이 괴롭겠지만 이상한 생각을 하지 말라고 했다.

하르페니언은 그 약속을 지켰다.

이번에는 수아가 약속을 지킬 때였다. 다시 만나고, 그리고 저주를 푸는 것. 다행히 모두 가능할 것 같았다.

"그렇지, 렉스?"

수아는 그녀의 발치에 앉아 꼬리를 살랑거리고 있는 커다란 개의 머리를 다시 한 번 쓰다듬어주었다. 처음 만났을 때부터 유난히 그녀를 좋아했던 렉스는 다시 돌아온 그녀도 거의 온몸을 바쳐 반겼고, 그 뒤로도 틈날 때마다 그녀의 뒤를 졸졸 따라다니고 있었다.

그건 지금도 예외는 아니라, 수아는 한참이나 렉스에게 막대기를 던져주며 놀아준 후였다. 문제는 렉스가 막대기를 던지면 물어오긴 하는데 그걸 수아에게 주지 않으려고 한다는 것이었다. 그렇다고 놔두면 그걸 문 입을 다시 그녀에게 들이밀고, 그래서 받으려고 하면 역시 빼앗기지 않으려고 하고. 그렇게 실랑이를 하느라 정작 막대기를 던진 건 두어 번 정도였다.

하지만 그것만으로도 렉스는 충분히 만족했는지 지금 그녀의 발치에 앉아 기분 좋은 듯 그녀의 손길을 느끼고 있었다. 때때로 꼬리를 치면서.

수아는 다시 후원 입구 쪽으로 시선을 돌렸다. 아직 하르페니언의 모습이 보이지 않았다.

수아가 회궁에 머물기 시작하면서 하르페니언은 대부분의 시간을 그녀와 보냈다. 마치 그동안 떨어져 있었던 것을 보충하겠다는 듯. 오늘처럼 종일 자리를 비우고 이 시간까지 들어오지 않는 건 거의 없는 일이었다. 물론 어디에 간다는 거나 그래서 늦을 거라는 이야기는 들었다. 그의 실력이나 함께 간 실바코프를 생각하면 무슨 일이 생긴 건 아닐 터였다. 그래도 걱정이 되는 건 어쩔 수 없었다. 그래서 오늘은 굳이 후원으로 나왔다. 용언인지 뭔지 덕분에 암살자가 온다고 해도 문제가 되진 않을 테니까.

암살자라. 어느 순간부터 이 단어에 익숙해졌더라.

수아는 멍하니 생각했다. 처음에는 암살자라는 단어만으로도 충격을 받았었는데, 지금은 이 후원 밑에 뭐가 있는지도 알고 있었다. 수아가 다시 회궁으로 들어온 후 비에린느 부인에게 이야기를 들었기 때문이다.

그녀는 수아가 하르페니언에게 당을 수 있다는 걸 안 뒤로 태도가 살짝 바뀌었다. 원래부터 수아를 부려먹거나 낮춰보는 타입이 아니었으니 그런 쪽의 변화는 아니었다. 욕설을 섞어 툭툭 내던지는 말투도 여전했다. 단지 조금 더 적극적으로 회궁이 돌아가는 모습에 대해, 그리고 그녀와 베슨, 루시가 언제 들어왔고 각각 어떤 역할을 하고 있는지 등에 대해 이야기하기 시작했다.

그렇지 않아도 꽤 궁금했던 사항들이었기에 수아는 이것저것 물었고, 그사이 암살자들의 시체가 대부분 정원이나 후원 밑에 묻혀 있다는 사실도 알게 되었다.

사실 수아가 다시 회궁으로 돌아온 후, 일하는 이들 중 하르페니언과 그녀가 함께 있는 모습을 보지 못한 이가 없었다. 하르페니언이 대부분 회궁에 머무르려고 노력하는 데다, 함께 식사를 하고 정원이나 후원을 거닐다 보니 당연하다면 당연한 결과였다.

둘이 있는데 굳이 떨어져 있을 리가 없었고, 자연스럽게 하르페니언과 수아가 자연스럽게 맞닿아 있는 모습을 본 고용인들의 반응은 꽤 대단했다. 그나마 리노체스가에서 온 고용인들은 「성녀」에 대해 들은 소문과 맞물려 나름대로 쉽게 납득한 것 같았지만, 기존 회궁 사람들은 그렇지 못했다.

원래 회궁은 소문이 가장 늦게 도달하거나 아니면 끝까지 도달하지 않는 장소 중 하나다. 여기에 소문이라는 건 과장되거나 없는 소리가 많다는 걸 직접 경험한 사람들이다 보니 어떤 말이 들려와도 믿지도 않고 거의 신경도 쓰지 않았다. 그래서 성녀니 뭐니 하는 이야기도 한두 마디 주워듣긴 했지만 역시 헛소문으로 생각했던 모양이었다. 루시나 베슨은 그렇다 하더라도 비에린느 부인이 얼이 빠진 표정을 짓는 건 꽤 희귀한 광경이었다.

어쨌건 수아는 이상하게도 이 후원에 암살자들의 시체가 묻혀 있다는 사실에 큰 충격을 받지 않았다. 그냥 비로소, 옛날 베슨이 요즘 들어 식물들이 잘 자란다고 한 말이 무슨 뜻인지 알 것 같다고 생각했을 뿐이었다.

그런 걸 생각하면 그녀도 많이 바뀌었다. 아마 이곳에 와서 짧은 시간 안에 너무 많은 일을 겪었기 때문이리라.

하지만…….

수아는 언제부터인가 마음속에 걸려 있던 위화감을 천천히 끄집어내었다.

확실히 하르페니언은 저주가 풀리면 완벽한 황태자가 될 것이다. 제왕의 운명이라 하지 않았던가. 그 누구보다 빛나고, 그 누구보다도 위대하게 되겠지. 당연히 언젠가 황제 위에 오를 것이다.

하지만…… 나는?

이번 사건으로 확실히 알았다. 저주가 풀리고 하르페니언 곁에 있어줄 사람이 더 이상 필요하지 않게 되더라도 돌아가고 싶지 않다는 걸. 그의 곁에 있고 싶다는 걸.

여전히 그녀의 세계는 그립지만 이제는 됐다. 하르페니언의 곁에 있을 수 없다는 것이 더 견딜 수가 없었다. 그 무엇보다도 그가 더 소중했다.

사실 이성적으로 생각하면 웃기는 일이었다.

초중고 12년에 대학까지, 오로지 그 세계에서 살아가기 위해 계속 공부했다. 유치원까지 넣으면 더 길지도 모르는 기간. 그런데 그걸 다 남자 하나 때문에 무위로 돌린단다. 생활방식도 완전히 달랐다. 아무리 마법이라는 게 있다고는 하지만 수아 기준으로 이곳은 상당히 불편했다. 컴퓨터도 인터넷도 없는 건 물론, 옷을 하나 만들려고 해도 재봉틀 하나 없이 일일이 손으로 해야 한다.

더구나 이 세계에서 수아는 영원한 이방인일 수밖에 없었다. 거의 20년을 살아온 세계의 그 어느 한 부분도 공감 받을 수 없는 것이다. 상식이 다르니 정말 근본적인 것부터 설명하고 설명 들어야 하는 것은 당연했고, 사소하게는 노래나 사진, 물품 등 과거의 추억을 떠올릴 그 어떤 것도 없었다. 이곳에서의 그녀의 가장 먼 과거는 채 2년도 되지 않았으니까.

그렇기에 모든 걸 다시 시작해야 했다. 사람과의 관계, 배운 모든 것, 심지어는 쓰는 언어까지. 숨 쉬듯 자연스러운 한국어와 한글을 버리고 제국어를 말하고, 읽고 써야 했다. 말은 그렇다 치더라도, 글자는 읽는 것이 아직도 많이 느렸다.

그 사실이 가끔은 지독히도 힘들고, 외롭게 느껴졌다.

그럼에도 불구하고.

그녀는 그의 곁에 있고 싶었다.

추억이 없다면 만들면 된다. 상식은 쌓으면 된다. 관계는 다시 이어가면 된다. 불편하다지만 적응하면 된다.

실제로 말은 굉장히 빠르게 익숙해졌고 친구라고 할 수 있는 이들도 생겼다. 낯설기만 한 세계는 서서히 그녀의 또 다른 세계가 되어가고 있었다.

그러니까 괜찮았다. 하르페니언 곁에 있는 것만으로도 그건 다 감수할 수 있는 문제였다.

그가 너무너무 좋았다. 이 감정을 과연 사랑이라는 단어 하나로 표현할 수 있을까 싶을 정도로. 자신보다 더 소중한 것이 무엇인지 알 것 같았다. 만약 그가 그녀의 목숨을 요구한다 해도 내줄 수 있을 정도로.

단지…….

그는 황태자다. 이 제국의 황제가 될 사람이다.

요즘 들어 계속 그 사실이 와 닿았다.

그럼 그녀는 어떻게 되는 걸까. 하르페니언은 저주가 풀리면 그녀에게 청혼을 하겠다는 말을 한 적이 있다. 그때는 그저 그 마음이 기뻤다. 그러나 지금 와서는, 아무래도 황태자비가 된 자신의 모습을 상상할 수가 없었다.

아니 황태자비에서 끝날 리가 없다. 하르페니언이 황제가 된다면 그의 아내는 황후가 되는 게 당연했다. 그러나 아무리 생각해도 그 자리에 자신이 적합할 리 없었다. 그리고 그건 하르페니언이 더 잘 알고 있지 않을까.

아무런 기반도 없고 상식도 부족한 이계인 여자.

그는 황제가 될 터였고, 그렇다면 혼인은 꼭 한 사람만과 하지 않아도 되리라. 카르니언의 어머니가 귀비인 것처럼.

그 생각을 하자 가슴이 욱신거렸다. 그의 마음을 의심하는 건 아니다. 그럴 단계는 이미 지났고, 오히려 그녀가 이런 생각을 하는 걸 알게 되면 하르페니언이 화를 낼 거라는 사실도 알았다. 차라리 다른 여자에게는 눈도 돌리지 말고 그녀만 보라고 하는 게 그에게는 더 마음 편한 일이겠지.

그렇지만…….

수아는 결국 한숨을 작게 내쉬었다. 차가운 공기 안에 하얀색 입김이 올라가는 것이 보였다.

언젠가 카르니언에게 형님은 이 나라를 아낀다는 이야기를 들은 적이 있었다. 그저 잡담을 하며 지나가는 말 중에 불과했기에 당시에는 별생각 없이 넘긴 말이지만, 이제 와 수아는 거기에 몇 마디를 덧붙이고 싶어졌다.

그는 사람을 사랑하고, 나라를 사랑하고, 이 세상의 모든 걸 사랑했다.

하르페니언은 정말로 그 소문의 존재가, 아니 그보다 더한 존재가 되었을 수도 있었다. 내키는 대로 사람을 죽이고, 사람들이 그를 보고 비명을 지르면 더욱 비명을 지르도록 해줄 수 있었으리라.

하지만 그는 그러지 않았다. 그 누구에게도 이해와 보답 따윈 바라지 않은 채, 하지만 누구보다도 올곧게 그 자리에 서서 자신이 할 수 있는 최선을 다했다. 누구의 탓도 하지 않은 채, 오히려 원망은 그 스스로에게 모두 쏟아버리면서.

그러니 그는 누구보다도 좋은 황제가 될 터였다.

그 옆에, 그녀가 있는 것이 맞을까.

그때 갑자기 렉스가 벌떡 일어났다. 그리고 꼬리를 치며 맹렬하게 후원 입구로 달려가 순식간에 그 모습을 감췄다.

수아도 반사적으로 일어났지만, 후원 입구에는 아무도 보이지 않았다.

그러나 곧 다시 타닥거리는 렉스의 뛰는 소리와 함께 남자의 모습이 어둠 속에서 드러났다.

"알!"

"수아?"

그의 모습을 본 순간 이제까지 한 생각이 순식간에 허공으로 흩어졌다.

그녀는 그를 향해 달음박질쳤고, 하르페니언은 놀란 듯하면서도 자연스럽게 팔을 벌려 달려오는 그녀를 품에 안았다.

"여기서 계속 기다린 건가."

"아뇨, 방금 나왔어요."

"몸이 차."

그는 얼른 장갑을 벗으며 걱정스럽게 수아의 뺨에 손을 올렸다. 따뜻한 온기가 확 뺨으로 옮겨 갔다. 수아는 저도 모르게 미소 지었다.

"알도 전에는 날마다 이렇게 대답했잖아요."

"그거야……."

하르페니언은 뭔가 반박하려다가 입술에 와 닿는 부드러운 감촉에 입을 다물었다. 수아가 발돋움을 하여 그에게 입을 맞춘 것이다. 마치 작은 새처럼 가볍게 쪼는 듯한 입맞춤 후 그녀가 떨어지자, 하르페니언은 언제 잠시 굳었느냐는 듯이 한 팔로 그녀의 허리를 부드럽게 감아 품 안으로 끌어당겼다.

"그 드래곤 때문에 위험하진 않아도, 감기는 걸려."

"슬슬 날이 풀리는 것 같지 않아요?"

"날씨가 바뀔 때가 가장 위험하지."

그의 몸에서는 흙냄새와 약간의 피 냄새가 났다. 이제는 익숙해져 가는 내음이었기에 수아는 새삼 놀라지는 않았다. 단지 걱정이 될 뿐이었다.

"다치진 않았죠?"

"설마."

실바코프는 매개체를 제단에 바치기 전까지, 몬스터가 몰려다니고 갑작스럽게 출몰하는 건 변하지 않을 거라고 했다. 피해는 전국 여기저기에서 계속 나오는 중이었다.

그리고 그 책임자는 여전히 그였다.

물론 황족이 이런 일에 직접 퇴치하러 나서는 일이 더 드물기에, 그가 이탈한 후에도 하르페니언의 이름 아래 계속 퇴치가 이루어지고 있었다. 그러나 현장에서 완전히 발을 뺄 수 있는 건 신뢰할 만한 지휘관이 있을 때의 이야기고 지금 하르페니언의 휘하에는 그런 사람이 없었다. 요 몇 달 기사들이 자발적으로 그의 밑에 남았다고는 해도 그중 누군가를 골라 완전히 지휘를 맡길 수도 없었고, 리노체스 백작은 문관이다. 따라서 하르페니언은 요즘 실바코프의 도움으로 자주 현장에 합류하곤 했다. 원래라면 왕복에 며칠씩 걸리는 거리라도 그의 마법으로 순식간에 오갈 수 있기 때문이었다.

물론 수아와의 여행 도중이라면 이런 식으로 오갈 수 없기에 지금부터 그가 없을 때에도 현장이 돌아갈 수 있게끔 조금씩 체계를 잡아놓고 있었다. 모든 걸 위임할 지휘관 한 명을 정할 순 없으니 병사들을 나눠 각자 움직이되 유사시엔 협력할 수 있도록.

서로 협력하는 상황에는 그의 휘하에 완전히 남은 기사들에게 조금씩 권한을 더 주는 방식이다.

사실 이건 기사나 군대라기보다는 용병들의 방식에 더 가까웠고, 그만큼 변칙적이었다. 오히려 명령체계가 확실히 잡혀 있었다면 불가능했을 방법이다.

그렇게 조금씩 틈을 만들어나가던 하르페니언이 오늘은 아예 날을 잡아 꽤 오래 실전훈련 겸 퇴치를 하고 온 모양이었다. 물론 그뿐이었다면 피 냄새가 날 일이 없긴 했다.

“오늘 암살자는요?”

“한 팀.”

“부상자는 없고요?”

“병사 한 명. 경상이야.”

맞닿아 있는 몸을 통해 그의 목소리가 울린다. 수아는 그 느낌이 좋아 더욱 그의 품 안으로 밀착했다.

하르페니언도 당황하지 않고 그런 그녀를 안은 팔에 힘을 주었다.

“진짜 꾸준히 오네요.”

“몬스터들 사이에 끼면, 내가 간단히 죽어줄 거라 여기는 것 같더군.”

정작 회궁으로 온 암살자들은 이제껏 한 팀도 없었다. 순간이동마법을 펑펑 쓰는 존재를 공표할 순 없으니, 황태자는 지금 기사들과 함께 있는 걸로 되어 있기 때문이다.

“그 착각을 이뤄줄 생각은 없지만, 아무래도 멋도 모르는 애송이 암살자들이 외려 골치야. 내가 있는지도 제대로 확인하지 않고 무작정 덤벼드니.”

“저번에는 기사님이 부상당했었죠?”

"그래. 기사들은 보통 암살자를 상대하는 방법 따윈 익히지 않으니까."

그가 가볍게 한숨을 내쉬었다.

확실히 하르페니언의 태도도 변했다. 옛날 같으면 가급적 그녀에게 하지 않으려고 했던 이런 종류의 이야기도 피하지 않고 솔직하게 이야기해준다. 이 밑에 묻힌 암살자들의 이야기를 꺼냈을 때도 잠깐 머뭇거리긴 했지만 얼버무리거나 부정하지 않았을 정도다.

그게 기뻤다. 이제 이런 종류의 이야기도 더 이상 숨기지 않는구나 싶어서.

"아무튼, 어서 들어가지."

"아, 조금 더 있다 들어가면 안 될까요?"

"그대 몸이 찬데."

"진짜 괜찮다니까요. 정 뭐하면…… 알이 따뜻하게 해주면 되잖아요."

순간 그의 몸이 살짝 굳었다. 그리고 이내 귓가에 한숨이 들려온다.

"수아."

"다른 남자에게 말 안 해요. 그리고 저도 약간 그럴 의도였어요. 됐죠?"

다시 잠시의 침묵.

"……이대로 그대를 안아 올려 방에 들어가지 못하게 하다니, 그게 더 고문이야."

수아는 킥킥 웃고는 그제야 하르페니언에게 떨어졌다.

"어차피 알도 씻고 쉬어야 하니까, 조금만 더 있다 들어가요."

수아는 두 사람만의 세계에 가버린 탓에 옆에서 낑낑거리며 자신을 봐달라고 펄쩍펄쩍 뛰고 있는 렉스의 머리를 쓰다듬어 줬다.

개가 기분 좋은 듯 끙끙 소리를 내자 하르페니언이 다시 작게 한숨을 내쉬었다. 그리고 포기한 듯 그 또한 렉스를 쓰다듬어주었다.

그렇게, 둘은 한동안 가제보에 앉아 이야기를 나누었다. 정말 신기했다. 날마다 얼굴을 보는데도 무슨 할 이야기가 이렇게 쏟아지는지. 마법등 사이로 보이는 별이 아름다웠고, 약간 쌀쌀하게 불어오는 바람도 좋았다. 옛날에도 이렇게 이야기했다는 추억까지 떠오르자 정말 행복이라는 것이 이런 거구나 하는 실감이 났다.

이 남자가 좋다. 계속 이대로였으면 했다. 그녀만의 남자로, 그녀의 곁에서.

이상했다. 아까까지는 멋대로 한 상상에 가슴이 아팠다면 지금은 그 생각을 하는데도 마냥 즐거웠다. 그래, 미리 고민해봤자 뾰족한 수가 나올 리 없다.

말마따나 이 세계에 대해 잘 알지도 못하는 이계인 여자가 혼자 머리를 굴려봤자 제대로 된 결론이 나올 리도 없었다.

모든 건 그냥 다녀와서 생각하자. 쓸데없는 생각으로 이 순간을 낭비하지 말자. 하르페니언이 곁에 있어서인지 그렇게 마음을 먹는 것이 이상할 정도로 쉬웠다. 신전에 가 돌아오기 전까지는, 그냥 옆에 있는 남자와 함께 지금 이 순간순간을 충족하며 있자.

"여기는 변하지 않으면 좋겠어요."

"음?"

"앞으로 알도 저도 나이를 먹어갈 거잖아요. 아니, 그렇게 멀리까지 가지 않아도 일단 돌아오면 많은 것이 바뀐다고 들었어요. 그래도, 여기는 계속 이 자리에 있었으면 좋을 것 같아요."

수아는 빙긋 웃었다. 맞잡고 있는 손이 뜨거웠다.

"회궁은 원래 왕국이었을 적에 궁전이었다면서요? 그걸 재건축하지 않고 남겨뒀고. 계속 그랬으면 좋겠어요. 알과 제가 굉장히 나이를 먹은 후에도 같이 올 장소로요. 그러면 지금을 떠올릴 수 있을 테니까요."

하르페니언은 잠시 수아를 바라보다가, 그 역시 조용히 미소를 지었다.

"그래."

그는 진심을 담아 말했다.

"꼭, 그럴 수 있다면 좋겠군."

그 말에는 미묘한 울림이 있었지만, 수아는 눈치채지 못했다.

여러모로 아름다운 밤이었다.

"그런데, 이렇게 도와줘도 되는 거예요?"

수아가 물었다.

"음?"

갑자기 나타나 멋대로 수아의 건너편 의자를 차지하고 뒹굴거리고 있던 은발의 남자는 그 소리에 연보라색 눈동자를 돌려 그녀를 바라보았다.

"저를 보호해주는 것도 그렇고, 알을 순간이동으로 옮겨주는 것도 그렇고. 이러다간 순간이동으로 신전까지 데려다주는 건 아닌지 몰라."

"어, 뭐."

그는 피식 웃었다.

"정말 그래 볼까?"

"뭔데요, 진짜."

"아니, 진짜로. 이제 와서 이 정도 도와주는 걸로 문제가 될 리 없거든. 중요한 건……."

으쌰, 그가 의자에서 반 정도 누워 있던 몸을 일으켰다.

"둘의 선택이지."

"선택이요?"

"전하의 선택, 아가씨의 선택. 즉 나는 이제 둘이 결정을 하는 방향에 대해서만 참견하지 않으면 되는 거야. 사실 아가씨가 열쇠로서 이 세계로 왔을 때부터 살아남고 버텨야 하는 류의 시험은 거의 종료되었다고 보면 되니까."

"으음……. 그럼 결정한 걸 도와주는 건 괜찮다는 건가요?"

"그렇지."

"그럼 진짜 신전까지 순간이동으로 데려다 달라는 것도 가능해요?"

"원하면? 그런데 굳이 그럴 필요가 없지?"

"그건 그러네요."

시간에 쫓기는 것도 아니고 위험에 처해 있는 것도 아니다. 더구나 신전에 가기 전까지 둘이 여행을 하기로 결정한 지금, 굳이 그의 힘에 의지하지 않아도 되는 것이다.

그렇다고는 해도 이상하게 협력적이다. 규칙에 걸릴 정도는 아니니 도와주는 게 괜찮다고는 하지만, 반대로 말하면 굳이 도와줄 필요도 없을 테니까.

그 의문이 표정으로 나왔는지 실바코프는 그녀가 묻지도 않은 질문에 답했다.

"말했잖아, 작은 선물이라고. 난 아가씨도 전하도 꽤 마음에 들거든."

"어…… 보통은 고맙다고 해야 할 것 같은데."

여전히 의심의 눈으로 보는 수아에게 실바코프는 툭 내던지듯 말했다.

"사실상 아가씨는 아가씨의 세계로 돌아가는 걸 포기했지?"

순간 말문이 막혔다. 그 이야기를, 실바코프에게 직접 이야기를 한 적이 있었던가?

"돌아갈 마음이 있었다면, 나에게 물어볼 게 잔뜩 있었겠지. 결국 아가씨가 가진 모든 걸 포기할 정도로 전하가 소중하다는 소린데…… 정말, 이건 양쪽이 다 똑같아서."

마지막 말은 수아의 귀에 거의 들리지 않았다.

"네?"

"음, 아니. 그냥 혼잣말. 아무튼 보기 좋아서 그런 거야. 저번에 내가 연인이 있었다고 한 거 기억나지?"

"아, 네."

"인간이었어. 이 세계 사람이었고. 그리고 자신이 사는 이 세상을 너무나도 좋아했어. 그 마음씨만 아니었으면 좀 더 살 수도 있었겠지만……."

그는 어깨를 한 번 으쓱였다.

"인간의 수명으로 봐도 그녀는 꽤 단명했지. 그래서인지 나에게 이 세계는 특별해. 물론 그녀가 아니라도, 이 세계는 내가 처음으로 인간과 접한 곳이기도 해서……. 그래서 사실 꽤 여러 마음이 오가. 아예 이 세계가 없어졌으면 좋겠다 싶다가도, 또 영원히 남아줬으면 하는 마음도 있고."

그는 당황한 표정의 수아를 보며 다시 웃었다.

"아무튼 그런 거니까, 너무 복잡하게 생각하지 마. 원래 내 임무가 신전까지 지켜봐야 한다는 거지만, 그게 아니라도 개인적으로 이 저주의 끝을 지켜보고 싶거든."

"그…… 저는."

"인간 기준으로는 꽤 오래된 일이야. 뭐, 신경 쓰지 마."

그런다고 해서 신경이 안 쓰일 리가 없었다. 하지만 뭐라고 말해야 할지 몰라 수아가 우물쭈물하고 있는 사이 실바코프가 뭔가를 품에서 꺼냈다. 지도였다.

"이거나 봐. 신전 위치 알려주려고 온 거니까."

지도의 북서쪽 끝에 뭔가 표시가 되어 있었다. 수아는 그 지도를 들여다봤지만 뭔가 복잡하게 표기가 되어 있어, 간신히 수도의 위치와 표시되어 있는 곳이 어딘지만을 알아볼 수 있는 수준이었다.

"이걸 제가 익혀야 해요?"

"정확히 알 필욘 없고. 일단 전하께도 말씀드렸으니 별문제는 없겠지만 아가씨도 방향 정도는 알아두는 게 나을 것 같아서. 자, 여기가 지금 아가씨가 있는 수도고, 여기까지가 제국이야. 그리고 이곳이, 시작과 끝의 신전이고."

실바코프가 가리키는 곳은 제국의 꽤 구석에 있었지만, 뭔가 숲이나 산속에 은밀하게 있으리라는 수아의 생각과는 달리 들판 한가운데였다.

"여기도 신관이 있나요?"

"아니. 내가 먼저 가서 기다리고 있을 거야."

"실바코프 씨가요?"

"애초에 여기는 인간에게 허락되지 않는…… 아니, 편의상 신전이라고 했을 뿐 여기서 살아가는 존재들에게는 허락되지 않는 장소니까. 허락받지 못하면 찾을 수조차 없어."

"아."

"이 안은 꽤 재미있지. 늦지 않게, 넉넉히 시간을 잡아서 와. 설마 여기까지 와놓곤 지각으로 모든 걸 망칠 린 없겠지만."

"명심할게요."

그 뒤로 조금 더 지도를 보며 설명한 실바코프는 곧 자리에서 일어났다.

"지도는 아가씨가 잘 가지고 있고. 아무튼, 나중에 보자고."

"잠깐만요, 곧 차랑 다과가 올 텐데……."

"음? 설마 그사이에 아가씨, 나에 대한 마음을 자각한 건가? 내가 가려고 하니 섭섭해? 아, 이거 곤란한데. 전하와 척을 지고 싶지 않……."

"그냥 혼자 마시는 게 낫겠어요."

실바코프는 결국 일이 있다며 자리에서 일어났다. 수아는 홀로 쿠키를 먹고 카티차를 마시면서 생각했다. 확실히 그는 굉장히 좋은 조력자였다. 아무것도 하지 않고 지켜보기만 할 수도 있었을 텐데.

그럼, 신전에 다녀오면 되면 실바코프 씨도 더 이상 이 세계에 머물지 않게 되는 걸까.

그 사실이 아주, 아주 조금 섭섭하게 느껴졌다.

수아는 초조한 마음을 가라앉히기 위해 책을 읽고 있었다. 하지만 이번 독서는 사람을 더 초조하게 만드는 효과가 있었다.

[에르닌?]

어디서 많이 들어본 단언데. 수아는 톡톡, 펜을 책상에 치며 고민하다가 결국 사전을 펼쳤다.

결국 「권리」라는 뜻을 찾은 그녀는 작게 한숨을 내쉬었다. 환상이라도 그녀의 세계에 다녀온 것이 영향을 미쳤는지, 아니면 그냥 꽤 오랫동안 책을 읽지 않아서인지 전보다 글을 읽는 속도가 느려져 있었다. 잊어먹은 단어도 꽤 많았고.

수아는 단어장에 단어 세 개를 더 찾아 써 넣은 후에 그냥 책을 덮어버렸다. 가뜩이나 잊어먹은 게 많은 데다가 마음까지 안달복달하다 보니 더 눈에 들어오지 않는 것도 같았다.

수아는 플로나와 아이린을 기다리고 있었다.

회궁으로 돌아온 후 곧바로 둘을 만나러 가고 싶었다. 하지만 그사이 소문도 여러모로 더 거대하게 퍼져버린 데다 아이린과의 마지막 만남이 기절로 마무리 지어졌기 때문에 선뜻 엄두가 나지 않았다. 그렇게 망설이는 사이에 시간이 꽤 지나갔다. 결국 수아는 최근에야 떠나기 전 친구들을 만나봐야 한다고 마음을 먹고 간신히 둘에게 전갈을 보낼 수 있었다.

둘은 저녁식사 이후라면 언제든지 시간이 괜찮다는 답변을 해왔고, 결국 수아는 하르페니언이 오후에 나가 밤에 들어오는 날을 골라 약속을 잡았다. 그리고 오늘이 바로 그 둘을 만나는 날이었다.

덮은 책을 보며 그래도 좀 더 읽을까 말까 고민하고 있을 때 노크 소리가 들려왔다. 왔구나. 수아는 긴장으로 한번 침을 꿀꺽 삼키고는 들어오라는 말을 전했다.

문이 열리고, 리노체스가의 하녀들 중 한 명이 붉은 치마를 입은 여관 둘을 안으로 안내했다.

"수아!"

하녀가 나가자마자 붉은 치마가 펄럭였다. 플로나였다. 그녀는 마치 예전처럼 곧바로 그녀에게 달리듯 다가왔다.

"맙소사, 잘 지냈어? 이게 얼마 만이야. 괜찮은 거야? 요즘 소문 진짜 장난 아니던데. 너 죽었다는 말도 있었는데 그래도 살아 있었네! 얼굴도 별로 안 상한 거 같고."

그녀는 두다다다 하고 싶은 말을 쏟아냈고, 수아는 뭐에 먼저 대답을 해야 할지 고민하면서도 크게 안도했다. 비록 그녀가 나름의 응원을 해줬다고는 하나 상황이 많이 변했다. 수아를 아예 외면하려고 하거나 아니면 어렵게 예를 차리면서 거리를 두려고 할지도 모른다는 생각을 했었는데.

결국 수아는 간단하게 대답했다.

"아, 응. 오랜만이야, 플로나."

"진짜 얼굴 잊어먹을 뻔했다니까. 어, 잠깐, 아이린 뭐 해? 너도 수아 보고 싶다고 했었잖아. 왜 거기 멀뚱히 서선."

아직까지 문가에 서 있던 아이린은 다소 혼란스러운 표정이었지만, 결국 플로나의 호들갑에 수아에게 천천히 다가왔다.

"아, 안녕 수아."

이번에는 수아도 덩달아 긴장했다.

"어, 안녕."

쭈뼛쭈뼛 그렇게 인사를 나누자, 플로나가 어이없다는 듯 코웃음을 쳤다.

"니들 뭐 하니? 서로 무슨 소개 받아?"

플로나가 흥, 콧방귀를 뀌며 아이린과 수아의 어깨를 동시에 두드렸다.

"어, 아니……. 하지만 이제 수아는 같은 신분이 아닌 거 아냐?"

"글쎄? 일단 지금은 여관 복장을 하고 있는데. 아니면 혹시 우리가 존대라도 써야 하나? 옛날처럼 대하는 거, 기분 나빠?"

플로나가 직구를 던졌다. 당연히 수아는 고개를 저었다.

"설마. 그럴 리가 없잖아."

"들었지, 아이린?"

플로나가 씩 웃었다.

"나중에야 어떻게 될지 모른다지만, 아직까지는 친구 아냐?"

"앞으로도 그럴 거야."

수아가 반사적으로 대답했다. 그 소리에 플로나가 아이린의 등을 한 대 팍 쳤다.

"거 봐!"

"아야야, 너무 세게 때렸잖아아……."

아이린이 울상을 지었고, 수아는 그만 풋 웃음을 터트렸다. 진짜 이 둘은 여전하구나.

덕분에 분위기가 좀 풀렸다. 셋은 테이블에 앉았고, 이내 다과도 들어왔다. 차를 한 잔씩 마시고 쿠키를 집어 먹고 나자 확실히 옛날 같은 분위기가 잡혔다. 아이린은 여전히 굳은 것이 눈에 보일 정도였지만 그래도 최대한 아무렇지도 않게 행동하려고 노력하는 것 같았다.

일단 아이린은 플로나에게 수아가 말한 이야기를 모두 한 듯했다. 플로나는 어차피 자신에게 말했다는 건 플로나에게도 전해달라는 말이라고 생각했다고 했고, 수아도 그 부분에 대해서는 딱히 이견이 없었다. 단지 아이린만이 안절부절못하며 정말 자신이 이 이야기를 들어도 됐었는지 고민한 듯했다.

"사실, 난 잘 모르겠어……."

아이린이 말했다.

"저번에 수아 네가 편지를 써놓고 갔잖아. 플로나에게도 이야기를 듣고, 그 뒤로 한참 생각했는데에…… 음."

그녀는 응접실에 아무도 없다는 걸 알면서도 슬쩍 주변을 둘러본 후에야 말을 이었다.

"이계인이니, 신의 뜻이니…… 그런 거. 그냥 수아는 수아 같은데. 네가 연기를 하면서 우리를 이용하려고 한 게 아닌 이상은……."

"당연히 아니야."

수아가 거의 반사적으로 대답했다.

그 말에 아이린은 수아를 바라보다가 입꼬리를 슬쩍 위로 올렸다.

"응, 그건 믿으니까아."

플로나도 옆에서 고개를 크게 끄덕였다.

"사실 우리, 너랑 안 지 그렇게 오래되진 않았잖아? 물론 기간만으로 따지며언, 1년이 넘었지만…… 실제로 같이 있던 기간은 꽤 짧았고……. 그런데도 어쩐지 되게 오래 알고 있었던 것 같더라아."

큼, 아이린이 헛기침을 하며 차를 한 모금 마셨다. 그러고는 수아를 바라보며 또박또박 말했다.

"난 내 감을 믿는 편이야. 물건도, 사람도. 머리로 모르겠다면 그냥 느낌을 따라야겠지. 사실 너 만나러 오기 전까지 되게 고민했었거든. 물론 결론은 하나도 안 나왔고…… 근데, 널 보는 순간 역시 그냥 넌 수아라고 생각했어. 그러니까 얼마든지. 음, 저번 편지에 대한 대답이 될까아?"

그 말을 듣는 순간 무언가가 울컥했다.

저번 편지에는 그다지 긴 말을 적진 않았다. 애초에 작문을 화려하게 할 만한 글솜씨도 되지 않았다. 단지, 놀라게 해서 미안하다는 말과 다음번에 돌아오게 되면 같이 차를 마시고 이야기를 하자고 적었을 뿐이었다.

"응, 충분해."

"으응."

둘은 서로를 보며 약간은 수줍게 미소 지었다. 곧 그 분위기는 플로나에 의해 단번에 깨졌다.

"적당히들 해. 누가 보면 사춘기 소년 소녀들이 만난 줄 알겠어."

그녀는 다섯 개째의 쿠키를 입에 넣으며 말했다.

"근데 이거 되게 맛있다? 황궁 쿠키는 아닌 것 같은데…… 어디서 가져온 거야?"

"어, 응? 아, 그거 리체가 만든 거던가?"

"리체?"

"리노체스 저택의 하녀. 아까 너희 여기까지 안내해준 하녀가 리체야."

"어? 리노체스 저택의 하녀가 왜 회궁에 있어?"

수아는 잠깐 고민했지만 이 사항이 딱히 극비인 것 같지도 않았다.

카르니언도 공식적으로 받아들였다는 식으로 말하지 않았던가. 그래서 그냥 리노체스 백작가에서 고용인 몇을 데려왔다는 정도만 간단히 설명해주었다.

"아, 어쩐지 회궁인데 하녀들이 있다 했어……."

"그러고 보니 저번에 너한테 만나자는 말 전해 듣고 엄청 놀랐지. 너 만나는 건 괜찮은데, 장소가 회궁이라니."

"맞아! 그나마 이 궁의 주인……께서 궁을 비우셨다니까 온 거지마안……."

그 말을 듣는 순간 뜨끔했다. 안 비웠는데.

그러고 보니 회궁은 여전히 공포의 대상이고 마왕성인 걸까. 수아는 그걸 물어보려고 하다가 그걸 굳이 입 밖으로 내지 않았다.

어차피 돌아오면 모든 게 바뀐다. 지금 시점은 별로 중요하지 않았다.

"흠흠, 와보니까 어때?"

"글쎄, 그냥 보통 궁인데?"

"맞아아. 좀 작긴 하지만 깔끔하고……."

"전에 네가 말해준 적도 있긴 하지만, 설마 이렇게까지 별 특징이 없을 줄은 몰랐어."

하긴 요즘은 리노체스가에서 온 고용인들이 계속 쓸고 닦고 하다 보니 예전의 약간 으스스한 분위기마저 거의 사라져 있었다.

"그나저나 수아, 도대체 그동안 어떻게 지냈어?"

"맞아, 소문이 진짜 엄청 많던데에."

플로나와 아이린은 다시 호기심이 되살아났는지, 눈을 반짝이며 물었다. 하지만 수아에게는 그 호기심을 충족시켜줄 만한 이야기가 없었다.

정확히는 할 수가 없는 이야기들이었다.

신전이니 매개체니 하는 소리는 할 수가 없었고, 환상 속에서 지냈다는 이야기를 하기엔 마법부터 실바코프의 존재까지 끄집어내야 하기 때문에 역시나 기각.

“으음, 그게 알이…….”

하지만 그렇게 이야기를 꺼내지마자 둘이 몸을 흠칫 떠는 것이 느껴졌다.

“와 심장 떨려.”

“맙소사아, 정말 애칭이야!”

“어?”

둘은 동시에 입을 모아 외치듯 말했다.

“황태자 전하 말이야!”

하르페니언이 어쨌단 말인가.

수아가 뭐가 문제인지 모르겠다는 듯 눈을 깜박이자 플로나가 말했다.

“저번에도 들은 거지만, 익숙해지지 않는다고. 누가 황족을 애칭으로 부를 수 있다고…….”

“난 플로나가 날 놀리려고 그런 소리를 한 줄 알았어. 맙소사, 너 정말 황태자 전하를 애칭으로 부르는 거야?”

아. 확실히 저번에도 플로나가 굉장히 놀랐던 기억이 있었다. 동시에 수아는 이야기의 방향을 잡았다. 그냥 하르페니언에 대한 이야기를 하면 되겠구나.

둘은 여전히 그를 무서워할 테니, 이왕이면 이야기를 하면서 그 감정을 좀 덜어내 줄 수 있다면 좋지 않을까. 물론 그런 핑계가 아니더라도 애초에 「친구」들에게 「애인」을 자랑하는 행위란 유구한 전통을 가지고 있지 않았던가. 더구나 전에는 이름만 들어도 새파랗게 질리면서 황태자 전하라는 호칭을 입에 담는 것도 조심스러워하더니, 지금은 호기심 쪽이 이겼는지 눈을 반짝반짝 빛내며 그녀를 바라보고 있었다.

"그거야 난, 처음에 알이 황태자 전하인지도 몰랐으니까."

플로나에게는 한 번 대충 한 이야기였지만, 이번에는 조금 더 자세히 하르페니언과 만나 지내왔던 이야기를 되풀이했다. 물론 그러는 이야기 중에 그가 얼마나 다정한지, 얼마나 배려를 잘해주는지 등을 강조했다. 처음 둘은 그런 묘사에 이제까지 알아왔던 이미지가 겹쳐 상당한 위화감이 드는 모양이었지만 이내 그런 것도 없이 이야기에 푹 빠져버리고 말았다.

수아가 리노체스 백작가에 맡겨지면서 헤어지고, 그 뒤로 필사적으로 말을 익히고 공부를 하고, 여관이 되었다가 회궁으로 들어와 그와 재회하고, 정체를 모른 채로 다시 만나고, 데이트를 하고, 그리고 그의 정체를 알게 되고……. 플로나와 아이린은 중간중간에 꺄꺄 하는 감탄사를 추임새로 넣으며 뺨을 붉히고 이야기를 들었다. 그들이 알고 있던 수아의 행동과 그 이야기를 끼워 맞추면서 더욱 흥미를 느끼는 모양이었다.

특히 하르페니언의 정체를 알게 되는 이야기를 하는 그 순간에는 숨소리 하나 내지 않으면서 그 이야기를 들었다.

"당연하지만 별로 그 안에까지 난입하겠다는 생각은 없었고, 그냥 주변을 얼쩡거리다가 얼굴이나 보는 정도로 생각했었어. 근데 문이 열려 있더라. 그런데 거기에 많이 보던 사람이 있었고, 동시에 비에린느 부인이 알을 부르는 거야. 황태자 전하, 하고."

"그, 그래서?"

"완전 날벼락이잖아……."

수아는 그 표정이 어디서 많이 본 표정이라고 생각하다가, 이내 집에서 드라마를 보던 엄마 표정과 비슷하다는 걸 깨닫고는 슬쩍 웃었다.

수아가 울면서 그에게 소리를 질렀고, 카르니언이 찾아오고, 결국 그와 다시 화해하기까지. 아니, 화해라고 하기엔 단어가 애매하지만 어쨌건 황태자라는 걸 온건히 받아들이고 계속 관계를 지속해나가기로 했다는 이야기까지 오자, 둘은 참고 있던 숨을 훅 내쉬었다.

"정말…… 이게 네가 직접 겪은 이야기라는 게 안 믿어져."

"맞아. 무슨 연극 이야기 같다아. 옛이야기나."

"진짜 대단하다……."

그리고 덥다는 듯 손부채질을 하면서 이야기에 집중하느라 마시지 못해 식어버린 차를 벌컥벌컥 마셨다. 플로나가 그러는 건 그다지 위화감이 들지 않았지만 아이린까지 그러니 뭔가 이상하다는 생각이 들긴 했다.

둘은 차를 마시고 전투적으로 쿠키까지 씹어 삼킨 후, 다시 수아에게 고개를 돌렸다.

"계속해봐."

"어, 근데……. 지금 둘 다 돌아가야 하지 않을까? 내일도 있고……."

이야기를 하는 사이 꽤 시간이 지나버렸다. 하지만 둘은 매우 단호하게 고개를 저었다.

"밤을 새워서라도 듣고야 말겠어."

"여기서 이야기를 끊다니이. 그거 안 돼, 수아야."

이야기에 흥미를 가져주는 건 고마운데……. 둘 다 이미 자신들이 무서워하던 저주받은 황태자의 이야기라는 건 이미 상관없는 것 같았다. 그리고 솔직히, 하르페니언에 대한 이야기를 드디어 할 수 있어서 수아도 신이 난 상태이기도 했고.

하지만 역시 더 시간을 끌기는 좀 그랬다. 아직 하르페니언이 돌아온다고 말해준 시각까지는 약간 시간이 남았지만, 혹시나 모를 일이다.

"음, 아냐. 너무 늦었어. 또 오면 되잖아."

"으…… 잔인해. 여기서 이야기를 끊다니."

"으음, 도저히 안 될까?"

둘은 투덜거리면서도 결국 나갈 채비를 했다. 그 모습에 수아도 좀 아쉽다 느꼈지만, 그래도 또 시간이 있으니까.

"그럼 수아, 언제 시간 되는 거야?"

"내일 당장은 어렵나?"

"금방 다시 연락할게."

내일은 아마 하르페니언이 나가지 않는다고 들은 것 같아 다시 부르기가 좀 그랬다. 그럼 꼭 연락을 줘야 한다며 둘이서 몇 번이나 신신당부를 하고 있을 때였다.

벌컥.

문이 열렸다. 그리고 그 안으로 익숙한 인영이 들어섰다. 금빛 눈동자가 방 안을 훑는다.

분위기가 순식간에 굳었다. 그리고 다음 순간, 용수철이 튀어오르듯 플로나와 아이린이 자리에서 일어났다.

"황태자 전하를 뵙습니다!"

수아도 엉겁결에 따라 일어났다. 황가의 문장이 박혀 있는 검은색 외투는 여느 때와 같이 전투의 흔적으로 약간 흐트러져 있었다. 오늘은 일정은 꽤 수월했는지 그녀에게 말한 시간보다 상당히 일찍 들어왔다.

그 결과로 전과 비슷한, 아니 완전히 똑같은 상황이 만들어졌다. 수아는 어떻게 행동해야 할지 빨리 판단을 할 수 없었다.

그때는 아이린이 그대로 기절했었다. 먼저 둘을 내보내야 할까, 아니면 하르페니언에게…….

하지만 황금빛 눈동자가 수아와 마주친 순간, 그녀는 곧바로 그에게 다가갔다. 도대체 뭘 망설이는 건지. 이미 가장 우선순위가 누구인지는 정한 지 오래이지 않은가.

"다녀왔어요? 미안해요. 허락 없이 친구들을 들였네요."

"아니."

수아는 하르페니언이 꽤 당황하고 있다는 걸 깨달았다. 그 또한 저번 상황을 떠올렸으리라.

"괜찮아. 푹 쉬고 가도록……."

"아뇨, 둘 다 이제 돌아가려고 하던 참이었어요."

수아는 그 말을 하며 곧바로 종이 매달린 줄을 잡아당겼다.

"본궁의 여관인걸요. 어차피 내일 일을 쉴 수도 없을 테고. 그렇지?"

대답은 없었다. 플로나와 아이린은 차마 고개도 들지 못하고 있었다. 수아는 속으로 한숨을 내쉬었다. 하긴 하르페니언은 황족. 저주와 상관없이 저 모습이 당연한 건지도 모른다.

다행히 리체는 분위기가 더 어색해지기 전에 왔다. 수아는 둘을 다시 본궁으로 안내해주라고 했지만 여전히 플로나와 아이린은 그 자리에 서서 움직이지를 못하고 있었다. 결국 하르페니언이 다시 입을 열어야 했다.

"물러가도록."

그 소리에 굳어 있던 둘이 곧바로 움직였다. 그나마 뻣뻣하게 뒷걸음칠 치려는 것을 수아가 직접 잡아당겼다. 황족에게 등을 보여서는 안 되는 건 고용인의 이야기고, 손님에게는 해당되지 않았으니까.

둘은 간신히 수아에게 눈으로만 인사한 뒤 거의 숨을 쉬는 것도 잊은 채 방을 나섰다. 하지만 방문을 나서기 직전, 아이린의 발이 멈췄다. 그리고 끼익 소리가 날 정도로 어색하게 고개를 돌렸다. 이번에는 하르페니언과 다소 거리가 있었지만, 그녀는 똑바로 그의 눈동자를 바라보았다. 아주 짧은 찰나의 시간이었지만, 분명 시선이 마주쳤다. 아이린은 곧바로 시선을 내린 후 깊게 묵례하고는, 리체를 따라 완전히 방을 나갔다.

아마 옆에서 고개를 숙인 채였던 플로나는 아이린의 행동을 알 수 없었을 것이다. 하지만 그걸 본 수아는 꽤나 놀랐다. 전에 그녀가 황태자와 마주쳤을 때의 눈빛을, 그를 어떻게 묘사했는지 똑똑히 기억하고 있었기 때문이다.

"수아?"

그녀가 멍하니 방문을 바라보고 있자, 하르페니언이 그녀의 이름을 불렀다. 퍼뜩 정신이 난 그녀가 그를 바라보았다.

"친구들과 좀 더 시간을 보내고 싶었던 게 아닌가?"

"그렇긴 한데…… 이야기하다 보니 좀 길어져서 그랬어요.

더 빨리 돌려보냈어야 하는데. 놀랐죠?"

"하룻밤 정도는 같이 묵으면서 회포를 풀어도 좋을 텐데."

그 말에 수아는 곧바로 고개를 저었다.

"아깝잖아요."

"음?"

"알이랑 있는 시간이 줄어드는 건데."

수아가 빙긋 웃으며 그를 올려다보았다.

"그냥 먼저 물러나라고 해도 될 텐데. 알은 안 그런가 봐요?"

하르페니언은 잠깐 그녀를 내려다보다가, 손에서 장갑을 벗었다. 그러면서 천천히 손을 올려 그녀의 뺨을 쓰다듬는다.

"하루 정도니까."

"네?"

"그대에게 친구까지 빼앗는 남자가 되고 싶진 않으니까. 그러니 하루 정도는 괜찮아."

그는 조용히 미소 지었다.

"하지만 하룻밤 이상 양보할 생각은 없어. 아니, 못 하지. 그대의 밤은 내 것이니."

그 말에 수아의 뺨에 확 달아올랐다. 그녀는 반사적으로 고개를 돌리려 했지만 이미 그의 손이 그녀의 뺨을 모두 감싼 후였다.

"보고 싶었어."

다음 순간 하르페니언이 가볍게 그녀의 입술에 입을 맞췄다. 그 후 뺨에서 손을 떼더니 곧바로 수아의 어깨에 얼굴을 묻는다. 그가 등을 둥글게 말고 수아에게 기댄 모양새였다. 그가 길게 숨을 내쉬는 것이 느껴졌다.

잠깐 당황했던 수아는 천천히 그의 등으로 손을 올렸다. 마치 커다란 짐승이 기대고 있는 듯한 기분이 들었다.

수아가 웃었다.

"뭐예요, 오늘 점심때 봤잖아요."

"아주 잠시라도 그대와 떨어져 있는 건 싫어."

어째 투정을 부리는 말투가 되어버린다. 수아는 자신의 어깨 위에 머리를 기댄 하르페니언의 흑발을 손으로 쓰다듬었다. 오늘은 피 내음이 나지 않았다.

하르페니언이 자연스럽게 수아의 목덜미에 입을 맞췄다. 한 번, 두 번, 세 번. 가볍게 시작된 그 입맞춤은 곧 그가 수아의 옷자락을 풀어헤치면서 점점 더 농염해졌다. 그리고 수아 또한 그에게 팔을 두르려는 순간. 그가 수아에게서 몸을 뗐다.

"알?"

"아니, 또 씻지도 않고 이러는군."

"아. 전 상관없는데."

"아무리 그래도 그건 안 되지."

그가 아쉬운 듯 말했다.

"먼저 침실로 가 있어, 수아."

그의 낮은 목소리가 부드럽게 울렸다. 새삼 부끄러워할 때는 지났는데도 아무래도 그 말에 가슴이 뛰고 만다.

"네. 천천히 씻고 와요."

"잠들면 안 돼."

그렇게 말하는 그의 눈동자에는 아직 채 지우지 못한 욕망이 뚜렷이 드러나 있었다. 수아는 저도 모르게 시선을 휙 돌렸다.

"아니지."

하르페니언이 다시 자연스럽게 그녀의 허리를 팔로 휘감았다.

"그냥 같이 씻어도 되겠군."

"네?"

뭔가를 잘못 들었나 해서 수아는 휙 하르페니언을 바라보았다. 하지만 황금빛 눈동자는 똑바로 그녀를 바라보고 있었다.

그가 진심으로 말했다는 걸 아는 덴 긴 시간이 필요하지 않았다.

"가, 같이요? 잠깐만요."

확, 얼굴에 피가 몰렸다.

"그럼 부, 불편하잖아요. 그니까 씻는 게요. 그게……."

아마 얼굴은 토마토처럼 완전히 붉어졌을 터였다. 더구나 입에서는 제대로 된 문장이 만들어지지 않는다. 그 횡설수설하는 말을 하르페니언의 웃음이 끊었다.

"아니, 그냥 물어본 거야. 무리할 필요 없어."

"무리가 아니라, 어! 그, 생각해본 적이 없어서……."

"알아."

그는 지극히 사랑스럽다는 듯 수아의 머리카락을 귀 뒤로 넘겨주며, 허리를 감았던 팔을 떼어냈다.

"그럼 다음에 다시 청하지."

하르페니언은 고개를 숙여 가볍게 스쳐 지나가듯 그녀에게 입을 맞춘 다음 몸을 돌렸다. 수아는 그가 응접실을 나가는 것을 지켜보곤 서 있던 자리에 그대로 쭈그리고 앉아버렸다. 하르페니언이 귀 뒤로 넘겨준 머리카락이 화끈한 느낌이었다.

으아아.

슬슬 그와의 이런 관계에도 익숙해져 진짜 더 이상 이렇게 부끄러울 일은 없다고 생각했는데, 같이 욕실에 들어가는 걸 상상만 해도 뭔가 견딜 수가 없을 정도로 민망했다. 따지고 보면 그렇게 이상할 것도 없는데.

모처럼 그가 적극적으로 제안해준 거니 다음에는 한 번 같이…….

그 생각에 그나마 진정되어가던 얼굴에 다시 열이 올랐다. 결국 수아는 그 자리에서 일어나지 못한 채 한참이나 손 부채질을 해야 했다.

바람에 날카로운 한기 대신 조금씩 따스함이 섞이기 시작했다. 그것이 착각이 아니라는 걸 뒷받침이라도 하듯 아주 드문드문, 채 녹지 않은 눈 사이로 초록색 싹이 보이기도 했다.

슬슬 떠나기로 약속한 때가 온 것이다.

따지면 회궁에 머문 지도 두 달 정도. 휴식으로는 충분한 시간이었다.

"어때? 형님이 좋아하실까?"

그리고 떠날 시기가 되자, 왠지 카르니언이 자주 보였다.

수아는 겉보기에는 별로 특별할 것 없는 수프를 한 숟가락 떠 입에 넣었다. 그리고 먹는 순간 카르니언이 왜 하르페니언이 없는 사이 자신작이라며 당당히 말하며 시식을 해달라고 왔는지를 이해했다.

맛이 어떻게 이렇게 진할까. 그녀는 말없이 다음 수저를 떴고, 그 안에서 사르르 녹아내리는 고깃덩어리의 맛에 잠시 집중해야 했다. 결국 그녀가 간신히 감상 같은 말을 꺼낼 수 있게 된 건 그 수프를 반이나 비우고 나서였다.

"와, 이거 식감 정말 특이하네. 이 고기는 다진 건 아닌 것 같은데, 어떻게 이렇게 부드럽지?"

"칼집을 좀 냈어. 그다음에 아예 육수에 향신료를 넣어서 좀 재놨고. 꽤 괜찮지 않아? 형님도 맛있어하실까?"

"응. 이거 별로라고 하는 사람 자체가 없을 것 같은데?"

"오, 통과인 건가!"

"그게 뭔데."

수아가 쿡쿡 웃었다.

카르니언은 과장스럽게 한숨을 내쉬었다.

"하지만 난 아무리 봐도 형님 입맛이 어떤지 모르겠단 말이야. 그러니 너에게라도 미리 테스트해봐야지."

"으음……. 근데 나도 별로 다를 것 없어. 나도 알이 뭘 좋아하고 싫어하는지 모르는걸."

직접 물어본 적도 몇 번이나 있지만, 그때마다 나오는 대답은 딱히 가리는 건 없다거나, 그대가 좋아하는 건 자신도 좋다는 식의 두루뭉술한 말뿐이었다. 물론 다디단 디저트 쪽은 제외다. 카르니언이 한숨을 내쉬었다.

"그냥 디저트 쪽으로 전향할까……."

"카일은 디저트류보다는 식사류 쪽을 요리하는 걸 더 좋아하잖아."

"그건 그렇지."

카르니언은 못마땅한 기색으로 고개를 끄덕였다.

“으음…… 뭐, 시간은 많으니까. 다녀오신 후에 찾아도 될 테고.”

떠나기 전, 하르페니언의 취향에 꼭 맞는 요리를 만들겠다며 몇 번 시도를 했지만 결국 성공하진 못했다. 날이 풀리기 시작하자 열심히 이것저것 연구해 더 자주 왔지만 역시 목적한 바를 이루진 못했다.

물론 하르페니언도 충분히 카르니언의 음식을 맛있게 먹었지만 그것만으로는 부족한 모양이었다. 덕분에 같이 있는 수아도 입이 호강했지만.

수아는 나머지 수프를 입으로 가져가며 아무래도 눈앞의 황자는 정말 요리사를 해야 하는 것이 아닌가 진지하게 생각했다.

“참참, 이번 여정은 좀 느긋할 거 아냐? 관찰 좀 해줘.”

“알았어. 나도 궁금하긴 하니까.”

카르니언이 깨끗하게 비워진 수아의 수프 그릇을 보고 뿌듯한 표정을 지었다.

확실히 천직은 천직 같다. 그런데 황자가 요리사를 할 수 있던가?

“언제쯤 떠날 거 같아?”

“글쎄……. 아마 일주일 안쯤이 아닐까?”

수도에서의 시간은 느긋하게 흘러갔다.

그 뒤 수아는 플로나와 아이린을 몇 번 더 만났다. 그때부터는 수아가 특별히 더 신경을 써 하르페니언과 두 여관이 마주칠 일이 없게 했지만, 이제는 둘 다 자연스럽게 수아의 연인이 저주받은 황태자라는 걸 받아들였다. 더 이상 수아가 애칭으로 불러도 놀라지 않고 본인들도 최소한 황태자 전하라는 호칭을 입 밖에 내는 것을 꺼리지 않았다. 아니, 그 정도를 넘어 이제는 떠도는 말도 안 되는 소문들을 이야기해주며 깔깔거릴 정도였다.

—확실히, 생각보다 무섭진 않더라.

아이린이 하르페니언을 똑바로 쳐다봤던 그 감상이었다. 나중에 그걸 알게 된 플로나가 기겁을 했지만, 아이린은 왜, 수아가 괜찮다고 했었잖아, 라고 태연하게 말했을 뿐이었다. 정말, 아이린은 소심한 것 같으면서도 어떨 땐 플로나보다 배짱이 더 강해 보인다. 하르페니언의 좋지 않은 소문 중 일부라도 진짜라고 믿었다면, 무례하다며 그대로 목을 날릴 거라 생각해도 무리가 없었을 텐데.

그 외에도 리노체스 저택에서 묵는 날도 있었고, 하르페니언이 있는 교외의 저택에서 묵기도 했다. 단지 수도 안 데이트는 따로 하지 않았다. 어차피 길을 떠나면 돌아다닐 예정이기도 했고 굳이 사람들이 몰려 있는 곳에 그와 함께 가고 싶지 않았기 때문이기도 했다.

수아는 본궁 여관 구역에도 한번 가보고 싶었지만, 가봤자 동물원 원숭이처럼 둘러싸여 움직이지도 못할 것이 뻔해 보였기에 그 생각은 포기했다.

실바코프와도 체스를 몇 판 더 두었다. 그의 태도는 평소와 다를 바가 없었다. 옛 연인에 대한 이야기는 더 꺼내지 않았고 수아도 굳이 묻지 않았다.

이런 식으로 조용히, 그리고 나른하게 시간이 흘러가다 보니 곧 떠나야 한다는 게 아쉬울 정도였다. 하지만 떠나면 하르페니언과 계속 함께 다닐 수 있다는 거니 그것도 기대됐다. 그리고 그 여행에 끝에는 저주가 풀린다.

행복해서 견딜 수가 없었다.

이렇게까지 순조로워도 되는 걸까.

수아는 그렇게 생각하다가 이내 생각을 바꿨다.

이제까지가 지나치게 순조롭지 않았던 거다. 원래 이랬어야 할 나날들이었다.

수아는 형님이 돌아올 때까지 요리 수련을 하겠다며 뭔가 불타오르고 있는 둘째 황자를 보며 미소 지었다. 정말로 평화로운 한때였다.

“궁에서 더 하지 못해 아쉬운 건 없나.”

하르페니언이 물었다. 수아는 고개를 저었다.

“정말 없어요. 몇 번이나 물어보는 거예요?”

그녀는 킥킥 웃었다.

“그리고 지금 생각나면 어쩌려고요. 저희 이미 황궁에서 나왔잖아요.”

새싹이 보이기 시작하자 날은 무서울 정도로 빨리 풀리기 시작했다. 아직 초봄이라고 하기에는 꽤 추웠지만, 한겨울은 완전히 지나갔다. 하르페니언도 대충 일이 마무리 지어졌다고 해, 결국 떠나는 날을 잡았다.

사실 수아가 준비할 건 거의 없었다. 회궁 사람들과 플로나, 아이린에게 다녀오겠다고 잠시의 작별인사를 하는 정도? 그런데 하르페니언이 자꾸만 저렇게 묻는 것이다.

“다시 되돌아가면 되니까.”

“알.”

수아는 기가 막힌다는 듯 웃었다.

"뭘 그래요? 다시 안 돌아올 사람처럼."

심지어 지금 당장 수도를 벗어나는 것도 아니었다. 리노체스 가에서 마지막으로 식사를 하고 내일 아침에 떠날 예정이었다. 그리고 카르니언은 이제 체면이고 뭐고 다 집어 던지고 어제부터 리노체스 저택의 주방에 박혀 있다고 했다.

"물론 돌아오면, 상황이 많이 다르겠지만 그래도 영영 못 할 건 없잖아요."

"……그렇지."

"그리고 진짜로 아쉬운 거 없어요. 오히려 돌아와서 할 걸 생각하는 게 더 좋지 않아요?"

"그래. 그게 낫겠군."

그가 부드럽게 미소 지었다. 하지만 수아는 어쩐지 그 미소가 미묘하다고 생각했다.

사실 이번만은 아니었다. 수아는 때때로 하르페니언에게서 어떤 위화감을 느꼈다. 그건 대부분 돌아온 후에 대해 이야기할 때 느끼는 감각이었다. 하지만 그녀는 깊게 생각하지 않았다. 아홉 살 이후 계속 저주에 걸려 살아왔다. 당연히 그 저주가 풀린 이후의 일이 좋기도 하면서 걱정도 될 터였다. 비록 좋은 방향이긴 하지만 삶의 방향이 완전히 뒤바뀌는 일인데 동요가 없다면 게 더 이상했다.

그렇게 생각했다.

"참, 알 생일이 [8월……] 푸른 여름 셋째 달, 2일이라고 했죠?"

그가 가볍게 고개를 끄덕였다.

"그럼 제가 여기 오고 나서 두 번이나 지났다는 건데…… 어째 한 번도 제대로 챙긴 적이 없네요."

"어쩔 수 없었으니까."

"네. 이번에는 꼭 챙겨요. 어차피 잊지 못할 생일이 되겠지만요."

수아가 배시시 웃었다.

혹시라도 늦게 도착하면 안 되니 아예 5월인 연두 봄 셋째 달 초까지 신전에 도착하는 것으로 계획을 세웠다. 실바코프의 말로는 신전 안에 꽤 재밌는 것들이 많다고 했지만, 굳이 그런 것이 없어도 하르페니언만 곁에 있다면 두어 달 정도야 크게 하는 일 없이 머물 수 있을 것이다. 정 뭐하면 근처를 둘러봐도 되고.

"참, 그때까지 알 음식 뭐 좋아하는지 꼭 말해줘야 해요?"

"음……. 팟치에 찜?"

"그거, 제가 맨 처음 알에게 해준 요리라서 좋은 거라면서요."

"좋아하게 된 거지."

"아니, 그런 거 말고 진짜로요."

"말린 식량만 아니면 돼."

또 이런 식이다. 하지만 수아는 지금 이게 괜히 대충 둘러대는 게 아니라는 것 정도는 슬슬 깨달았다.

죽지 않기 위해 먹는다. 이제까지 하르페니언의 식사는 딱 그러했을 터였고, 실제로 이제까지 회궁에서 나오는 수준 이하의 식사에도 단 한 번 불평을 하는 모습을 본 적이 없었다. 딱히 상한 것도 아니고, 먹어서 배를 채우고 움직일 수 있는 거라면 문제가 없다는 듯했다. 물론 맛있는 음식은 그도 기꺼워하지만 그걸 굳이 찾아 먹을 정도는 되지 않는 것이다.

그나마 예외가 있다면 달달한 디저트 류일까. 술이나 차를 즐기지 않는 그이다 보니 유일한 기호품이었다.

"아니, 그대와 함께 먹으면 말린 식량도 괜찮아."

"으, 진짜."

수아는 어깨를 늘어뜨렸다.

"목표 하나 정했네요."

"음?"

"여행하면서, 다양한 음식을 먹어봐요. 그리고 뭐가 제일 맛있게 느껴지는지 말해줘요. 별로 맛없게 느껴지는 것도요. 모르겠으면, 찾아보면 되잖아요."

하르페니언은 굳이 그렇게까지 할 필요가 있나 하는 시선이었지만 곧 순순히 고개를 끄덕였다.

수아는 빙긋 미소를 지었다.

"아마 생일에 맞추진 못하겠지만……. 다녀오면 제가 그 요리 해줄게요. 카인이랑 같이."

"기대하지."

"네."

수아가 반짝반짝 눈을 빛낸다. 다녀와서 할 일들을 생각하는 것만으로도 즐거운 것이리라. 하르페니언은 그런 수아의 미소를 가만히 바라보았다.

돌아와서라.

그럴 수 있다면 얼마나 좋을까.

모든 것을 다 포기했다는 생각과는 다르게, 가끔 심장을 바늘로 찌르는 것 같은 날카로운 통증으로 잠시 숨을 쉴 수 없을 때가 있다.

수아의 문제만이 아니었다. 한결 편해진, 그리고 몰라보는 것이 이상할 정도로 애정이 넘치는 모습으로 그를 바라보는 아버지와 마치 자신의 일처럼 더욱 신나하는 동생, 그리고 저주를 푸는 방법을 찾아냈다는 이야기 외에는 아무것도 할 수 없었음에도 신께 감사드린다며 오열을 터트린, 그의 가신이자 친구인 루펜.

그 모든 것에서 그는 손을 놓아야 했다.

물론 그렇다 하더라도 그는 결코 실바코프가 말한 「저주를 푸는 방법」을 행할 생각이 전혀 없었다. 단지, 아쉬운 것만은 어쩔 수 없었다. 결코, 손안에 쥘 수 없는 그것들이.

그래도 수아는 살 것이다.

그녀의 세계로 돌아가 가족을 만날 수 있을 것이고, 그러면 이 세계에서 있었던 일은 한때의 꿈처럼 잊을 수 있겠지. 처음에는 슬퍼하고 그를 원망하겠지만 이내 기억 한구석에 묻어 추억으로 바꿀 것이다.

그녀는 강하니 언제나 그 안에 갇혀 있진 않을 터였다. 그리고 그 세계에서, 다른 반려자와 함께 미래를 향해 걸어갈 수 있겠지.

그냥, 그거면 충분했다.

하르페니언은 곧 마차가 멈춘 것을 느꼈다. 리노체스 저택에 도착한 것이리라.

그는 마차 창 너머로 루펜과 리노체스 부인, 그리고 카르니언을 보았다. 수도에서의 마지막 밤, 그리고 마지막으로 보는 사람들이 될 터였다. 그리고 오늘 동생이 준비했다는 식사도.

"다녀오십시오, 형님. 기다리고 있겠습니다."

성 밖까지 따라온 카르니언은 아쉬운 인사를 했다. 마음 같아서는 더, 아니 아예 저번처럼 하루나 이틀이라도 함께하고 싶은 모양이었지만 카르니언은 나름 낄 곳 안 낄 곳을 확실하게 구분했다. 더구나 이번에는 기약도 있다.

"카일."

"네, 형님."

"아버지를 부탁한다."

"네?"

그는 살짝 고개를 갸웃했다.

"그거야 물론……."

"너도 고마웠다."

카르니언은 그 말에 당황한 듯 하르페니언을 바라보다가 곧 작게 웃음을 터트렸다.

"뭡니까. 형님이 그런 감상적인 말 하시는 거 처음 들어요."

"그런가?"

"말씀만 들으면 마치 아예 안 돌아오실 것 같은데요."

하르페니언은 그 말에는 대답을 하지 않은 채 살짝 미소 지었다. 그의 말인 칸이 푸르르릉 소리를 냈다.

"그럼 전 이만 가보겠습니다. 수아도, 나중에 봐."

"응. 잘 가, 카일."

하르페니언의 옆에 앉아 있던 수아가 작게 손을 흔들었다.

카르니언도 잠시 마주 흔들어주고는, 미련 없이 말머리를 돌렸다.

지금 수아와 하르페니언은 작은 마차의 마부석에 나란히 앉아 있었다. 이번에는 칸 외에 다른 말도 한 마리 더 매여 있었기에 마부석은 두 사람이 앉아도 넉넉했다. 원래는 전처럼 작은 마차에 칸 한 마리만 매고 갈까 생각했었다. 하지만 혹여라도 속도를 내게 될 일이 생기면 아무래도 칸 한 마리로는 무리가 있었기에 그냥 두 마리가 끄는 마차로 결정했다.

"어제 식사 대단했죠?"

"카일이 준비를 많이 했더군."

어제는 그가 준비한 수프도 나왔다. 하르페니언은 확실히 꽤 맛있게 먹었지만, 카르니언이 원하는 반응을 이끌어내는 데에는 실패했다. 그리고 뭔가 전의를 다시 불태우는 그를 보며 수아는 쿡쿡 웃었다.

"그러니까요. 진짜 카일도 음식 솜씨가 좋아요. 날마다 먹으면 엄청 살찔 거 같죠."

"그대는 더 쪄도 돼."

"또 그런다! 알이 자꾸 그러면 저 방심하게 돼요. 가뜩이나 키도 작은데 살이 찌면 저 데굴데굴 굴러간다고요."

"그래도 귀여울걸."

황금빛 눈동자가 부드럽게 그녀를 훑었다. 수아는 그 시선에 확 얼굴을 붉혔다. 저 말이 진심이라는 것을 알고 있기에 어째 더 부끄러웠다.

"아, 아무튼…… 얼른 출발해요."

확 고개를 돌리며 그렇게 말하자 옆에서 작게 웃는 소리가 났다. 그리고 곧 마차가 흔들리더니, 다각다각 말발굽 소리가 나기 시작했다.

수아는 못 이기는 척 여전히 다른 곳으로 시선을 던지다, 이내 하르페니언의 몸 쪽으로 살짝 기댔다.

날은 굉장히 화창했다. 아직 다 피어나지도 않은 봄꽃 내음이 아련하게 흘러갔고 햇살은 기분 좋게 따스했다. 바람 또한 부드럽게 그들을 어루만졌다.

분명 좋은 여행이 될 거야.

기대어 있는 그의 몸을 느끼며, 수아는 그렇게 생각했다.

시작과 끝의 신전

여행은 정말로 즐거웠다.

저주는 반드시 풀린다. 이 세계에 남아 살아간다.

그 한 가지의 사실과 한 가지의 결심만으로 이렇게까지 편해질 줄은 상상도 하지 못했다. 마치 발목에 채워진 족쇄가 하나 없어진 기분이었다.

수아가 이럴진대 하르페니언은 어떤 심정일까. 요즘 수아는 하르페니언만 봐도 웃음을 감출 수가 없었다. 하긴, 언젠 그러지 않았느냐마는.

아직 저주는 건재했기에 사람이 많은 곳은 가급적 피해 다녔지만 그건 상관없었다.

"신전에 다녀오면 사람 잔뜩 있는 곳도 가봐요."

"물론."

하르페니언도 그에 동의하며 그녀의 어깨를 가볍게 껴안았다.

아침부터 밤까지 하르페니언이 함께 있다. 그 사실이 얼마나 행복한지.

연두 봄 셋째 달까지는 신전에 도착하기로 계획을 했으니 무작정 돌아다닐 수는 없었고, 기본적으로는 수도를 기준으로 북동쪽으로 방향을 잡아 향하고 있었지만 사실 다니는 장소는 상관이 없었다.

하르페니언과 함께라면 그 어디를 가도 좋았을 것이다. 수아가 살았던 세계식으로 말한다면 시베리아 벌판이든, 에베레스트 산 꼭대기든, 아마존 밀림 한가운데든.

심지어 그런 비유가 무색할 정도로 실제 여정은 매우 평화로웠다. 봄은 금방 왔고 잠깐 사이 꽃은 흐드러지게 피었다. 둘은 꽃이 소복한 숲속을 걷고, 사람이 없는 한적한 공원 같은 공터에서 도시락을 먹고, 손을 잡고 천천히 인적을 드문 길을 산책하고, 금방이라도 별이 쏟아져 내릴 것만 같은 밤하늘 아래에서 밤새 그것을 바라보았다.

몬스터는 종종 마주치긴 했지만 애초에 하르페니언이 있는 이상 큰 위협은 아니었다. 실바코프의 보호도 있었기에 실제로 다치지 않을 거라는 확신도 있었다. 더구나 암살자들은 코빼기조차 볼 수 없었다.

애초에 하르페니언이 이렇게 떠난다는 걸 아는 사람 자체가 지극히 적기 때문일까, 아니면……. 하긴 이유는 궁금하지도 않았다.

단지 이 꿈같은 시간을 더욱 꿈같게 만들어준다는 사실만이 중요했다.

말이 두 마리다 보니 천천히 승마를 배우기도 했다. 고삐를 잡고 원하는 방향으로 돌리는 것에는 상당히 애를 먹었지만, 그래도 어느 정도 연습하자 전속력만 아니라면 어느 정도 말을 타는 것이 가능해졌다.

"후아."

주변을 한 바퀴 돌고 말에서 내린 수아는 긴장으로 가득했던 몸을 한숨과 함께 풀었다.

어찌나 힘을 줬던지 온몸이 쑤시는 기분이었다. 수아는 하르페니언이 담요를 깔아준 나무 아래에 앉았다.

나무에 흐드러지게 피어 있는 알록달록한 야생화가 아름다웠다. 짙은 꽃향기를 맡으며 수아는 저도 모르게 혼잣말을 중얼거렸다.

[무슨 운전면허 따는 거 같네.]

"음?"

수아가 탄 말의 고삐를 살피던 그가 그녀 쪽으로 고개를 돌렸다.

"어? 아뇨. 그냥 혼잣말이에요. 저쪽 세계에서는 이런 탈것을 타려면 먼저 자격증을 따야 했거든요."

"자격증?"

"그러니까, 넌 이걸 다룰 수 있다는 국가가 인정해준 증서?"

"시험을 봐야 한다는 소린가?"

"네. 어, 혼자 아무리 잘 다뤄도 [면허증]……. 자격증이 없으면 불법이에요."

하르페니언은 도무지 이해를 못 하겠다는 얼굴이었다. 그도 그럴 것이, 어차피 여기서는 말을 타는 데 미숙하면 본인이 말에서 떨어져 다치니까.

"저쪽은 과학이 발전했으니까요. 움직이는 것 자체는 어려울 것도 없어요. 그냥 [액셀]이라는 걸 밟기만 하면 말보다 몇 배나 더 빠른 속도도 낼 수 있거든요. 그러니까, 마력이 없는 사람이 마법사가 남긴 유물에 시동어만 외워서 사용하는 식?"

이제는 이런 식으로 하는 비유도 익숙해졌다. 하르페니언은 살짝 미간을 찌푸렸다.

그는 말들의 고삐를 다 살폈는지 그녀에게 다가와 그 옆에 앉으며 물었다.

"위험할 텐데."

"네, 그래서 시험을 보는 거예요."

"하지만 아무리 시험을 통과했다고 해도……."

“위험하죠. 실제로 굉장히 많이 죽어요. 술 먹고 운전하기도 하고, 졸면서 운전하기도 하고요. 그래도 편리하니까요.”

그가 작게 한숨을 내쉬었다.

“그대가 온 세계는 여러모로 위험하게 들리는군. 용케 지금까지 살아남았어. 저번에 말해준 이야기에는 [전기]라는 것도 있지 않았나.”

전기라는 발음에 수아는 잠시 그를 눈을 동그랗게 하고 바라보았다. 물론 그는 실제로 뜻을 알고 말한 것이 아니고, 그저 수아가 말했던 말을 기억했다가 발음을 그대로 흉내 내는 것에 불과했다. 그럼에도 수아는 순간적으로 그가 한국어를 한 것같이 느껴졌다.

“수아?”

“아, 아뇨. 음……. 대신 저쪽 세계…… 음, 나라가 굉장히 많으니 제가 태어난 나라로만 한정 짓자면, 거기선 딱히 굶어 죽는 사람이나 전쟁으로 죽는 사람이 없었으니까요. 몬스터도 없어서 안전했고요. 치안도, 되게 체계적으로 잘되어 있는 편이었어요.”

“난데없이 죽을 수도 있는데 안전하다고?”

“그냥 기준이 다른 거예요. 전 저쪽보다 여기서 몬스터가 나타나는 게 훨씬 더 위험해 보였는걸요.”

「저쪽」이라.

수아는 그렇게 설명하며 저도 모르게 살포시 웃었다. 이제는 그녀가 나고 자란 세계를 완전히 다른 세계처럼 이야기하고 있다는 걸 깨달았기 때문이다.

“실제로 전 저쪽에서 누가 죽은 걸 한 번도 본 적이 없어요. [사진]이나…… 음, 그림 같은 걸로는 봤지만.”

하지만 저도 모르게 추억에 잠긴 어투로 말하는 건 어쩔 수 없다. 그 기색을 눈치챈 하르페니언이 조용히 물었다.

“역시 돌아가고 싶나?”

아, 또 이쪽 이야기로 흐르게 된다. 수아는 고개를 저었다.

“아뇨, 안 돌아간다고 했잖아요. 이제 제 세계는 여기예요. 알이 있는 곳이요.”

그녀는 단호하게 말했지만, 하르페니언은 다시 물었다.

“하지만 그곳엔 그대의 가족도 있고.”

“작별인사를 하고 왔으면 확실히 좋았겠지만, 옛날이야기예요. 어차피 지금쯤이면 저 찾는 거 포기했을걸요?”

“친구들은.”

“다시 사귀죠, 뭐.”

거기까지 말한 수아는 고개를 갸웃했다.

“그런데 갑자기 왜요? 전에는 이렇게까지 물어본 적은 없었잖아요.”

“음, 아니. 그냥, 그대가…….”

하르페니언은 잠시 말을 끊었다.

"행복했으면 해서."

"네?"

정말 뜬금없다. 수아가 쿡쿡 웃었다.

"뭐예요, 진짜. 가족을 원한다면 가족이 되어주고, 친구를 원한다면 친구가 되어준다면서요. 무슨 수를 써서라도 돌아간다는 소리는 못 하게 할 거라면서."

언젠가 하르페니언이 한 말이었다.

"저 지금 굉장히 행복해요. 앞으로도 그럴 거고요."

하지만 동시에, 갑자기 이런 말을 꺼낸 것이 좀 이해도 갔다. 이제 하르페니언에게는 가족이 「생긴다」. 그래서 그런 걸까.

황제 폐하가 아닌 아버지가 되고, 그를 형으로 생각하며 따르던 동생을 더는 밀어내지 않아도 된다.

어머니에 대한 죄책감도 완전히는 아니겠지만, 조금이나마 덜어낼 수 있었을 테니까. 그러니까 이 시점에서 그녀의 일이 더 신경 쓰이는 것이겠지.

"행복하게 해준다고 하지 않았어요? 왜 약한 소리를 해요?"

그녀는 일부러 밝은 목소리로 말했다. 그런 수아를 잠시 바라보던 하르페니언은 이내 살짝 미소 지었다.

"그렇군."

하르페니언은 그녀 쪽으로 살짝 몸을 숙였다.

"그래야지. 내가, 그대를 반드시 가족과 함께 살게 해줄 테니까."

동시에 하르페니언은 수아의 손을 잡아, 가볍게 들어 올린 후 손등에 입을 맞췄다.

"반드시."

이 난데없는 기습에 수아의 얼굴이 다시 확 붉어졌다. 가족과 함께 살게 해준다는 말과 손등의 키스. 더구나 손등에 하는 키스는 맹세의 키스라 했던가.

이거 혹시 청혼?

반칙이야!

수아는 속으로 그렇게 외치면서 무어라고 반응해야 할지 몰라 우물거리며 그를 주춤주춤 바라보았다.

그 반응을 눈치챈 그가 작게 웃었다.

어찌해야 할지 몰라 완전히 새빨개진 얼굴로, 그래도 외면하지도 손을 뿌리치지도 않은 채 그를 바라보고 있는 수아라니.

대충 어떤 생각으로 그의 말을 받아들였는지 알 수 있었다. 하지만 하르페니언은 그녀의 오해를 풀어주지 않았다.

아니, 풀고 싶지 않았다.

정말로 지금 자신이 한 말이, 그녀의 생각대로라면 얼마나 좋을까.

대신 그는 부드럽게 웃으며 그녀를 품으로 확 끌어당겼다.

그리고 여전히 붉은 이마에 입을 맞추고 그대로 몸을 숙여 그녀에게 기댔다. 어깨에 살짝 머리를 걸친 모양새가 되었지만, 아무래도 덩치 차가 컸기 때문에 계속 그렇게 있기엔 무리가 있었다.

결국 그는 그의 무게를 버티지 못하는 수아를 위해 아예 땅으로 몸을 기댔다.

그러고는 곧 그녀의 허벅지를 베고 누웠다.

"알?"

"조금 잘게."

수아도 이내 풋, 작게 웃으며 멋대로 그녀의 다리를 차지하고 누워버린 하르페니언의 머리카락을 천천히 쓰다듬었다. 그는 그런 그녀의 손을 바라보다, 이내 눈을 감았다.

그는 요즘 들어 부쩍 이런 식으로 나오는 경우가 많았다. 그리고 그것이 수아는 기꺼웠다.

하르페니언의 머리카락은 부드러웠다. 그리고 불어오는 바람에도 달콤한 꽃향기가 스며 있었다. 조금 있으면 이 바람도 더운 여름 기운을 싣고 올 것이다.

수아도 가만히 눈을 감았다.

지금 이 순간, 봄을 음미하기 위해.

“마중 나왔습니다.”

여정의 끝에, 그렇게 말하고 있는 은빛 머리칼의 남자가 있었다.

그를 만난 순간 단숨에 꿈에서 현실로 되돌아온 듯한 기분이 들었다.

수아와 하르페니언은 연두 봄 셋째 달 5일, 실바코프가 말했던 장소에 도착했다.

연두 봄 셋째 달 10일 전에 도착한다고만 이야기해놨는데도 약속했던 장소에 도착하자마자 실바코프는 모습을 드러냈다.

몇 달 만이지만 바로 어제 본 것처럼 익숙한 모습이었다.

“늦지 않게 왔네.”

“당연하죠. 어, 계속 기다렸던 거예요?”

“아니, 마법. 대충 이 근처에 올 때부터 알 수 있지.”

“그거 되게 편리하게 들리네요.”

“아니지. 이건 마력이 계속 나가서 인간이 쓰긴 좀 버거워. 차라리 아가씨 세계에 있는 기계가 더 편하다면 편하겠지.”

실바코프가 신전이 있는 장소라고 한 곳은 제국 북동쪽 끝에 있는 들판 한가운데였다. 사람이 거의 살지 않는 곳으로, 근처라고 해봐야 마차로 세 시간을 꼬박 달려야 작은 마을이 나오는 정도다. 그리고 조금 더 동쪽으로 달리다 보면 다른 왕국인 제프라와의 국경선이 나온다.

사실 국경선이라고는 해도 그다지 의미는 없는 곳이었다. 제프라는 지나치게 작은 나라였기에 분쟁 걱정이 없는 걸 넘어, 사실상 크로시안 제국의 속국이나 마찬가지였기 때문이다. 즉 거의 형식적이나 마찬가지라 몇몇 병사들만이 주둔해 있을 뿐, 제프라에서 나는 특산물도 딱히 없어 수입도 애매하고 그렇다고 수출이 활발할 정도로 제프라 국민이 많은 것도 아니라 국경 근처라고 보기 어려울 정도로 조용하고 소박한 마을들이 대부분이었다. 하르페니언도 몇 번 이곳을 지나긴 했지만 딱히 특별할 것도 없었다. 그래서 처음 이곳에 다른 것도 아닌 신전이 있다고 할 때는 조금 의아하긴 했다. 실제로 지금 도착한 장소도 그냥 들판일 뿐, 뭔가 건축물 같은 것이 보이지 않았다.

하지만 실바코프가 손을 뻗는 순간, 뭔가가 보였다.

'어?'

수아가 눈을 깜빡였다. 동시에 무언가 공기의 일그러짐 같은 것이 느껴졌다. 순간 레틴 숲에서 봤던 아지랑이 같은 것이 떠올라 몸을 흠칫 떨었다.

하르페니언도 같은 것을 느꼈는지 상당히 급하게 그녀의 어깨를 감싸 그의 품 안에 넣었다.

그리고.

"시작과 끝, 잊힌 신전에 어서 오십시오."

즐거운 듯한 실바코프의 목소리가 그들의 귀를 때렸다.

그와 동시에 하르페니언과 수아는 순간 숨을 쉬는 것도 잊었다. 정말 아까까지만 해도 이곳은 평범한 들판이었다. 늦봄의 꽃과 초여름의 꽃이 함께 피어 있는 것이 맑은 하늘, 새소리와 어우러져 아름답긴 했지만 그뿐이었다.

하지만.

간신히 하르페니언이 입을 열어 그야말로 내뱉듯 말했다.

"결계……라는 건가."

"그렇습니다."

주변이 한순간에 바뀌었다. 그리고 바뀐 그 주변은 현실감이 조금도 없었다. 정신없는 화려한 그림 속에 들어온 것만 같은 느낌이었다.

우선 주변의 나무들은 계절을 알 수가 없었다. 나무 하나에 낙엽과 푸르른 신록, 꽃이 함께 있어 눈으로 보면서도 믿을 수가 없었다.

하늘은 한쪽은 더할 나위 없이 푸르게 맑으면서도 다른 한쪽은 석양이 지고 있다.

땅에 피어 있는 꽃들 또한 종류를 알 수 없을 정도로 흐드러지게 피어 있으면서도 실바코프가 한 발을 내딛자 순식간에 그것을 피해 아무것도 없는 땅이 된다. 그리고 그가 발걸음을 떼자마자 꽃이 다시 피어났다.

"맙소사."

간신히, 수아도 목소리를 냈다.

"여긴……."

"지금 세상에는 나가지 못한 것들이 모여 있는 곳이야, 아가씨."

"지금 세상?"

"원래 존재하되, 세상에는 존재해서는 안 될 것들. 일부는 시간이 흐르면 자연적으로 나가게 되겠지. 아, 과거에는 있었지만 「지금」과는 맞지 않아 들어온 것들도 있어."

그는 약간 입술을 삐뚜름하게 들어 올리며 웃었다.

"물론 지금 아가씨와 전하가 보고 있는 건 내가 나름대로 정리를 한 모습이지만. 나름 환상적이지 않아?"

모든 걸 그대로 보여주면 인간의 정신이 버틸 수 없다고 했다. 하긴 그의 설명대로 바닥에 우주의 별자리가 펼쳐져 있고, 바로 옆에서는 로봇이 정령과 함께 춤을 추고, 화산 폭발과 지진이 동시에 일어나며 오로라가 뜨고, 달과 해가 동시에 수백 개씩 떠 있는 그런 모습이 원래의 이곳이라면 확실히 인간이 아무렇지도 않게 볼 수 있는 풍경은 아닐 것 같았다.

"와……. 왜 실바코프 씨가 재미있는 곳이라고 했는지 알겠어요."

"그렇지? 더구나 여기는 고정되어 있지 않기 때문에 수시로 뭔가가 바뀌지. 아마 인간의 수명이라면 평생 봐도 다 못 볼걸."

"맙소사. 이럴 줄 알았으면 조금 더 빨리 와도 될 뻔했네요."

그렇게 말하면서도 수아의 눈은 실바코프가 아닌 주변을 향해 있었다. 넋이 빠진다. 바닥에서 별이 톡톡 터지며 솟아오르고 있었다.

8월 2일이 정해진 날인데 굳이 5월 초에 갈 필요가 있을까 잠깐 생각한 적이 있었다.

신전에서는 그저 한적하게 하르페니언과 시간을 보내는 것이라고만 여겼으니까. 하지만 이런 거라면 이야기는 달라진다. 그냥 곧바로 이곳으로 왔어도 좋았을걸.

"이런 곳이라고 말 좀 해주지……."

"사실 여기는 인간에게 허락된 곳은 아니라, 오래 있어봐야 좋을 것도 없어. 전하와 아가씨는 딱 적당할 때 온 거야."

짝, 실바코프가 한 번 손뼉을 쳤다. 옆에서 빛을 삼키고 있는 돌을 보던 수아가 깜짝 놀라 그가 있는 쪽으로 고개를 돌렸다.

"계속 여기 있을 거야? 이동하자고. 전하도 움직이시죠?"

하르페니언도 주변 풍경에 넋을 잃은 모습이었다. 멍하니 주변을 둘러보다 실바코프의 그 소리에 비로소 정신을 차렸다.

한 걸음 한 걸음 움직일 때마다 땅의 색이, 계절이, 장소가 변한다.

그렇게 하르페니언과 수아는 시작과 끝의 신전에 도착했다.

ஒ‍ ௐ

시작과 끝의 신전은 어느 건물 하나만을 뜻하는 것이 아니었다. 정확히는 결계가 쳐진 모든 땅, 모든 장소를 통틀어 칭하는 말이라고 했다.

하르페니언과 수아는 커다란 건물로 안내를 받았는데, 밖에서 들어올 때마다 외양이 변한다고 했다. 어느 때는 오두막으로, 어느 때는 제국의 황궁보다 큰 거대한 성으로, 어느 때는 안이 훤히 보이는 가제보로도. 그러나 둘이 배정받은 건물 외에는 아예 보이지도 않게 해놓았으니 딱히 헤맬 필요도 없고, 그 안 또한 변하지 않도록 고정해놓았으니 걱정하지 말라는 이야기도 덧붙였다.

지금은 저택처럼 생긴 건물 안으로 들어가니 안이 제국 양식으로 꾸며져 있었다. 넓은 응접실과 욕실, 침실 두 개가 연결되어 있는 방과 커다란 식탁이 있는 식당, 갖가지 옷들이 들어 있는 드레스룸 등 정말 저택 안에 있을 만한 것은 다 있었다. 단지 다른 것은 고용인이 없다는 것.

덤으로 음식을 하는 부엌이나 청소도구 등의 창고도 보이지 않았다. 식사 때가 되면 식탁에 음식이 랜덤으로 차려진다고 했고, 따로 청소나 정리를 할 필요는 없다고 했다. 설명을 들으면 들을수록 참 희한한 곳이었다.

밤이 되자 하늘에는 거의 우주가 펼쳐졌다. 단순히 별이 반짝이는 정도가 아니었다. 항성과 행성이 모습 그대로 하늘을 수놓았다. 목성처럼 거대한 「눈」을 가진 별도, 토성처럼 띠를 가진 별도 작고 크게 하늘에 가득 차 있었다.

"우와."

수아가 감탄을 내뱉었다. 우주선을 타면 이런 기분일까. 아니, 설사 우주선을 타더라도 이렇게 하나하나가 뚜렷하게 보이진 않을 것 같았다.

그 감탄은 하르페니언도 예외가 아니었다. 그는 잠시 자신이 처해 있는 상황도 잊고 눈앞의 광경에 넋을 놓았다. 그에게 있어 별이란 그저 저 멀리 반짝이는 것이었지, 그 하나의 반짝거림에 이러한 모양이 있으리라고는 생각조차 한 적이 없었다. 하지만 처음 본 별들의 모습은 꽤 그의 마음을 깊숙이 찔러 들어왔다.

마치 빨려 들어갈 것 같은…….

그 생각과 동시에 하르페니언은 반사적으로 수아의 어깨를 붙잡고 있던 팔에 힘을 주었다. 그 힘을 느낀 수아가 하늘을 바라보던 고개를 돌려 그를 바라보았다.

"예쁘죠?"

그녀가 웃었다. 그 얼굴에 뚜렷하게 나타나 있는 순수한 감탄과 즐거움에, 하르페니언 또한 마주 웃었다. 다행이었다. 마지막으로 이러한 시간을 보내게 해줄 수 있어서.

그는 실바코프에게 진심으로 고맙다는 감정을 느꼈다.

사실 그는 미지의 존재가 싫었다. 정확히는 이해할 수 없었기에 그 존재를 부정하고자 했다. 아무리 노력하여 법칙을 찾아내도, 힘을 쌓고 지식을 연마해도 그 모든 것을 아무렇지도 않게 흩어버리기 때문이었다. 인간이, 사람들이 살아가면서 나름대로 쌓아올린 그 법칙과 규칙을 찢어발기고는 아무렇지도 않은 척 그 사이로 머리를 들이민다. 서로를 죽이고 해치며 악다구니를 써서 만들어낸, 인간들끼리의 법칙을 모두 한순간에 쓸모없는 것으로 만들어버린다.

차라리 이해할 수 있는 법칙 아래에서라면, 아무리 그것이 억울하고 압도적인 힘이라 하더라도 그는 결국 받아들였으리라. 실제로 그는 저주로 인해 아버지가 그를 외면하고, 아니 외면한다 여기고 사람들이 공포에 떨며 그를 대해도 그것에 원망을 하지 않았다. 당연하고, 이해할 수 있는 일이었으니까.

하지만 저주 그 자체에 대해서는 끝까지 납득하지 못했다. 신의 존재에 의심을 품는 것이 아니다. 신의 저주라는 이름으로 내려진 그 힘. 그 이유를 알 수 없기에 끝까지 받아들이지 못한 채 괴로워했다.

세상은 법칙으로 이뤄져야 한다고 생각했다. 예외 따윈 생기지 말아야 한다고. 수아를 만나기 전에는 자신의 세계에서 강제로 내쳐지는 사람을 만드는 힘 따위, 불필요하다고만 생각했었다. 실제로 이계인 본인에게도 난데없는 재앙이겠지.

하지만 수아는 그 힘을 통해 이곳으로 왔고, 그는 수아를 만날 수 있었다. 그것이 그의 인생을 통째로 바꾸어놓았다.

이종족 따윈 없어야 한다고 생각했다. 인간의 법규가 적용되지 않는 존재. 책에서만 접했음에도, 단순히 그것만으로도 이종족이 사라졌다는 사실에 진심으로 안도했었다. 그러했기에 실바코프가 스스로를 엘프라 소개했을 때 가슴속에서 불쾌감이 울컥 솟아났었다.

만약 보호해야 할 대상이 수아가 아니었다면 그는 실바코프의 제안을 거절했을 것이다.

하지만 그가 인간이 아니었기에 여러 도움을 줄 수 있었다. 그리고 그건 수아의 목숨을 구했다.

지금도 그녀를 보호해주고 있을뿐더러 이러한 시간까지 선사해줬다.

생이 끊어지는 그 순간까지 알 수 없을 거라 여겼던 저주의 이유도, 아버지도 그를 아들로 생각했다는 사실도, 어머니 또한 끝까지 그를 살리려 했다는 사실도 그가 알려주었다.

아마 그는 굳이 자세한 이야기를 해주지 않아도 됐을 터였다. 아니, 애초에 엘프라 속여 접근할 이유도 없었을 터였다. 그럼에도 그는 그러했고, 하르페니언에게 지금의 순간을 만들어줬다. 미지의 존재든 이종족이든 실바코프는 그에게 호의를 보여주었다.

그게 진심으로 고마웠다.

하르페니언은 수아의 어깨를 감고 있는 팔에 힘을 줘 그쪽으로 끌어당겼다. 순식간에 그녀가 그의 품 안으로 쏙 들어온 형상이 됐다.

"알?"

"수아."

그는 설핏 미소 지었다. 솔직히 미련이 없다면 거짓말이다. 계속 그녀 곁에 있을 수 없다는 것이 안타까웠다.

"고마워."

"네?"

"곁에 있어줘서."

그래서 하다못해 전할 수 있을 때 전하고 싶었다. 지금의 가감 없는 그의 마음을.

그녀는 고개만을 들어 그를 올려다보았다. 동그랗게 뜬 그녀의 눈동자가 보였다. 수아는 이 하늘이 아름답다 했다. 확실히 멋지고, 무엇보다도 신비로운 풍경이다. 하지만 지금 그녀의 눈동자보다 더 아름다운 모습은 없었다.

"뭐예요."

그녀의 눈이 부드럽게 휘었다.

"갑자기."

수아는 그의 눈동자를 보는 것이 좋다고 했다. 그 안에는 온갖 색이 다 있어, 보고 있으면 많은 것을 느낄 수 있다고.

정말 그런가 싶어 하르페니언은 언젠가 거울 안에서 한참이나 자신의 눈동자를 들여다본 적이 있었다. 하지만 이것의 어디가 그녀의 마음에 그렇게 들었는지 아무래도 잘 알 수가 없었다.

같은 황금빛이라지만 동생의 것처럼 밝지도 않고 어두침침하기만 할 뿐인데.

그는 오히려 수아의 검은 눈동자가 좋았다. 그녀의 눈동자 안에는 우주가 들어 있었다. 얼핏 무채색처럼 보이는 검은색 눈동자 안에는 그것을 이길 만한 온갖 것들이 모두 들어 있었다. 한없이 부드러운 것 같으면서도 강하디강한 눈동자.

저 자그마한 몸짓 어디서 저러한 용기가, 기운이 나오나 의문이 날 때마다 그는 답을 그녀의 눈동자에서 찾았다.

그랬기에 하르페니언은 수아가 자신을 바라보는 것이 좋았다. 그녀는 그의 눈동자를 본다고 했지만, 오히려 그 시간은 그가 그녀의 눈을 바라보는 시간이었다. 무엇보다도, 그런 수아의 시선에는 오롯이 그만이 담겨 있었기에.

그리고 지금도 그랬다.

언젠가는 다른 이가 이 눈동자에 담기겠지만 최소한 지금만은 그만이 있었다.

"사랑해, 수아."

그가 속삭였다. 순간 뺨에 홍조가 물드는 것이 주변이 어둑한 사이에서도 꽤 뚜렷하게 보였다. 사랑한다는 말을, 의례적으로 듣지 않고 매번 새롭게 받아들여 주는 저 모습이 어찌나 사랑스럽고 귀여운지.

"저도요."

그녀가 웃었다. 그리고 그에게 몸을 더욱 기대왔다.

"사랑해요, 알. 이 세상 누구보다도."

그는 자연스레 고개를 숙이며 그녀의 몸을 바짝 잡아당겼고, 그 후로는 달콤한 입맞춤이 이어졌다.

지금 이 순간이 행복해서 견딜 수 없었다.

하르페니언은 자신의 끝을 수도 없이 상상해보았다. 일부러 생각하지 않으려고 노력했지만, 어느 순간부터 떠오른 그의 마지막은 언제나 혼자였다.

제대로 된 작별인사도 하지 못하고, 아무도 모르는 곳에서 혼자 죽어가는 모습이었다.

그저, 15년이 넘는 세월 동안 조금씩 말라비틀어져 가다 비참한 모습으로 마지막 숨을 내쉬는, 그의 마지막.

그 모습을 스스로 인지하면서도 별 감회가 들지 않았다. 어차피 그의 삶은 죽어 있는 것이나 살아 있는 것이나 큰 차이가 없었기에. 의식적으로 인지하지 않으려고 했을 뿐, 차라리 죽어 있는 것이 더 낫지 않을까 싶었다.

그런 삶에, 수아가 들어왔다. 그 순간 모든 것이 바뀌었다. 그저 무의미하게 시간을 보내며 죽음으로 한 발 한 발 내디뎌 가던 순간순간이 소중해졌다. 절대 변하지 않을 거라 생각했던 그의 무채색 세계에 색이 입혀졌다. 그가 살아 있는 이유를 만들어주었다.

그녀는 축복이자 선물이었다.

수아가 달뜬 숨을 내쉬며 그의 품 안에 안겨왔다. 하르페니언은 그런 그녀의 숨결 하나하나, 몸에 맞닿는 살결의 느낌까지도 모두 독차지하고 싶어 견딜 수가 없었다. 이대로 삼켜버릴 수 있다면, 얼마나 좋을까.

결국 하르페니언은 더 참지 못하고 응접실에 있는 소파에 그녀를 누였다. 다소 급한 그의 행동에도 수아는 그의 목에 팔을 감았다. 다시 한 번 두 사람의 입술이 겹쳐졌다.

수아와 함께하던 시간들 중 소중하지 않는 순간이 없었지만 그래도 이 몇 달간은 절대 잊을 수 없을 것이다.

숨이 끊어지는, 마지막 호흡을 하는 그 순간까지도 그는 기억할 것이었다.

일주일.

이제 그에게 남은 시간이었다.

어머니는 그를 동이 터올 무렵 낳았다고 했다. 태양 아래 죽음을 맞이할 수 있다는 사실은 확실히 나쁘지 않았다.

수아의 부드러운 살결이 그를 감쌌다. 그리고 하르페니언은 이제까지 떠올랐던 생각들이 순식간에 새하얗게 사라지는 것을 느꼈다.

하르페니언은 눈을 감았다. 행복했다.

조금이라도 그녀와 더 함께 있는 것.

그것만이, 지금 그가 원하는 모든 것이었다.

한순간 한순간이 아쉬워서 견딜 수가 없었다. 행복으로 빛나는 금빛 모래가 손가락 사이로 스르르 빠져나가는 느낌이었다.

물론 손에서 반짝이고 있는 모래는 남아 있지만, 결코 잡을 수는 없는 그러한.

"마지막 기회입니다."

은발에 제비꽃 빛 눈동자를 한 남자는 그렇게 말했다.

"지금이라도 늦지 않았습니다, 전하. 아가씨의 심장을 찌르고 그 검을 바치십시오. 그러면 저주는 깨끗하게 풀릴 것입니다."

그런 실바코프의 말은 그를 흔들었다.

죽음이 눈앞에 왔다거나 살고 싶다거나 하는 이유 때문이 아니었다. 어차피 마음은 다 정리했다. 이제 와 고민할 필요도 없다. 그저 수아를 볼 수 있는 시간이 얼마 남지 않았다는 걸 일깨워준다는 그 사실이, 너무나도 잔인해서.

"그 이야기는 끝난 걸로 아는데."

"변함이 없습니까?"

"절대."

연보라색 눈동자가 잠시 그를 탐색하듯 훑었다. 그러더니 곧, 언제나와 같이 웃었다.

"그 뜻, 잘 알겠습니다. 전하."

"수아는 확실히 돌아갈 수 있는 건가?"

"뒷일은 따로 걱정하지 않으셔도 됩니다. 아가씨에게는 모든 방향으로의 길이 준비되어 있으니까요. 단지 그걸 선택하는 건 아가씨지만요."

"선택?"

"전하는 이미 선택하셨습니다. 그러니 아가씨도 선택해야겠지요."

이 세계에 남을 것이냐, 남지 않을 것이냐. 하르페니언은 쉽게 그 대답을 알고 있었다. 그녀는 그가 없는 세계에 남지 않을 것이다.

"검은, 전하가 태어난 시간이 되기 전에 바치셔야 합니다."

"알고 있어."

"이제 얼마 남지 않았지요."

실바코프가 태양이 여섯 개 떠 있는 하늘을 힐끗 쳐다보았다. 아직 하늘에 떠 있었지만 곧 하나둘 지기 시작할 터였다.

"아가씨께는 말씀하셨습니까?"

"수아에게?"

하르페니언은 그가 무슨 소리를 하는지 모르겠다는 듯 미간을 살짝 찌푸렸다.

"어째서?"

"네? 왜냐뇨. 이제……."

대답하던 실바코프가 이내 알았다는 듯 잠시 말을 끊었다.

"설마, 끝까지 말씀하지 않으실 생각입니까?"

하르페니언은 대답하지 않았지만, 그 침묵은 긍정의 의미였다.

"맙소사, 정말입니까?"

"수아는."

하르페니언이 한숨을 내쉬듯 입을 열었다.

"납득하지 않을 거야."

"……그거야 당연한 것 아닙니까."

"여차하면 스스로 심장을 찌르려 할지도 모르지."

이번에는 실바코프가 입을 다물었다. 그런 실바코프에게, 하르페니언은 혼잣말을 하듯 조용히 말했다.

"물론 수아는 내가 무언가를 말해주지 않는 걸 싫어했어. 내가 모든 걸 혼자 해결하려고 한다면서 나무랐었지. 난 수아에게 부담을 주기 싫었고, 수아는 내 걱정들을 나눠 가지고 싶었고. 그런 입장 차이였지."

결국 그 일에 대해서는 그녀가 옳았다. 비록 해결할 수 없는 일이라 하더라도, 수아가 전혀 방도를 찾아낼 수 없는 일이라 하더라도 이야기를 하는 것만으로도 마음이 편해졌다.

이상했다.

그저 단순히 대화를 할 뿐인데도, 그것만으로도 누군가와 인생을 나눈다는 황홀하기까지 한 느낌이 든다는 것은.

"하지만 이건 아니야."

그러나, 이건 그와 같은 종류가 아니었다.

"아직 「기회」가 있을 때 사실을 밝힌다면, 수아는 나를 살리기 위해 무엇이든 하려고 하겠지."

지금이라도 칼로 자신의 심장을 찌르면 하르페니언은 살 수 있다.

그 사실을 수아에게 고지하라고? 말도 안 되는 소리. 이미 그녀의 세계도, 가족도, 친구도…… 모든 것을 포기시켰다. 거기에 그녀의 목숨까지 포기하라고 하라는 건가.

"하지만 끝난 뒤에 알게 되면 모든 행동은 무의미해져. 물론 슬퍼도 할 거고 화도 내겠지. 어쩌면 죄책감까지 느낄지도 몰라. 하지만 단지 그뿐."

화를 받아줄 사람도, 의견을 맞춰갈 상대도 이미 없다. 모든 기회는 지나갔고 일은 끝난 뒤다.

그때 가서 설사 그녀가 목숨을 끊는다 하더라도 나아지는 것은 아무것도 없다.

단지 자신의 괴로움과 죄책감을 덜어내는 도피가 될 뿐이다. 그리고 하르페니언은 수아가 그러한 도피를 선택하지 않고 그 괴로움을 이겨내리라는 걸 알았다.

그 정도는, 믿고 있었다.

"무엇보다도…… 마지막 기억을 다툼으로 남기고 싶지 않아."

수아에게도, 그 자신에게도.

잠시 침묵이 흘렀다. 그것을 깬 것은 하르페니언이었다.

"이것도 다 당신의 호의였지."

하르페니언이 실바코프에게 깊게, 고개를 숙였다.

"전하."

"위대한 존재인 드래곤. 타 종족에게 이렇게까지 호의를 베풀기도 쉽지 않을 터. 진심으로 감사드립니다."

실바코프는 곤란한 듯 한쪽 눈썹을 살짝 찌푸렸다. 하지만 그에 대해 무어라고 말하진 않았다.

단지 하르페니언이 꽤 오래 숙이고 있던 고개를 들자 실바코프는 조용히 한숨을 내쉬었다.

"정말, 인간들은……."

그런 그를 보며, 하르페니언은 한마디를 덧붙였다.

"이런 말 한 후에 뻔뻔하다고 생각하지만, 마지막으로 하나만 더 호의를 보여줄 수 있을까."

"뭡니까?"

"수아가 본인의 세계로 돌아갈 때까지로 안전을 보장해줄 수 있나."

"안전을요?"

"원래는 매개체를 신전에 바칠 때까지라고 했었지. 작은 선물이라고. 하지만 수아가 내일 곧바로 돌아갈 것 같진 않아. 이 세계에 머무는 사이 무슨 일이 생기기라도 하면……."

무슨 일이 생겨도 아무것도 할 수 없다. 흐르는 눈물을 닦아줄 수도, 누군가 그녀를 해하려 해도 보호해줄 수도, 하다못해 넘어지려는 그 몸을 잡아줄 수도 없다.

이제는, 그가 더 이상 옆에 있을 수 없기에.

실바코프는 잠깐 사이를 두고 고개를 끄덕였다.

"뭐, 그러도록 하죠. 기간이 좀 늘어나겠군요."

"고맙다."

하르페니언은 다시 한 번 깊게 고개를 숙였다. 실바코프는 그것을 딱히 거부하지도, 그렇다고 받아들이지도 않은 채 그를 바라보다가 다시 한 번 한숨을 내쉬었다.

"딱히, 후에라도 전할 말은 없으십니까?"

"전할 말……."

이번에는 하르페니언이 잠깐 사이를 뒀다. 하지만 이내 그는 고개를 저었다.

"없어."

"한마디도?"

무슨 의도로 되묻는지는 알 수 없었지만, 하르페니언은 순순히 대답했다.

"말을 남겨봤자 수아의 미련만 더 길어질 테니까."

그러다 문득 생각났다는 듯 말을 덧붙였다.

"혹시 수아가 하고 있는 그 목걸이는…… 없앨 수 있을까?"

"네? 이즈벳 목걸이 말씀입니까?"

"그래. 가지고 있어봤자 더 힘들기만 할 테니까."

실바코프가 어이없다는 듯 말했다.

"무슨……. 그럼 제가 아가씨 기억을 지울 수 있다고 하면 전하는 기꺼이 그러라고 하시겠습니까?"

하르페니언은 순간 멈칫했다.

"그럴 수 있나?"

"무립니다. 보통 인간도 아니고 이미 열쇠가 되었으니까요. 기억조작마법을 쓸 수 없었던 것과 비슷한 겁니다."

"그런가……."

그런 그의 얼굴은 안도를 하는 것 같기도 하고, 조금 섭섭해 하는 것 같기도 한 미묘한 표정이었다. 실바코프가 다시 한 번 눈썹을 찡그렸다.

"왜요, 정말 그러셨을 겁니까?"

"글쎄. 모르겠군."

"그런가요?"

"음, 솔직히……. 수아가 나를 계속 기억해줬으면 하는 게 진심이야. 세월이 수없이 흘러가도, 아주 가끔씩이라도 나와 함께한 걸 추억으로 떠올릴 수 있다면 더할 나위가 없다고. 하지만…… 그것도 내 이기심인 걸 알기에, 잘 모르겠군."

기억을 지울 수 있다면, 그녀가 힘들어하지 않아도 될 텐데.

"아, 진짜."

언제부터인가 옅은 미소조차 표정에서 지우고 있던 실바코프가 말을 툭 내뱉었다.

"도대체 인간들은 모르겠습니다. 살기를 원하고, 이 세상에 흔적을 남기고 싶어 하는 건 인간으로서 당연한 것이 아닙니까? 도대체 왜 거기에 죄책감을 느끼시는 거죠?"

그는 신경질적으로 자신의 앞 머리카락을 쓸어 뒤로 넘겼다.

"인간은 기본적으로 아주 불안정하고 연약한 종족이란 말입니다. 굳이 종족으로서의 완성도를 따지면 엘프나 드워프가 더 높지요. 엘프의 본능이 조화, 드워프의 본능이 생성이라면 인간의 본능은 생존과 파괴와 탐욕. 그런 주제에 때때로 그 본능을 아무렇지도 않게 태연히 넘어, 타 종족이라면 절대 할 수 없는 것들을 이루기도 하지요. 좋은 의미로든, 나쁜 의미로든."

그는 짜증이 나서 견딜 수가 없는 것 같았다.

"어떤 때는 손톱 밑에 가시 하나만 들어와도 세상이 다 끝난 것처럼 엄살을 떨면서, 어떤 때는 심장에 칼이 박히게 생겼는데도 아무렇지도 않은 척을 합니다. 전하도 그렇습니다. 그냥 말도 안 되는 저주를 준 신을 원망하면 되는 거 아닙니까? 아니, 그냥 아가씨를 죽이면 되겠지요. 자신의 목숨만 구할 수 있으면 남이 죽든 말든 상관하지 않는 것이 인간 아닙니까? 그런데, 왜…… 도대체."

당신들은.

마지막 말은 거의 속삭임에 가까웠다.

"실바코프."

"네, 네. 압니다. 이건 괜한 화풀이죠. 그냥 한 번…… 투덜거려보고 싶었습니다. 전에는 말하지 못했으니까요."

"전?"

"제 예전 연인에게. 이 세계의 인간이었거든요, 그 여자."

그는 그제야 미묘한 미소를 지었다. 우는 것도 웃는 것도 아닌 굉장히 복잡해 보이는 표정을.

"그리고……「제물」이었죠. 어릴 때 아무것도 모른 채 대답한 것도 아닙니다. 더구나 당시에는 제가 옆에 있었으니까요. 설명을 모두 해줬습니다. 거부하면 어차피 다른 사람에게 찾아가게 될 거라는 사실까지도 모두. 하지만 결국 제물이 되길 선택하더군요. 세계를 위한다면, 조금이라도 멸망이 늦춰질 수 있다면 자신의 목숨도 가치가 있을 거라면서."

그의 이런 모습은 처음 보는 것 같았다.

"드래곤의 본능은, 중재입니다. 제가 볼 때 그녀의 선택은 이상할 것이 없었어요. 그래서 저도 말리지 못했습니다. 아니, 말리지 않았다는 것에 가깝겠군요. 그리고 한참이나, 그녀가 숨이 끊어진 지 정말 한참이나 지나서 깨달은 겁니다. 그녀는 인간으로서의 본능을 거스르며 그러한 선택을 했다는 걸. 그러면 저도 본능을 거스르고 그녀를 말릴 수도 있었으리라는 걸."

그리고 고개를 조금 숙이는가 싶더니, 이내 조금은 낮은 목소리가 흘러나왔다.

"또, 제가 미친 듯이 후회를 하고 있다는 것도…… 너무 늦게 알았습니다."

그 목소리는 아프게 하르페니언의 가슴을 찔러왔다. 무슨 말을 해야 할까. 아니, 그 무슨 말을 해도 위로가 되지 않으리라는 걸, 하르페니언은 알았다.

"그래서 망설였습니다. 이곳은 그녀가 지키고자 한 세계였지만, 그녀는 이미 없으니까요. 차라리 없어지는 것도 괜찮겠다고 생각했죠. 어쩌면 저 대신 이 세계를 택한 복수의 의미도 있지 않았을까요. 사실 방법은 얼마든지 있었습니다. 제 역할을 벗어나지 않으면서도 일이 제대로 돌아가지 않게 만들 방법은 잔뜩 있었죠."

열쇠가 없어지면 하르페니언이 이제까지 견뎌온 것과는 전혀 상관없이 모든 것이 끝난다. 그리고 수아의 목숨을 앗는 건, 직접 손을 쓰지 않아도 너무나도 간단한 일이었다.

"하지만 그럴 수가…… 없더군요. 그녀가 아니라도 이 세계는 제게 특별했습니다. 처음으로 넘어온 차원이기도 했고, 더구나 전하를 계속 보고 있던 제가 다 분통이 터지더군요. 이건 처음부터 너무 불리한 시험이었습니다. 애초에 전하가 여태껏 살아남은 것도 제가 보기엔 기적에 가까웠던 데다가, 열쇠가 왔다 한들 신의 저주가 통하지 않는 이가 황태자 곁에 있다는 게 다른 사람에게 무슨 뜻이겠습니까? 당연히 목숨의 위협은 받게 되어 있겠죠. 놔두면…… 아마 조건이 충족되긴 어려웠을 겁니다."

하르페니언은 조용히 긍정했다. 실바코프가 아니었다면, 수아는 이미 죽었을 것이다. 누군가를 지킨다는 점에서 그의 힘은 너무나도 미약했다.

설사 황궁을 떠나며 수아를 데리고 가지 않았다 하더라도 그녀의 안전은 보장할 수 없었다. 재판에서 저주의 힘이 통하지 않는 이라고 모두에게 공표되었으니.

"계속 지켜보면서 고민했습니다. 그러다, 아가씨가 암살자의 칼에 쓰러진 걸 보았죠. 거기서 도박을 걸었습니다. 만약 아가씨가 살아나신다면 최대한 도와보기로. 외부의 요인으로 결정되는 것이 아니라, 아가씨와 전하의 선택만으로 오롯이 끝나는 것을 돕기로. 전하는 제가 호의를 베풀었다고는 하지만, 글쎄요. 전 그냥 이렇게까지 된 이상 끝까지 보고 싶었던 것뿐입니다. 어떤 선택을 하는지. 인간의 본능대로 행동할지, 아니면 이번에도 그 본능을 거스를지."

"……그래서, 만족했나?"

"글쎄요."

그는 피식 웃었다.

"나름대로의 답은 얻은 것 같지만요."

다시금 침묵이 흘렀다.

그리고 그 침묵을 깬 건, 이쪽으로 다가오는 자그마한 발걸음 소리였다.

남자 둘은 그 발걸음 소리의 주인공이 그들을 발견하기도 전에 그쪽으로 고개를 돌렸다. 이내 수아가 모퉁이를 돌아 나와, 하르페니언을 보고 그 얼굴에 미소를 담았다.

“알! 여기 있었어요? 어라, 실바코프 씨도?”

“어째 간만이네?”

“그러게요. 첫날 외엔 코빼기도 안 보이다니. 그동안 어디 있었어요?”

“계속 이 안에 있었어. 단지 아가씨네와 마주치지 않았을 뿐이지.”

“정말 여기가 넓나 보네요.”

“그렇다기보다는…… 그냥 같은 평면에 있지 않다고 생각하면 돼.”

수아는 잘 이해가 가지 않는 모양이었지만, 이내 그냥 고개를 끄덕였다.

“진짜 여기는 어떻게 이루어졌는지 알 수가 없다니까요.”

“그래서, 마음에는 좀 들어?”

“당연하죠! 여기서 머물 기간이 한 달 넘게 남았는데도 벌써부터 아쉽다니까요. 나중에 돌아가도 가끔 생각날 것 같아요.”

“아가씨 마음에 들었다니 다행이네.”

"음, 뭐 딱히 더 주의사항 같은 건 없죠?"

"그다지? 어쨌건 난 가끔 이렇게 나타날 테니까 혹시 궁금하거나 원하는 거 있으면 물어봐. 전하는 딱히 없으신 모양인데…… 아가씨는?"

"네? 음…… 저도요."

"그래, 그럼 다음에 봐."

실바코프가 먼저 둘에게 인사를 하고 자리를 떴다. 수아는 눈짓으로 배웅하고는 곧바로 하르페니언에게 다가가 자연스럽게 팔에 매달리듯 팔짱을 꼈다.

"참, 알. 저 뒤쪽에서 돌아다니다가 진짜 신기한 호수 발견했어요. 되게 예쁘던데. 같이 가서 봐요."

하르페니언도 수아를 좀 더 자신의 품 안으로 그녀를 끌어당겼다.

"호수?"

"네, 되게 보석같이 빛나더라고요. 그리고 그 안이 마치 [영화관]처럼……. 음, 그니까 뭔가 [영상]이……. 모습이 보여요. 자세히는 아직 못 봤는데, 음, 그러니까 같이 보고 싶어서요. 저녁식사 후에 가면 좋을 거 같아서. 어두워지면 더 예쁠 것 같아요."

그러고 보니 수아는 숨을 약간 빠르게 쉬고 있었다. 붉게 상기된 뺨도 보였다.

심장이 뛰는 속도도 평소보다 다르다.

그에게 호수를 함께 보자는 말을 하고 싶어 조금은 급하게 하르페니언을 찾은 것이리라.

하르페니언은 저도 모르게, 고개를 숙여 그런 그녀의 이마에 입술을 살짝 대었다 뗐다.

"그래. 그럼 식사 후에 가볼까."

여느 때와 다르지 않은 오후였다.

그리고, 마지막 날이기도 했다.

호수는 정말로 아름다웠다. 아니, 아름답다는 말만으로는 충분하지 않았다. 환상적이었다. 호숫물은 보석을 녹인 것 같기도 하고, 별을 부스러트려 녹인 것 같기도 했다.

그 안에 여러 모습들이 비쳤다. 마치 불이나 바람이 움직이며 춤을 추는 것 같은 추상적인 모습이 있는가 하면, 다른 세계의 모습을 직접 비추는 것처럼 구체적인 영상도 있었다. 들판을 뛰노는 말들이나 춤추고 있는 풀잎 등. 단지 어느 영상도 사람의 모습은 비추지 않았다. 그랬기에 더욱더 신비로웠다.

호수 안을 들여다보면 들여다볼수록 현실감이 없어졌다.

그 안에 세계가 있었다. 땅에 서 있는 것 같지 않았고, 금방이라도 빨려 들어갈 것만 같았다. 그건 마치 물속이나 우주를 미아가 되어 유영하는 느낌이었다. 그래도 서로 맞잡고 있는 손의 체온 덕분에 자신의 위치를 잊지는 않았다.

둘은 계속 서로 한마디 말도 없이 그렇게 호수를 들여다보았다. 저녁을 먹고 나와서도 해는 완전히 지지 않았다. 그럼에도 멍하니 들여다보게 하던 호수는 주변이 차차 어두워질수록 그 빛을 더했다.

"진짜 현실 같지가 않아요."

한참이나 있다 먼저 말을 꺼낸 것은 수아였다. 하르페니언은 망설임 없이 고개를 끄덕였다.

"그래. 마치 이 세상에, 둘만 있는 것 같군."

"네. 요 며칠 내내 그런 느낌이었지만……. 특히, 지금은 더 그래요."

수아가 배시시 웃었다.

실바코프는 첫날 이곳을 어떻게 이용하는지 알려준 걸 제외하면 내내 보이지 않다가 오늘에서야 잠깐 모습을 드러낸 것이다. 그 외에는 사람 하나 없는 곳이니, 정말 일주일 동안은 둘만의 시간이었다.

"또 이곳에 올 수 있었으면 좋겠어요. 그쵸?"

하르페니언은 그에 대해 답하지 않았다. 수아는 그걸 긍정의 표시라 생각했는지 계속 말을 이었다.

"나중에 수도로 돌아가면 엄청 바쁘겠죠. 그래도 잠깐만이나마 휴가를 낼 수 있지 않을까요? 실바코프 씨에게 순간이동으로 부탁하면…… 그때도 여기서 지내면 좋을 텐데. 위험도 없고요."

그러다 수아는 고개를 설레설레 저었다.

"하긴 여기는 인간에게 허락된 장소가 아니라고 했었죠."

"난."

하르페니언은 그녀와 맞닿아 있는 손을 더욱 꽉 쥐었다.

"지금으로도 만족스러운걸. 앞으로 한동안 여기에 있을 텐데, 벌써 돌아갈 때를 생각하다니. 지금은 부족한가?"

"어? 아뇨! 아니에요. 지금이 너무 좋으니까! 그러니까 벌써부터 이런 생각을 하는 거예요. 어, 그러니까 맛있는 음식 먹으면서 다음에는 또 어떤 맛있는 걸 먹을까…… 하는……."

스스로 생각해도 비유가 이상했는지 수아는 움찔 움츠러들였다.

"으아, 나 뭐래. 비유를 해도 이런 비유를……. 그니까 음식에 비유한 게 아니라요……."

아까와는 다른 의미로 뺨을 붉힌 채 횡설수설하는 수아의 모습을 보며 하르페니언은 피식 웃었다.

그리고 그녀의 볼에 부드럽게 입을 맞췄다.

"알아."

"으."

수아는 잠깐 시선을 떨어뜨렸다가 하르페니언의 품에서 벗어나 그를 똑바로 올려다보았다.

"진짜! 알 이럴 때 보면 정말 [선수] 같은 거 알아요?"

"[선]…… 뭐?"

"여자 많이 꼬셔본 사람요. 진짜, 알 저주 아니었으면 엄청 의심했을 거야."

어차피 저주는 풀린다. 그러니 이제 이런 이야기도 가볍게 할 수 있었다. 실제로 수아가 저주에 관해서 언급할 때, 예전처럼 쭈뼛거리거나 망설이는 느낌은 꽤 사라졌다. 하르페니언은 그것이 기꺼웠다. 하르페니언은 그것이 무엇이든 수아가 눈치를 보는 것이 싫었다.

"물론 그대를 꽤 꼬시려고 노력은 했지."

"……노력한 것이 그래요? 제가 싫다는 말 한마디만 했으면 어디 떠나서 두 번 다시 안 돌아올 모양새였는데."

"음, 틀린 말은 아니지만."

"그러면서 뭘 꼬시려고 노력했대요."

"그대가 아니었으면, 상대가 어떻게 나오든 바로 떠났을 거야. 다른 누구도 아닌 바로 그대니까, 곁에 있는 거지."

수아는 기가 막힌 듯 입을 살짝 벌렸다. 그 얼굴은 조금 전보다 훨씬 붉었다.

"우와. 진짜 이래놓고 정말 제가 첫 연인이라는 거예요?"

그 추궁 아닌 추궁에는 하르페니언이 당황했다.

"하지만 정말인걸. ……음, 내가 뭔가 말을…… 잘못, 했나?"

"어, 아뇨! 아니에요! 그니까…… 방금 알이 한 말은 연인에게 정말 듣고 싶어 하는 말이거든요. 당신이 특별하다든가, 다른 여자라면 결코 반하지 않았을 거라거나 하는 그런……."

"무슨 그런 소리를."

하르페니언은 진지하게 말했다.

"내가 그대가 아닌 다른 이에게 반했을 리 만무한데. 그런 당연한 이야기를 하는 것이 여자를 유혹하는 방법이라고?"

수아는 입을 살짝 벌렸다. 너무나도 당당해 보이는 그 태도에는 입에 발린 말을 한다는 느낌이 전혀 없었다. 당연했다. 저게 정말 그의 진심이니까.

하르페니언이 부드럽게 미소 지었다.

"이런 것 말고, 정말 그대를 유혹할 수 있는 방법을 알려주면 좋겠는데."

그 말과 함께 그는 고개를 숙여 바짝 그녀에게 얼굴을 가져다 대었다. 수아는 깜짝 놀라 저도 모르게 한 걸음 뒤로 물러섰다.

그리고 뒤는 당연히도 호수였다.

“꺅?!”

순간 수아는 휘청거리며 그대로 호수 안으로 넘어갔다. 그리고 그 안으로 빠지기 직전의 순간, 하르페니언이 그녀의 허리를 잡아 그의 품 안으로 끌어당겼다.

“괜찮나.”

“네. 아, 깜짝이야.”

심장이 두근두근 뛰었다. 호수에 완전히 빠지진 않았지만 한 발이 물속으로 들어가, 치맛자락이 젖어 다리를 휘감았다. 수아는 손으로 물기를 털어내려고 했지만, 흠뻑 젖은 천이 순식간에 마를 리가 없었다.

“이만 들어가라는 말인 것 같군.”

“으, 미안해요.”

“어차피 슬슬 들어가야 할 시간이었어.”

하르페니언은 아무렇지도 않은 듯 그녀를 안아 들었다. 그러고는 당연하다는 듯 걷기 시작했다.

수아는 그 자연스러운 움직임에 몇 번 눈을 깜박이다가, 곧 어? 하고 얼빠진 소리를 냈다.

“자, 잠깐만요.”

“감기 걸리기 전에 들어가는 게 좋아.”

“그게 아니라! 저 혼자 걸어갈 수 있어요!”

그는 수아를 품에 안아 들고, 그러니까 소위 말하는 공주님 안기를 한 채 숙소 쪽으로 걸어가고 있었던 것이다.

"치마가 엉겨 붙잖아."

"하지만!"

가끔 그가 그녀를 이렇게 안아 들긴 했다. 하지만 그건 아주 짧은 거리일 뿐이었고 제대로 눈앞이 보이지 않는 상황뿐이었다. 그러니까 의자에서 침대라든가, 응접실에서 침실이라든가.

아, 어쩌면 암살자의 칼에 다쳤을 때도 이렇게 안겼을지도 몰랐다. 하지만 제정신으로 이렇게 안기니 뭔가 부끄러워서 견딜 수가 없었다.

그런 수아에게 하르페니언은 웃으며 속삭였다.

"이 정도는 그냥 호의로 받아들여 줘도 좋지 않나."

그 말이, 너무나도 달콤했다.

"나는 다른 누구도 아닌 그대의 연인인데."

그 말에 수아는 하르페니언을 바라보았다. 다시 금안과 시선이 맞부딪쳤다.

"아……. 그렇, 죠?"

"그래."

곧바로 긍정의 대답이 되돌아왔다.

수아는 반사적으로 고개를 끄덕였다. 어느 정도는 꿈을 꾸는 기분이었다.

"하긴, 그래요."

그가 이렇게 직접적으로 이야기를 해준 적이 있던가.

연인. 그 소리에 수아는 실실 입꼬리가 올라가는 것을 막을 수가 없었다. 그렇게 인식을 하자 이렇게 안겨 방으로 들어가는 것이 갑자기 더할 나위 없이 로맨틱한 행위로 느껴졌다. 그래, 상대는 정말로 왕자님인데 이런 것 정돈.

수아는 괜히 부끄러움으로 이런 것들을 죄다 거부하느니, 그냥 지금 이 순간을 즐기자고 마음먹었다. 그러고는, 그의 품 안으로 얼굴을 묻었다.

그래, 분명 지금 이 순간을 충실하게 즐기자고 마음을 먹긴 했다. 마음을 먹긴 했는데……

"네?"

"같이 씻을까."

그는 태연하게 방금 한 말을 되풀이했다. 수아는 얼굴이 화르르 불타오르는 것 같았다.

전에는 그냥 물어본 거라고 했다.

그리고 그녀가 곤란한 빛을 내보이자 곧바로 다음에 다시 청한다며 물러났다. 하지만 지금은 당황하는 수아를 보면서도 아무 소리도 하지 않은 채, 그녀의 대답을 기다리고 있었다.

지금이 그때의 「다음」이구나.

그러니까, 지금 이건 완전한 그의 진심인 것이다.

"그, 그게……."

하르페니언은 망설이는 수아를 보며 살짝 눈을 내리깔았다. 그 표정에 수아는 다른 생각을 더 할 틈도 없이, 반사적으로 고개를 끄덕였다.

"그, 그러죠?"

그와 동시에 자신의 입을 치고 싶어졌지만.

물론 그 말에 바로 시선을 들어 기쁜 듯 그를 바라보는 시선에, 수아는 차마 자신의 말을 취소할 수가 없었다.

"어……. 그, 그럼 먼저 들어가요!"

일단 하르페니언과 떨어져야 할 것 같았다. 수아는 바로 하르페니언을 욕실로 밀어 넣었고, 그는 순순히 그 안으로 들어갔다.

탁. 문이 닫히고 수아는 참았던 숨을 내쉬었다.

'으아아.'

좋긴 한데 곤란했다. 아니, 좋아서 곤란했다. 요즘 들어 하르페니언에게 부쩍 더 두근거렸다.

물론 언제는 두근거림이 안 느껴졌느냐마는.

생각해보면 하르페니언에 관련해서는 언제나 그랬다. 언제나 한층 더 반하고, 한층 더 두근거리고, 한층 더 남자로 느꼈다. 딱히 계기 같은 걸 떠올려 봐도 무의미한 짓이었다. 그건 언제나 「갑자기」였으니까. 마치 수아가 언제부터 하르페니언에게 반했나 고민하는 것과 비슷한.

굳이 이유를 가져다 붙인다면 그가 전보다 훨씬 더 가감 없는 애정표현을 수아에게 하고 있다는 것?

어쨌거나 그건 오히려 반가워하면 반가워할 일이지 나쁜 변화는 아니었다.

수아는 몇 번이나 심호흡을 한 후에 욕실 문을 노려보았다.

이 저택의 이용법은 간단했다. 딱히 시중들 사람이 필요 없었고, 원하면 무엇이든 나왔다. 씻고 싶다고 하면 탕에 물이 저절로 준비됐고 시간이 되면 음식이 저절로 나왔다. 단지 세부적인 것까지는 지정할 수 없다. 실바코프는 그 이유가 「어딘가에 있는」 것을 투영하기 때문이라고 했다. 그렇다고는 해도 숙소와 식사를 포함한 모든 것들이 최상급이었기에, 수아도 하르페니언도 불만은 없었다.

그러니까, 차라리 오늘이 기회일지도 몰랐다. 시중드는 사람도 없으니 보는 사람도 없다. 이때 그냥 함께 씻으면 되는 게 아닐까.

사실 수아가 계속 이곳을 아쉬워하며 나중에 오면 좋겠다는 생각을 하는 것도, 이곳이 아름답고 환상적인 장소라는 것도 있지만 무엇보다도 시중인이 없다는 장점 때문이기도 했다. 단둘만이 있는 장소라니, 보통이라면 이런 건 불가능할 테니까.

어쨌거나 추후는 추후, 지금은 지금이다. 수아는 마지막으로 심호흡을 한 뒤 욕실 문을 열었다.

이미 며칠을 묵은 곳이기에 구조는 잘 알고 있었다. 매번 분위기는 바뀌지만 구조만은 언제나 똑같았다. 욕실 문을 연다고 해서 바로 욕탕이 나오는 것이 아니었다. 먼저 옷을 갈아입을 수 있는 공간이 있었고 그다음이 몸을 씻을 수 있는 샤워실, 그리고 그다음이 욕탕이었다. 마치 저쪽 세계의 대중 목욕탕을 좀 더 축소하고 고급으로 하여 이곳에 옮겨놓은 것 같은 느낌이랄까. 하르페니언을 먼저 밀어 넣은 것도 먼저 씻고 욕탕 안으로 들어가 있으라는 뜻이었다.

수아는 옷을 벗고 조심스레 샤워실 안으로 들어갔다. 다행히 하르페니언은 먼저 씻고 욕탕으로 들어갔는지 그 안에는 아무도 없었다. 단지 옅게 욥 향기가 떠돌고 있었다.

"후아."

수아는 잠깐 동안에만 몇 번인지 모를 숨을 들이켜고는 천천히 몸을 씻었다. 아, 조명이 너무 밝아. 조금 더 어두우면 좋을 텐데. 어두운 조명으로 바꿔주면 안될까.

그렇게 생각해봤지만 역시 이미 나타난 욕탕은 바뀌지 않았다.

정말, 벗은 몸을 처음 보여주는 것도, 보는 것도 아닌데 왜 이렇게 부끄러운지도 모르겠다.

자신이 들어가겠다고 한 이상 너무 기다리게 하는 것도 예의는 아닐 터였다. 수아는 정말로 마지노선이라고 생각할 때까지 씻고 또 씻었다. 그리고는 커다란 타월로 몸을 가리고는 욕탕이 있는 곳의 문을 열었다.

오늘따라 욕실은 정말로 커다랬다. 수아 기준으로는 수영장이라고 해도 믿을 정도였다. 이보다 더 작은 크기에서도 혼자 목욕하는 건 아깝다는 생각을 하긴 했지만, 그렇다고 해서 둘이 함께하고 싶다는 뜻은 아니었는데.

어쨌건 오늘도 넓은 욕실에는 물이 아낌없이 가득 차 있었다. 향유와 섞인 물이 굉장히 향기로웠다.

물의 색과 그 위에 뿌려진 꽃잎의 종류는 날마다 바뀌었는데, 오늘은 반투명한 초록색 물 위에 붉은색 꽃잎이 흩뿌려져 있었다.

"뒤, 뒤돌아요."

그 욕탕 안에 있는 하르페니언을 발견한 수아가, 자신의 몸을 두른 커다란 타월을 더욱 꼭 쥐며 더듬거리며 말했다.

하르페니언의 모습은 무어라고 표현을 할 수가 없을 정도로 멋졌다. 욕탕 안은 평소보다 더 밝게 보였는데, 그 빛 아래 물 밖으로 나와 있는 그의 상반신은 그야말로 조각 같았다.

맙소사. 수아는 속으로 절규했다. 하르페니언은 정말 모델 화보라고 해도 믿을 정도의 모습이었다. 그런데 자신이 그 안으로 난입해야 한다니. 조금 전으로 돌아갈 수 있다면 함께 씻자는 말에 동의한 자신의 입을 막아버리고 싶었다.

하르페니언은 뭔가 할 말이 있는 것 같아 보였지만, 곧 그녀의 말대로 순순히 뒤를 돌았다.

"제가 들어갈 때까지 절대 뒤돌아보지 마요. 알겠죠?"

"명심하지."

수아는 최대한 하르페니언에게서 멀리 떨어졌다. 욕실이 넓어서 다행이었다. 그리고 긴장으로 침을 한 번 꿀꺽 삼키고는 몸을 감싸고 있는 타월을 떨어뜨렸다.

아마 하르페니언의 귀에는 수아가 움직이는 소리가 고스란히 다 들렸을 터였다. 하지만 그는 약속대로 뒤를 돌아보지 않았고, 잔뜩 긴장하고 있던 수아는 그 사실에 그나마 안도하며 탕 안으로 들어갔다.

첨벙. 물 안으로 들어가는 소리가 예상 외로 크게 울렸다.

수아는 반투명한 연초록색 물에 최대한 몸을 깊숙이 담갔다. 물도 완전히 투명하지 않은 데다가 꽃잎들 덕에 어느 정도는 숨을 수는 있었다.

"됐나?"

"으, 네……."

수아가 기어 들어가는 목소리로 대답하자, 하르페니언은 그제야 몸을 돌렸다. 그리고 완전히 물 안으로 들어가 있는 수아를 보며 미소 지었다.

"그렇게 부끄러운가."

"이런 적이 없으니까……?"

"이런 적?"

"아무것도 안 하면서요."

그 말을 해놓고 수아는 어라 싶었다. 그러니까 딱히 침대에서가 아니면 이런 적은 처음이라는 말을 하고 싶었을 뿐이었다. 그런데 뭔가 어조가 이상했다. 그건 하르페니언도 비슷하게 느낀 모양이었다.

"그렇군. 그럼 뭔가를 하면 되겠군."

"그렇죠. 그러니까……. 네?"

반사적으로 대답하던 수아가 당황하여 반문했지만, 하르페니언은 그에 대한 대답을 직접 행동으로 보여주었다.

그대로 수아에게 일어나 다가온 것이다.

탕이 꽤 깊었기에 일어났다고 해도 상반신만이 완전히 드러나는 정도였고, 따라서 그 또한 물 안에서의 움직임이라 그다지 빠르지 않을 터였다. 그러니까, 원래대로라면 그래야 했다.

하지만 실제로는 수아가 급히 뒤를 돌아 더 떨어지려고 하는 그 잠시의 사이, 하르페니언은 순식간에 그녀의 앞으로 다가와 있었다.

"잠깐, 기다리……!"

"이미 계속 기다린 것 같은데."

하르페니언은 그녀의 팔을 잡아당겨 수아를 자신의 품 안으로 안았다.

그 정도의 포옹이야 둘 사이에서 특별할 것도 없었지만, 평소와는 달리 맨살의 감촉이 굉장히 생경했다.

수아는 그의 품 안에서 어떻게든 벗어나려고 꼼질거렸다. 하지만 수아의 허리를 감은 그의 팔은 꿈쩍도 하지 않았다.

오히려 움직이면 움직일수록 기분만 이상해졌다. 거기에 하르페니언이 목덜미에 입을 맞춰오자, 수아는 그만 눈을 질끈 감아버렸다.

"읏……!"

그가 그녀의 등을 쓸어내리자 수아는 움찔 몸을 떨었다. 평소보다도 그와 맞닿는 부분이 더 민감하게 느껴졌다.

"눈 떠."

그 목소리에 수아는 거부하지 못하고 눈을 떴다. 바로 눈앞에 언제나와 같이 그녀를 내려다보는 하르페니언의 금색 눈동자가 있었다.

"상대가 누구인지는 똑바로 봐야 하지 않나."

"누구, 냐니……."

수아는 가빠지는 숨을 삼키며 간신히 대답했다.

"알 외에는 없는 게 당연하잖아요……."

눈앞이 약간은 흐릿했다. 수증기 때문일까, 아니면 아찔한 감각 때문일까.

수아는 천천히 하르페니언의 몸을 쓸어내렸다. 눈 밑에서 목덜미까지 내려가는 붉은색 문신을 따라, 자잘한 흉터들이 가득 만져졌다.

손끝에서 느껴지는 감각이 평소보다 더 민감했다.

"알."

그의 이름을 부르는 것만으로도 목소리가 떨려왔다.

"사랑해요."

"수아."

귓가에 속살거리는 목소리가 간지러웠다. 그 또한 숨이 조금씩 거칠어지고 있었다.

"그대를 만난 걸 감사해."

수아가 그에 답하기 위해 입을 열었지만, 하르페니언의 입이 그 위로 겹치며 그녀의 대답은 밖으로 새어 나가지 않았다.

그리고 그 뒤로는, 더 이상 부끄러움을 느낄 틈도 없었다.

하르페니언은 조용히 수아의 흐트러진 머리카락을 정리해주었다.

새근거리며 흘러나오는 고른 숨소리에, 그는 잠깐 미소를 지었다.

"수아."

그는 낮게 그녀의 이름을 불렀다.

욕실에서 침실로 옮겨오고 나서도 하르페니언은 그녀를 한참이나 괴롭혔고, 그 결과로 수아는 지금 거의 까무러치듯 깊은 잠에 빠져 있었다.

조금 더 마음을 전하고 싶었다. 그녀를 만나 얼마나 행복하고 감사했는지, 그녀를 얼마나 사랑하는지.

"……많이는, 울지 말길."

그리고 그가 사라진 후에 슬퍼하지 않았으면 하는 마음 또한.

하르페니언은 조용히 그녀의 이마에, 코에, 뺨에, 그리고 입술에 입을 맞췄다. 마지막으로는 그녀의 손등에 키스하고는, 이를 악물며 그녀에게 떨어져 나갔다.

그의 이름을 부르는 목소리도 한 번 더 듣고 싶다, 그리 생각했지만 이미 그건 불가능한 일이었다.

그는 침대에서 완전히 몸을 일으켰다. 이미 짐은 모두 정리했고, 옷 또한 챙겨 입은 후였다.

하르페니언은 마지막으로 그녀에게 이불을 덮어주고는, 잠깐 그녀를 내려다보다 곧바로 몸을 돌렸다.

해가 뜰 때까지 얼마 남지 않았다. 더 이상 시간을 지체할 수 없었다.

차마 떨어지지 않는 몸을 간신히 끌고 문밖으로 나오자, 그는 오히려 담담해졌다.

건물 밖에서는 실바코프가 그런 그를 기다리고 있었다.

“시간 맞춰 나오셨군요.”

“늦어서는 곤란하니까.”

“그건 그렇습니다만…….”

어쩐지 실바코프도 착잡한 표정으로 그를 바라보다, 곧 따라오라는 듯 등을 돌렸다.

“이쪽입니다. 안내해드리죠.”

하르페니언은 뒤를 돌아보지도 않은 채, 그를 따라 발걸음을 옮기기 시작했다.

ꕥ

뭔가 이상한 감각을 느낄 때가 있었다. 분명 나른하고 피곤한데도, 잠에서 깨어날 수밖에 없는 지금처럼.

"……알?"

그리고 무의식중에 옆을 더듬다가, 이불이 차게 식은 것에 깜짝 놀라 수아는 벌떡 몸을 일으켰다.

"알?"

들려오는 대답도, 방 안의 인기척도 없었다. 순간 등에 차가운 얼음을 끼얹은 것 같은 감각에 수아는 오싹 몸을 떨었다.

잠깐 씻으러 간 것일 수도 있고, 잠이 오지 않아 산책을 나간 것일 수도 있었다. 아니면 몸이 찌뿌둥하여 잠깐 검을 잡으러 갔을 수도 있었다.

그가 잠시 자리를 비울 만한 이유는 굉장히 많았다. 사람의 온기라는 건 금세 날아가니, 5분에서 10분 정도 자리를 비우는 것만으로도 이불이 식을 수도 있는 것이다.

그런데, 왜 이렇게 불안하지.

수아는 침대에서 나와 대충 옷을 챙겨 입고는 어깨 위로 숄을 덮었다. 그리고 슬리퍼를 신고는 방을 한 바퀴 더 둘러보았다. 발코니가 있는 창밖은 아직 어두웠지만, 수아는 지금이 동이 터오기 직전의 시간이라는 걸 알았다.

오히려 이런 시간이니만큼, 하르페니언이 자리를 비울 이유는 더 많았다. 하지만 왜 이렇게……. 수아는 입술을 깨물며 방문을 열었다.

"실바코프…… 씨?"

그리고 문밖의 벽에 기대고 서 있는 은발의 남자를 보았다.

"아가씨."

그는 웃고 있지 않았다.

"알, 못 봤어요? 일어났는데 옆에 없어서……."

"전하라면 신전에 검을 바친 후, 다른 곳에 계시지."

"네? 신전? 그거 날이 상당히 남았잖아요? 왜 지금……."

"왜냐면."

실바코프가 그녀의 말을 끊고 말했다.

"그거, 거짓말이었으니까."

"거짓말……요?"

"전하의 생일은 몇 달 후가 아니야. 오늘이지."

"뭐라고요?"

머리를 한 대 얻어맞은 것만 같았다.

"더구나 전하는, 애초부터 아가씨와 함께 신전에 갈 생각이 없었어."

"잠깐만요. 생일이 오늘이라고요? 그럼 그냥 검을 바치면 다 끝나잖아요. 그런데 저와 같이 갈 생각이 없었다니 그게 무슨……. 아니, 지금 설명 안 해줘도 돼요. 그냥 알이 있는 곳으로 데려다줘요. 일단 얼굴을 보고 말을……."

"아니."

그가 고개를 저었다.

"먼저 설명을 들어야 할걸."

듣고 싶지 않았다. 들어서는 안 된다고, 무언가가 그녀에게 경고했다. 그건 결코 그녀가 상상하는 것과 다를 거라고. 하지만 실바코프는 그녀의 동의 따윈 필요 없다는 듯 바로 입을 열었다.

"전하가 생일날, 매개체를 신전에 바쳐야 하는 건 맞아. 단지 그건 아가씨의 심장을 찌른 검이었을 뿐이지."

그 말에, 수아의 머릿속이 새하얗게 비었다.

"하지만 전하는 그걸 처음부터 고려 사항에도 두지 않으신 모양이야. 그래서 전하는, 오늘 새벽에 나와 함께 아가씨의 피가 묻지 않은 검을 바쳤지."

"무……슨."

거짓말이다. 말도 안 되는 소리를 하는 거다.

수아는 당장에라도 방에 뛰어 들어가 검을 둔 선반을 열어보고 싶었다. 하지만 동시에 그의 말이 사실이라는 것도, 알았다.

"아, 매개체는 이미 바쳤어. 그러니 아가씨가 지금 와서 심장에서 피를 낸다 해도 되돌릴 수는 없지. 이제 정말로 끝이야, 아가씨. 곧 전하의 숨이 끊어지겠지."

"거짓, 말. 애초에…… 알의 생일은…… 두 달 후라고……."

그러니까 걱정하지 말라고.

그렇게 말했었다.

"다시 말하지. 전하의 생일은 바로 오늘. 연두 봄 셋째 달 12일이야."

순간 몸에 번개를 맞은 것 같았다. 눈앞이 핑 돈다.

맙소사. 처음부터 생일을 속였다.

애초부터, 이럴 생각이었어.

수아는 황망하게 몸을 떨며 바닥을 내려다보다가, 고개를 들어 그녀를 바라보고 있는 연보랏빛 눈동자를 보았다. 그리고 시선을 마주치는 순간, 수아는 자신이 할 일을 알았다.

"알, 어디 있어요?"

"데려다줘?"

"네."

일단 하르페니언을 봐야 했다. 실제로 그녀가 뭔가를 할 수 있는지 아닌지는 더 이상 문제가 아니었다.

그를, 봐야 했다.

실바코프가 손을 내밀었고, 그 손을 잡은 순간 주변이 바뀌었다.

이상하도록 담담했다.

곧 죽는다는 사실이 아무렇지도 않았다.

새벽에 잠든 수아를 놔둔 채, 실바코프에 말에 따라 매개체를 제단에 바치고 나서도 마찬가지였다.

검을 제단에 놓자, 검은 사라졌다.

그뿐이었다. 아무런 일도 일어나지 않았다. 마음 한편에서는 혹여나 신의 목소리라도 들을 수 있지 않을까 싶었지만, 신 대신 실바코프가 수고했다는 한마디만을 던질 뿐이었다. 어차피 기대가 별로 없었기에 실망도 없었다.

단지 제단이 있는 건물을 나오면서 이제는 무엇을 해야 할까 생각했다. 이제는 더 이상 저주를 풀 방법을 찾아다니지 않아도 된다. 이제는 무언가에 쫓기며 살아가지 않아도 되는 것이다. 뭔가 할 것이 없다는 감각은 생경하기 짝이 없었다.

물론 아주 약간의 남은 시간 동안 수아의 얼굴을 한 번 더 보고 싶다는 욕망은 있었다.

하지만 그건 그에게나 그녀에게나 서로 미련을 더해주는 결과만 남길 터였다.

—해가 잘 보이는 곳으로, 갈 수 있을까.

실바코프는 그의 부탁대로 그를 언덕 위까지 데려다주었다.

언덕은 꽤 높았다. 이곳의 구조가 어떻게 되어 있는지 이해하는 건 진작 포기했지만, 언덕 위에서 내려다보는 주변에는 건물이 단 하나도 없었다. 방금 그가 검을 바치고 온 신전도, 수아와 함께 묵은 숙소 건물도 전혀 그 위치를 짐작조차 할 수 없었다.

그건 꼭 건물만은 아니었다. 며칠 동안 여기저기 돌아다니며 근처를 구경했음에도 그녀와 함께한 어마어마한 크기의 나무와 호수 등의 모습 또한 전혀 보이지 않았다.

하르페니언은 그 장소들을 눈으로 좇아보다 이내 포기했다. 차라리 마지막이니 이것이 깔끔하고 좋을지도 몰랐다.

"수아."

대신 그는 조용히 소리 내어 그 이름을 불러보았다.

자동적으로 그녀의 웃는 모습이 떠올랐다. 그 뒤를 이어 황제의 모습과 카르니언, 루펜, 리노체스 부인의 모습 등등이 스쳐 지나갔다.

하르페니언은 자신이 지나치게 감상적이 되어가고 있다는 걸 알았다. 하지만 평소라면 자기연민에 빠지기 전에 떠오르는 모습들을 억지로 끊어 멈췄겠지만, 이번에는 굳이 그 생각을 멈출 필요를 느끼지 못했다. 어차피 숨이 끊어지는 순간인데 뭘 못 할까.

어떤 것을 위한 삶이었나.

하지만 죽음의 순간 떠오를 거라 예측한 이 질문에는 기꺼이 대답해줄 수 있다는 것이 기뻤다.

그는 충분히 사랑받았다. 그저 그만 몰랐을 뿐이었다.

그것을 알게 해준 것이 수아였다.

세계를 위한 제물이니 희생양이니, 그러니 그의 생은 세계를 구했으니 의미가 있다는 그런 말 따윈 오히려 위로가 되지 않았다.

그저 그를 사랑해준 사람이, 생각해준 사람이 있었다는 것이 한 사람의 인생으로서는 지나치도록 충분했다.

주변의 어둑함이 걷히고, 천천히 해가 뜨기 시작했다.

아침 햇살.

그는 정확히 몇 시에 자신이 태어났는지 몰랐고, 그래서 지금도 해가 어느 정도 떠야 숨이 끊어지는지는 알 수 없었다. 저 아침 해가 완전히 다 뜬 후일지도 모르고 아니면 지금 당장일지도 몰랐다.

그저, 이왕이면. 이 햇살을 조금 더 보고 싶었다.

그러고 보니 수아는 일어났을까. 내가 잠시 어딘가에 나간 걸로 생각하고는 다시 잠들면 좋을 텐데. 최대한 오래, 조금이라도 더 좋은 기분을 부디 유지했으면.

하르페니언은 진심으로 그리 기원했다.

주변이 점점 밝아져 오기 시작했다. 조금씩 따스해져 가는 것이 느껴지고 주변이 점점 더 밝아졌다.

마치 수아처럼, 주변을 밝히는 태양.

죽음은 춥고 어두울 거라고만 생각했다. 이렇게 따스하고 밝은 곳에서, 기분 좋게 죽어갈 수 있으리라고는 단 한 번도 생각한 적이 없었다.

그는 미소 지었다. 최고의 기분이었다.

실바코프가 수아를 데려다준 곳은 어느 산의 밑이었다. 그다지 높지 않은, 어떻게 보면 언덕 정도로도 볼 수 있는 낮은 산이었지만 그 안은 사람의 발길이 전혀 닿아 보이지 않을 정도로 나무와 잡초가 무성했다.

"이 위로는 아가씨 혼자 가야 해. 이 이상은 마법을 써서 갈 수가 없어."

하지만 그는 그 위를 가리키며 그렇게 말했다.

"쭉 가면 되죠?"

"꼭대기까지."

수아는 두 번 묻지 않고 곧바로 등을 돌렸다. 나무와 풀로 우거진 그 산을 올라가는 것은 만만찮은 일이 될 터였지만, 그녀는 지금 그런 걸 생각할 여유가 없었다. 그저 마음속에는 초조함만이 가득할 뿐이었다.

실바코프는 하르페니언이 태어난 시간을 정확히 모른다고 했다. 완전히 뜬 후인지, 그 중간인지도. 당연히 하르페니언의 숨이 언제 끊어지는지도 알 수 없다는 소리였다.

그녀는 있는 힘껏 산을 오르기 시작했다. 길이 제대로 나 있지도 않은 곳인 데다 신발도 실내용 슬리퍼였다. 완전히 어두운 것은 아니었지만 나무가 빽빽하게 들어선 산속은 다닐 만한 길을 구분하는 것도 쉽지 않았다. 그나마 옛날에 등산을 다녔던 기억이 있어 어떻게든 올라가고는 있었지만, 사방에서 나뭇가지가 그녀를 뜯을 듯 긁어댔다.

하지만 지금 수아에게는 이런 자잘한 상처가 문제가 아니었다.

바보, 바보, 바보.

수아는 그 단어를 끝없이 읊조렸다.

그건 하르페니언에게 하는 말이기도 했고 그녀 자신에게 하는 말이기도 했다.

그는 왜 그녀에게 왜 미리 말하지 않았을까.

그러나 그 물음에 대한 대답은 원망을 채 시작하기 전에 바로 알 수 있었다.

하르페니언이 그러고 싶지 않았을 테니까. 그 또한 수아를 살리고 싶었을 테니까. 그렇게 결심한 이후로는, 그녀와 함께 보내는 시간을 망치고 싶지 않았을 테니까.

하지만 그런 머리로 한 이해와는 달리 심정은 그렇지 못했다. 조금은, 의논을 해줬어도. 아니 최소한 어제 작별인사라도 해주었다면. 그랬다면…….

알은 매사 그런 식이지. 혼자 모든 걸 껴안고. 힘든 건 자신만 안고 가려고.

퍽. 꽤 아픈 소리와 함께 수아는 굵은 나뭇가지에 이마를 박았다. 수아는 반사적으로 이마를 감싸 쥐면서 자리에 주저앉았다. 하지만 곧바로 이를 악물며 자리에서 일어났다. 눈물이 후드득 손등으로 떨어졌다. 어느 사이엔가 눈앞이 심하게 흐리다 싶었더니 계속 울고 있었던 모양이다.

'이대로는, 못 보내.'

만나서 어떻게 해야겠다는 것도 없었다. 그냥 어떻게든 그를 만나야 했다. 그가 아직 살아 있을 때.

아직 너무 많은 말을 못 했다.

너무 많은 마음을 전하지 못했다.

이럴 줄 알았다면 다음에 이곳에 또 오자는 말로 그의 가슴을 아프게 하는 대신 지금이 너무나 즐거워서, 다른 건 생각할 틈도 없다고 했을 것이다. 앞으로는 어떻게 하자는 말 대신 함께 있는 그와 함께하고 있는 「지금」에 대한 이야기를 했을 것이다.

다음에, 저주가 풀린 후, 황궁으로 돌아가는 길에서, 수도로 돌아가서. 그녀로부터 그런 말을 들을 때마다 하르페니언은 어떤 심정이었을까.

숨이 막혔다. 심리적인 이유가 아니라 순전히 육체적인 이유만으로도 제대로 호흡을 할 수가 없었다. 몸은 산소를 달라고 아우성쳤고 혹사당한 근육은 비명을 질러댔다.

하지만 수아는 올라가는 것을 멈출 수가 없었다. 조금만 더, 조금만 더.

그사이 나뭇가지에 걸린 숄의 일부가 찢어졌고 슬리퍼는 이미 벗겨진 지 오래였다. 아무것도 신지 않은 발은 돌에 긁혀 여기저기 피가 흐르고 있었지만 수아는 그것을 제대로 인지하지 못했다.

얼마나 그렇게 올라갔을까. 주변이 점점 밝아지는 것에 수아는 거의 절망적인 심정까지 느꼈다.

드디어 눈앞에 산 정상이 보이는데, 저곳에 그가 있을 텐데.

제발, 하르페니언.

수아는 속으로 빌고 또 빌었다.

제발.

저를 데려온 신이시여. 당신이 저를 이곳에 데려온 것은 이런 끝을 내기 위해서가 아닐 거라 믿습니다. 저에게 그 무엇을 가져간다 하더라도, 아니 그냥 제 모든 것을 드릴 수도 있습니다. 그러니 그 사람을 살려주세요. 이미 충분하잖아요? 세계를 위해서라며 그 기나긴 세월 동안 그를 괴롭히고 또 괴롭혔잖아요. 그러니 이렇게는 안 돼요. 이런 끝은 안 돼요. 정말, 안 돼요.

그를, 무슨 일이 있어도 행복하게—.

그리고 그 순간, 수아는 마침내 산의 정상에 도착했다. 그리고 마지막 나무를 지나친 순간, 그곳엔 그녀가 그렇게도 염원하는 사람의 모습이 보였다.

순간 환상을 보나 싶었다. 바위 위에 앉아 멍하니 여명을 바라보고 있었을 뿐인데, 난데없이 인기척이 느껴졌다.

처음에는 별 신경을 쓰지 않았다. 살아오는 평생 동안 예민하게 감각을 갈고닦아 언제나 타인을 신경 쓰던 인생이다. 마지막 정도는 그저 편하게 있고 싶었다.

하지만 그 발소리가 굉장히 익숙한 사람이라는 것을 깨닫는 순간 그는 당황하여 그쪽으로 시선을 돌렸다.

그가 앉아 있는 바위에서 사선 방향, 꽤 떨어진 거리였지만 그 끝 나무 뒤에서, 익숙한 인영이 보였다. 그 인영이 나무를 지나쳐 올라오는 순간, 그 모습은 더 이상 부정할 수 없을 정도로 뚜렷해졌다.

수아.

그녀는 굉장히 급히 산을 올라왔는지 모습이 엉망이었다. 하지만 하르페니언은 그 모습이 제대로 보이지 않았다. 그의 시야에 들어온 것은 「수아」, 오로지 그녀 그 자체였다.

그녀가 그에게 시선을 맞춰왔다.

그리하여 그의 눈이 그녀의 검은 눈과 맞부딪치는 순간, 하르페니언은 희열과도 같은 감정을 느꼈다.

"알!"

그녀가 그의 이름을 불렀다.

수아.

하르페니언이 속으로 수아의 이름을 되새겼다.

현실의 수아인지, 아니면 환상 속이 모습인지는 이미 상관없었다. 마지막 순간, 햇살 아래에 있다는 것만으로도 충분하다 생각했었다. 하지만 수아의 모습을 눈에 담을 수 있다니. 더 이상은 절대 듣지 못할 것이라고 생각했던 그의 애칭을, 그녀의 목소리로 들을 수 있다니.

그는 미소 지었다.

그, 금방이라도 사라질 것 같은 미소에 수아가 고개를 흔들었다.

안 돼, 안 돼, 안 돼.

수아는 그가 지금 지극히 만족한 상태라는 걸, 그러니 이대로 사라져버리려 한다는 걸, 본능적으로 알았다.

가지 마요.

"알!"

수아가 다시금 그의 이름을 외치면서 그에게 달려갔다.

가지 마요. 이건 아냐. 절대 이렇게는 아니야!

그리고 그 순간, 떠오른 태양의 햇살이 그에게 한 줄기 비췄다. 그녀의 손이 그에게 닿기 전이었다.

—저주는.

어디서 들리는 소리인지 알 수 없었다. 아니, 정확히는 귀로 들렸다기보다는 머릿속에서 울리는 그 어떤 것이었다. 그리고 그것은 확실하게 선언했다.

—완료되었다.

그것은 기묘한 감각이었다. 모든 것이 사라지고 모든 것이 나타나는 느낌. 이상한 무언가가 몸을 스쳐 가는 느낌.

하르페니언은 과거 이 감각을 느낀 적이 있었다. 그의 몸에 붉은 저주의 각인이 생겨날 때. 자신을 감싸고 있는 어머니가 차게 식어갈 때.

아. 끝났구나.

그는 지금에서야 깨달았다. 그 목소리는 「신」의 것이었다. 어머니의 죽음을 마지막으로 저주를 이루고, 그리고 지금 수아를 살림으로써 끝을 내는.

그것에 대한 불만은 없었다. 단지 이제는 어릴 때 어머니의 온기 잃은 몸을 붙잡고 있던 자신 대신, 수아가 그의 식어가는 몸을 붙잡고 있으리라는 것이 마음에 걸렸다. 그리고 그 모습은 이제 하르페니언이 영영 보지 못할 것이다. 그것만이 안타까웠다. 아마 어머니도 이러한 심정이었으리라.

"아, 알……."

하지만 정신을 차렸을 땐, 하르페니언은 자신의 품에 수아가 안겨 있는 것을 확실히 느낄 수 있었다.

아, 아직 조금의 유예가 더 있는 모양이구나.

그는 웃었다. 그녀를 느끼고 있는 시간이 조금 더 연장된다는 사실이 기뻤다.

"알……?"

수아는 당황한 표정으로 그의 얼굴로 손을 뻗었다. 그리고 뺨을 천천히 쓰다듬었다.

"수아."

그 사이에 목소리가 완전히 갈라져 있었다. 하지만 그만을 바라보는, 검은 눈동자가 너무나도 행복해서.

동시에 수아가 입을 열었다.

"문신이……."

문신이?

그제야 하르페니언은 무언가 이상한 것을 느꼈다.

하르페니언은 당황하며 한 손을 뺨 위로 올렸다. 어차피 촉각은 다를 바 없었기에 그런다고 해서 알 수 있는 것은 아니었다. 하지만 수아는 다시 한 번 되풀이하며 말했다.

"문신이…… 사라졌, 어요."

그리고 다음 순간 맹렬하게 그의 몸을 붙잡았다.

"맙소사. 알! 사, 살아 있는 거 맞죠? 그죠?"

그 말에 하르페니언이 눈을 몇 번 눈을 깜박였다. 손도 팔도 마음대로 움직였고 맞닿아 있는 수아의 체온도 그대로 느낄 수 있었다. 살아 있다는 정의가 숨을 쉬고 움직이며, 자신을 붙잡고 있는 이의 촉감을 느낄 수 있는 거라면 아마 그는 살아 있는 게 맞을 터였다.

반대로 죽음이 이런 것이라면 죽는다는 것도 나름대로 괜찮은 일일 테고.

"살아 있는…… 건가?"

그 말에 수아는 그렇지 않아도 큰 눈에 가득 고여 있는 눈물을 떨구며, 더욱 왈칵 울음을 터트렸다.

"진짜! 어, 어떻게 그래요? 말 하, 한마디 없이……."

엉엉 울며 자신의 품을 파고드는 수아를, 하르페니언은 당황하며 그녀를 양팔로 꼭 껴안았다.

"수아."

"못 한 말이, 흐흑, 너무…… 많다고요."

그런 그의 얼굴 위로 햇살이 가득 비쳤다. 하르페니언은 방금 전까지 바라보던 곳으로 시선을 던졌다. 이미 해는 완전히 떠 있었다.

뭐가 어떻게 된 건지 알 수 없었다. 혹시 그는 완전히 해가 뜬 다음에 태어난 걸까? 아니면 뭔가의 착오로 그가 태어난 날의 기록이 잘못된 걸까. 어느 쪽이라도 단순한 유예일 테지만, 그렇다면 문신이 사라지진 않았을 터였다.

수아도 같은 의문이 들었는지, 있는 힘을 다해 그를 껴안고 있다 휙 고개를 들었다.

"아, 안 죽는 거 맞죠? 봐요. 이미 해도, 해도 다 떴고. 그리고 무엇보다도……."

수아가 손을 들어 그의 얼굴을 부드럽게 쓰다듬었다. 눈 밑에서 뺨으로, 그리고 턱, 마지막으로는 목까지.

"문신이, 없어졌는걸요."

더구나 둘 다 확실하게 들었다.

저주가 완료되었다, 고.

영문을 알 수 없는 둘이 서로를 그렇게 마주 보고 있을 때였다. 뒤에서 짝짝, 하고 뭔가 손뼉을 치는 소리가 났다.

"끝났군요."

그리고 그 목소리의 주인공은, 별로 놀랄 것도 없이 실바코프였다.

"모든 시험을 통과한 걸 축하드립니다, 전하."

그는 언제나와 같이 미소를 얼굴에 띠고 있었다.

"시험?"

실바코프는 진심으로 후련한 듯한 표정으로 그들을 바라보았다.

"네. 여기까지가 처음부터 안배한 시험이었습니다. 말했지요. 이건 정말로 불리한 시험이라고. 남의 목숨을 취해 자신의 목숨을 살릴 것이냐, 아니면 남을 위해 자신의 목숨을 포기할 것이냐. 인간의 본성이라면 당연히 전자겠지요."

그는 수아와 하르페니언의 얼굴을 한 번씩 번갈아 쳐다보았다.

"전하는 여러 가지 의미에서 제물이었습니다. 「표본」이기도 했지요. 전하가 인간이라면 할 당연한 선택을…… 아가씨의 심장을 찔러 그 피를 취했다면, 그 순간 전하의 숨도 끊어졌을 겁니다. 이 세계 역시 무사하지 못했겠지요."

하르페니언은 수아에게 진실을 이야기하지 않았다. 신전에서 둘이 함께 검을 바치면 저주는 풀리고, 살아남는다고 그렇게 속였다.

그리고 실바코프는 수아의 심장을 찌른 검을 신전에 검을 바치면 그가 살 수 있다고, 그리고 그와는 상관없이 세계의 힘이 이미 안정됐다고 속였다.

그 사실을 깨달은 하르페니언의 표정이 미묘하게 변했다.

실바코프가 피식 웃었다.

“뭐, 제가 악의가 있어서 속인 건 아닙니다. 애초에 여기까지가 마련된 무대였습니다. 애초에 이 조건은 이곳의 신이 정한 것도 아닙니다. 말씀드리지 않았습니까? 규칙이 있고, 그 규칙은 결국 다른 차원에 있는 신의 시험이라고. 따라서 제왕의 운명을 지녔던 전하께서, 스스로의 목숨을 구하기 위해 다른 차원에서 와 열쇠로 이용만 당한 이의 생명을 앗아간다. 그러면 어차피 이 세계 또한 앞으로 자멸하게 될 테니 그런 세계를 구할 필요는 없다……는, 사실 제 입장에서는 절대 이해가 가지 않는 논리와 조건이었죠. 말씀드렸듯, 저는 그런 일이 있다면 소수를 희생시키는 게 당연하다 생각하거든요. 그런데 정말로 이 말도 안 되는 조건을 충족시키실 줄이야.”

“……수아를, 죽이라 계속 부추겼던 건.”

“아, 그건 개인적인 호기심이었습니다. 그냥 궁금했거든요. 제 연인 또한 「제물」이었으니까요. 이건 거짓말이 아닙니다. 그러니…… 저 또한 끝을 보고 싶었습니다. 제가 속인 이야기는 신전에 바칠 매개체의 조건과 이 세계에 관한 이야기뿐. 나머지는 가감 없는 진실입니다.”

순간 힘이 빠졌다. 솔직히 다른 건 귀에 제대로 들어오지 않았다.

그러니까, 지금. 확실한 건.

살았다는 말인가.

그리고 그걸 알아들은 것은 하르페니언만이 아니었다.

"그럼……."

수아가 멍하니 중얼거리듯 말했다.

"알은, 하르페니언은……. 안, 죽는 거라고요?"

거기에는 실바코프가 답했다.

"그래, 아가씨."

"계속요?"

"계속."

"정해진 기간 없이?"

"뭐……. 엄밀히 말하면 정해진 수명은 있겠지만, 그게 언제인지 모른다는 의미에서는 다른 인간과 같겠지?"

죽지 않는다. 함께한다. 살아간다.

그녀는 다시 하르페니언에게 시선을 돌렸다. 이렇게 올려다볼 때면 언제나 선명하게 보이던 붉은 문신이 보이지 않았다. 수아는 거의 그에게 매달려 있던 몸을 비틀거리며 바로 세웠다.

비로소, 그가 저주가 풀렸다는 것이 실감이 났다. 그리고 죽지 않았다는 사실도.

그건 하르페니언도 마찬가지인 모양이었다. 그 또한 멍하니 그녀를 내려다보았다. 그 모습을 보니 울컥 치솟는 감정이 있었다.

수아는 손을 올렸다.

짜악!

꽤나 아픈 소리가 나고, 하르페니언은 난데없는 힘에 돌아간 고개를 다시 돌릴 생각도 하지 못한 채 그대로 굳었다.

"아가씨?"

실바코프마저 당황하며 그녀를 불렀다.

"도, 도대체!"

하지만 지금 수아에게는 남을 배려할 여유 따윈 없었다. 그녀는 목청을 높였다.

"도대체! 혼자, 멋대로 결정하고! 호, 혼자 다 떠안고! 죽으려고 하고!"

"수아."

"아까, 내, 내가……. 흑. 무, 무슨 심정이었는지……."

몸에 힘이 풀렸다. 수아가 그대로 바닥에 주저앉기 직전, 하르페니언이 반사적으로 팔을 뻗어 그녀를 지탱했다.

"무서웠…… 무서웠다고요. 저, 정말……. 알이 없으면……."

아까의 기세와는 달리, 귀를 기울이지 않으면 들리지 않을 정도의 작은 목소리였다. 그제야 그녀의 엉망이 된 옷이, 나뭇가지에 이리저리 긁힌 몸이, 상처투성이인 발이 보였다.

"지, 진짜…… 너무해요……."

수아는 그대로 흐느끼기 시작했다.

"미안해."

하르페니언은 사과하며 그녀의 등을 부드럽게 쓰다듬었다.

"미안, 수아……."

다행이었다. 그녀의 원망을 받아줄 수 있어서.

그녀가 살아 있는 그에게 이렇게 화를 낼 수 있어서.

이미 죽어버린 상대에 대한 부질없는 감정에 사로잡히지 않게 해줄 수 있어서.

하르페니언은 수아를 조심히 안아 들었다. 그리고 그녀의 울음이 멈출 때까지 그녀를 품에서 내려놓지 않았다.

그 위로, 아침 해가 밝아오고 있었다.

"아얏."

"발이 엉망이야."

하르페니언이 수아의 발에 붕대를 감아주며 미간을 찌푸렸다.

"도대체……."

"그렇지만."

수아는 변명하듯 말했다.

"신발을 생각할 상황이 아니었는걸요."

"아니, 그대에게 하는 소리가 아니야. 그대에게 혼자 언덕을 올라가라고 한 그 드래곤 녀석이 문제지."

어느새 호칭은 드래곤 「녀석」으로 매우 떨어져 있었다. 그리고 수아는 그것이 굉장히 무난하고 최대로 참아주고 있는 표현이라는 것에 동의했다.

"애초에 그대를 그 자리로 불러올 필요가 있었던 건가. 아니, 그대를 불러올 필요가 있었다면 처음부터 나를 그 언덕으로 올려 보내지를 말든가."

물론 해가 잘 보이는 곳을 요청한 것은 하르페니언이었지만, 그렇다고 그런 언덕 위를 바란 것은 아니었다.

지금 수아는 발만이 아니라 온몸이 생채기투성이였다. 급한 대로 힐링연고를 발랐지만 왜인지 전혀 듣지 않았고, 다음으로는 실바코프에게 부탁했지만 수아의 치료는 이곳을 나간 이후부터 가능하다는 대답을 들었다. 즉, 힐링연고가 듣지 않는 것도 장소 탓이라는 것이었다.

곧바로 이곳을 나갈까도 싶었지만, 수아가 미열이 오르는 탓에 조금 몸이 나아질 때까지 하루 이틀 정도만 이곳에 더 머물기로 했다. 상처 자체가 그렇게까지 심한 것도 아니었고, 무리해서 앓아눕기라도 해버리면 그건 마법이나 힐링연고, 혹은 힐링포션으로 어떻게 할 수가 없었으니까.

상처를 대충 소독하고 붕대를 감는 것만으로도 꽤 큰일이었다. 대충 치료를 끝낸 하르페니언이 그녀를 푹신한 소파 위에 앉혔다.

"수아."

"앗, 잠깐만요. 나 지금 눈 엄청 부었을 텐데."

수아는 어떻게든 얼굴을 가리려고 했지만 그는 그런 그녀의 손을 조심스럽게 떼어냈다.

"그대는 어떤 모습이라도 예뻐."

"으, 또 그런 말……."

하르페니언은 대답 대신 그녀의 뺨에 부드럽게 키스하고는, 자연스럽게 입술을 훔쳤다.

그렇게 입맞춤은 몇 번이나 이어졌다.

"읏, 자…… 잠깐만요, 알."

수아가 하르페니언을 살짝 밀어내자, 그는 걱정스러운 듯 물었다.

"어디 안 좋은 곳이라도."

"아뇨, 그게 아니라……. 피 맛이 나서."

"음?"

"그……. 안 아파요?"

힐링연고가 수아에게 듣지 않는다는 것은 하르페니언에게도 듣지 않는다는 소리였다.

하르페니언은 눈치를 보는 수아를 보며 부드럽게 웃었다.

"이 정도는 상처 축에도 안 껴."

"미안해요. 그만 욱해서……. 그렇게 때릴 생각은, 아니었어요."

정말 혼신의 힘을 다해 때려서인지, 하르페니언은 입술만이 아니라 입안에도 상처가 나 있었다. 입맞춤으로도 피 맛이 느껴질 정도로.

"더 때려도 됐는데."

"그럴 수 있을 리 없잖아요!"

수아는 반사적으로 대답하고는 작게 한숨을 내쉬었다.

"알이야말로, 지금 저에게 화내도 되는 거잖아요. 결국 저를 살리려고 그런 건데, 소리 지르고, 뺨이나 때리고……."

"반대 상황이었으면 내가 그대에게 화냈을걸."

하르페니언은 그녀의 뺨을 조심스럽게 쓰다듬었다.

"난 오히려 그대가 때려줘서 기쁜데."

말만 들으면 참으로 위험할 수 있는 발언이었다. 하지만 그 말에 뺨을 붉히는 그녀 자신도 참 문제인 것 같았다.

"돌아가면."

하르페니언이 가볍게 그녀에게 이마를 맞대왔다.

"정말, 뭐부터 해야 할까."

"생각해둔 것 없어요?"

"돌아갈 수 없다고 여겼으니까."

문신이 없어진 그의 얼굴은 굉장히 익숙해 보이면서도 낯설었다. 특히나 원래 그가 이렇게까지 표정이 풍부한 사람이었나, 다시 순간순간 놀라면서 두근거리게 된다.

"그럼 같이 생각하면 되겠네요."

"……그렇군."

이제는 「정말로」 돌아간다.

하르페니언과 수아는 서로를 마주 보며 웃었다. 돌고 돌았던 길디긴 여정이 끝을 맺은 것 같은, 그런 안도감이 들었다.

이제 함께 미래를 짜 나갈 일만 남아 있었다.

에필로그에서 이어집니다.

메마른 빛, 이슬 한 방울 6 (완결)

초판 1쇄 발행 | 2016년 8월 20일

교정교열 | 문보람
총괄 디자인 | 니시
표지 편집 | 서유미

펴낸이 | 김혜랑
펴낸곳 | 메르헨 미디어
등록일자 | 2012년 6월 27일
등록번호 | 제 2012-000141 호
ISBN 979-11-87199-66-3 04810
ISBN 978-89-98328-21-4 (세트)

※ 이 도서의 국립중앙도서관 출판시도서목록(CIP)은 서지정보유통지원시스템 홈페이지(http://seoji.nl.go.kr)와 국가자료공동목록시스템(http://www.nl.go.kr/kolisnet)에서 이용하실 수 있습니다. (CIP제어번호 : CIP2016019266)

nabinovel@nabinovel.net
http://nabinovel.net